M000305931

Trois Discours
sur le poème dramatique

Du même auteur,
dans la même collection

Le Cid (édition avec dossier).

Horace (édition avec dossier).

L'Illusion comique (édition avec dossier).

La Place royale (édition avec dossier).

Théâtre I : Mélite. La Veuve. La Galerie du palais. La Sui-vante. La Place royale. L'Illusion comique. Le Menteur. La Suite du Menteur.

Théâtre II : Clitandre. Médée. Le Cid. Horace. Cinna. Polyeucte. La Mort de Pompée.

Théâtre III : Rodogune. Héraclius. Nicomède. Œdipe. Tite et Bérénice. Suréna.

Trois Discours sur le poème dramatique (édition avec dossier).

CORNEILLE

Trois Discours
sur le poème dramatique

●

CHRONOLOGIE
PRÉSENTATION
NOTES ET COMMENTAIRES
DOSSIER
BIBLIOGRAPHIE, GLOSSAIRE
ET INDEX

par Bénédicte Louvat et Marc Escola

GF Flammarion

À Georges Forestier

SOMMAIRE

CHRONOLOGIE 6

PRÉSENTATION 17

PRINCIPES D'ÉDITION 56

Trois Discours
sur le poème dramatique

Discours de l'utilité et des parties
du poème dramatique 63
Discours sur la tragédie et des moyens
de la traiter selon le vraisemblable
et le nécessaire 95
Discours des trois unités d'action, de jour
et de lieu 133

NOTES ET COMMENTAIRES 153

LES *DISCOURS*
RÉDUITS EN PRINCIPES 209

DOSSIER

**Les fondements
de la doctrine classique** .   215

    I. Le statut de la fiction théâtrale   215
    II. Corneille et les règles : la Querelle
       du *Cid*   224
    III. Les genres dramatiques   232

La fabrique du poème dramatique   245

    IV. Fidélité et invention   245
    V. L'unification dynamique de l'action   258
    VI. La liaison des scènes :
       les unités de temps et de lieu   271
    VII. Les caractères   280

**Plaire et instruire :
rhétorique dramatique**   286

    VIII. Les formes de la diction   286
    IX. Les effets du poème dramatique   298

ÉLÉMENTS DE BIBLIOGRAPHIE

    307

GLOSSAIRE
DES TERMES DE DRAMATURGIE   317

INDEX DES NOTIONS   323

INDEX DES PIÈCES DE CORNEILLE   325

INDEX DES NOMS PROPRES
ET DES ŒUVRES CITÉS   327

CHRONOLOGIE

	REPÈRES HISTORIQUES ET CULTURELS	VIE ET ŒUVRES DE CORNEILLE
1606		(6 juin) Naissance à Rouen de Pierre Corneille.
1610	Avènement de Louis XIII. Début de la régence de Marie de Médicis.	
1611	Parution à Leyde (Hollande) du *De tragœdiæ constitutione liber* de Heinsius, qui jouera un rôle important dans l'élaboration de la théorie moderne du théâtre.	
1615-1622		Corneille fait ses études au collège des Jésuites à Rouen.
1623	Parution de *Pyrame et Thisbé* de Théophile de Viau (probablement créée deux ans auparavant). Chapelain publie la Préface de l'*Adone* de Marino, dans laquelle il définit les premiers éléments de sa théorie de la fiction.	
1624	Début du ministère de Richelieu.	Corneille est licencié de droit.
1624-1628	Parution du *Théâtre* d'Alexandre Hardy. La préface du cinquième et dernier volume est à l'origine d'une violente querelle autour des règles du poème dramatique.	

1629-1630	Rédaction par Chapelain de la *Lettre sur la règle des vingt-quatre heures* (restée manuscrite) qui pose le fondement rationnel des règles.
	Création de *Mélite ou les fausses lettres* par la troupe de Mondory.
1630	
1630-1631	*Clitandre ou l'innocence délivrée.*
1631-1632	*La Veuve ou le Traître trahi.*
1632-1633	*La Galerie du Palais.*
1633-1634	*La Suivante* et *La Place royale*, sans doute jouées, comme les pièces précédentes, par la troupe de Mondory au théâtre du Marais.
1634	Les représentations de *La Sophonisbe* de Mairet (théâtre du Marais) et de l'*Hercule mourant* de Rotrou (Hôtel de Bourgogne) ouvrent la voie à ce que l'on appellera la « tragédie classique ».
1634-1635	*Médée.* La première tragédie de Corneille est créée au Marais.
1635	Création de l'Académie française. Scudéry, *La Mort de César* (théâtre du Marais).
	Représentation de *La Comédie des Tuileries*, la première œuvre des « Cinq Auteurs » réunis par Richelieu (Boisrobert, Corneille, Colletet, de L'Estoile et Rotrou). Corneille écrit le troisième acte de la pièce, et semble quitter très vite la compagnie.

	REPÈRES HISTORIQUES ET CULTURELS	VIE ET ŒUVRES DE CORNEILLE
1635-1636		*L'Illusion comique* (théâtre du Marais).
1636	Tristan L'Hermite, *Marianne* (théâtre du Marais).	
1637	(1er avril) Scudéry, *Observations sur Le Cid*. [anonyme], *Discours à Cliton sur les Observations du Cid*, comportant un important *Traité du Poème dramatique et de la prétendue Règle de vingt-quatre heures*, probablement rédigé en 1631-1632. (fin décembre) *Les Sentiments de l'Académie sur Le Cid*, rédigés par Chapelain. Rotrou, *Antigone* (Hôtel de Bourgogne). Du Ryer, *Alcionée* (théâtre du Marais).	La première du *Cid* a lieu le 5 (?) janvier.
1638	Représentation de *L'Amour tyrannique* de Scudéry. Un *Discours de la tragédie ou Remarques sur L'Amour tyrannique de M. de Scudéry*, rédigé par Sarasin et dédié à l'Académie, est publié en tête de la pièce (1639).	
1639	Parution de *La Poétique* de La Mesnardière, ouvrage de transition entre les poétiques de la Renaissance et les poétiques du classicisme.	

C H R O N O L O G I E

1640	Après une lecture d'*Horace* devant un comité de doctes (parmi lesquels Chapelain et d'Aubignac), une première représentation a lieu en privé au début du mois de mars ; la pièce est jouée au Marais au début du mois de mai. Près de trois ans après la Querelle du *Cid*, Corneille se trouve à nouveau confronté aux critiques des doctes.
1641	Corneille épouse Marie de Lampérière.
1642	(Août ou septembre) Création de *Cinna* au Marais. *Polyeucte* (théâtre du Marais).
1642-1643	(4 décembre) Mort de Richelieu.
1643	(14 mai) Mort de Louis XIII. Début de la régence d'Anne d'Autriche. *La Mort de Pompée* et *Le Menteur* sont créés au théâtre du Marais.
1643-1644	*La Mort de Sénèque* de Tristan L'Hermite est jouée par les comédiens de l'Illustre-Théâtre. (12 août) Premier échec de la candidature de Corneille à l'Académie française. Première édition collective des œuvres de Corneille.
1644	Le théâtre du Marais brûle le 15 janvier ; il ne sera reconstruit qu'en octobre.
1644-1645	*La Suite du Menteur* et *Rodogune* sont jouées au théâtre du Marais.
1645	Rotrou, *Le Véritable Saint Genest* (Hôtel de Bourgogne).

	REPÈRES HISTORIQUES ET CULTURELS	VIE ET ŒUVRES DE CORNEILLE
1645-1646		Échec de *Théodore*, la deuxième tragédie de Corneille à sujet chrétien (théâtre du Marais).
1646		(21 novembre) Deuxième échec de Corneille à l'Académie française : Du Ryer lui est préféré parce qu'il réside à Paris.
1646-1647		*Héraclius* (créée au Marais, la pièce figure ensuite au répertoire de l'Hôtel de Bourgogne).
1647	*Orfeo*, opéra italien de Rossi et Buti, est représenté pendant le Carnaval.	(22 janvier) Corneille est élu à l'Académie. (avril) Floridor quitte le théâtre du Marais pour l'Hôtel de Bourgogne : Corneille le suit sans doute. Mazarin commande à Corneille une pièce à grand spectacle ; ce sera *Andromède*, tragédie à machines mêlée de musique.
1648	Début de la Fronde parlementaire. Rotrou, *Cosroès* (?)	Dans la deuxième édition collective de son *Théâtre*, Corneille rebaptise *Le Cid* « tragédie » et fait précéder le texte d'un Avertissement qui est sa première réponse à l'Académie.

CHRONOLOGIE

1649-1650	Création de *Don Sanche d'Aragon* (sans doute à l'Hôtel de Bourgogne) qui inaugure le genre de la comédie héroïque. La publication de la pièce (1650) sera précédée d'une lettre (Épître dédicatoire à M. de Zuylichem) dans laquelle Corneille propose une redéfinition des genres dramatiques.
1650	(janvier) *Andromède*, tragédie à machines, est créée au Petit-Bourbon.
1651	(février) Création de *Nicomède* (probablement à l'Hôtel de Bourgogne).
1651-1652	Échec de *Pertharite*. Dans l'avis « Au lecteur » qui précède le texte de la pièce (1653), Corneille en tire les conséquences : « Il vaut mieux que je prenne congé de moi-même que d'attendre qu'on me le donne tout à fait. » Publication du premier livre de *L'Imitation de Jésus-Christ*.
1652	Les principaux chefs de la Fronde sont arrêtés (novembre-décembre).
1655	Création à Lyon de *L'Étourdi*, la première comédie de Molière.
1656	Représentation de *Timocrate* de Thomas Corneille (théâtre du Marais), considéré comme le plus grand succès théâtral du siècle.

CHRONOLOGIE	REPÈRES HISTORIQUES ET CULTURELS	VIE ET ŒUVRES DE CORNEILLE
1657	Publication de *La Pratique du théâtre* de l'abbé d'Aubignac, ouvrage conçu dans les années 1640. Constamment cité, le théâtre de Corneille y fait l'objet de louanges mais également de critiques concernant notamment l'invraisemblance de certains de ses dénouements.	
1659	Signature de la paix des Pyrénées (l'Espagne cède à la France l'Artois et le Roussillon). Molière, *Les Précieuses ridicules*.	(25 janvier) La création d'*Œdipe* à l'Hôtel de Bourgogne marque le retour de Corneille à la scène.
1660	Mariage de Louis XIV avec Marie-Thérèse d'Espagne. (novembre) *La Conquête de la Toison d'or* est représentée « par échantillons » au château de Neufbourg.	(Octobre) Édition du *Théâtre de Corneille revu et corrigé par l'auteur* en trois volumes précédés chacun d'un Discours et des Examens des pièces contenues dans le volume.
1661	(9 mars) Mort de Mazarin. Début du règne personnel de Louis XIV. Disgrâce de Fouquet. Thomas Corneille, *Camma*.	(Mi-février) Première de *La Toison d'or* au Marais.
1662	Boyer, *Oropaste ou le faux Tonaxare*. (26 décembre) Molière, *L'École des femmes*.	(25 février) Première de *Sertorius* au Marais.

1663

La Querelle de *L'École des femmes* met aux prises défenseurs et contempteurs de Molière, parmi lesquels les deux frères Corneille.
Trois ans après la publication des *Discours*, l'abbé d'Aubignac répond à Corneille en publiant trois *Dissertations* critiques consacrées à *Œdipe, Sertorius* et *Sophonisbe*.

(Mi-janvier) Création de *Sophonisbe* à l'Hôtel de Bourgogne.
(Janvier) Corneille publie une édition de son *Théâtre* en deux volumes in-folio, ce qui achève d'établir son magistère théâtral.

1664

(20 juin) La première tragédie de Racine, *La Thébaïde* est jouée par la troupe de Molière au Palais-Royal.

(3 août) Première d'*Othon* à Versailles, jouée ensuite à l'Hôtel de Bourgogne (5 novembre).

1665

Quinault, *Astrate* (Hôtel de Bourgogne).
(Décembre) Création d'*Alexandre le Grand* de Racine.

1666

(4 juin) Molière, *Le Misanthrope*.

1667

(17 novembre) Création d'*Andromaque* de Racine à l'Hôtel de Bourgogne.

(28 février) Première d'*Agésilas* à l'Hôtel de Bourgogne.

1668

Saint-Évremond, *Dissertation sur Alexandre* (premier des parallèles entre Corneille et Racine).

(4 mars) Première d'*Attila*, jouée par la troupe de Molière au Palais-Royal.

1669

(5 février) Après cinq ans de querelle et d'interdictions successives, *Le Tartuffe* de Molière est joué au Palais-Royal.
(13 décembre) Première de *Britannicus* de Racine.

REPÈRES HISTORIQUES ET CULTURELS		VIE ET ŒUVRES DE CORNEILLE
1670	Publication de *Britannicus*, précédé d'une préface très critique à l'égard de Corneille. (21 novembre) Première de la *Bérénice* de Racine à l'Hôtel de Bourgogne.	(28 novembre) Première de *Tite et Bérénice* ; jouée par la troupe de Molière au Palais-Royal.
1671		(17 janvier) Première de *Psyché* aux Tuileries. « Tragédie-ballet » à machines, la pièce est le fruit d'une collaboration entre Corneille, Molière, Quinault et Lully.
1672	(5 janvier) Première de *Bajazet* de Racine. Thomas Corneille, *Ariane* (26 février à l'Hôtel de Bourgogne).	(Novembre) *Pulchérie* est représentée au Marais.
1673	(12 janvier) Racine est élu à l'Académie française. (10 février) Molière, *Le Malade imaginaire*. (17 février) Mort de Molière, qui a pour conséquence la fusion de la troupe de Molière avec celle du Marais.	

C H R O N O L O G I E

1674	(11 janvier) *Alceste*, tragédie lyrique de Lully et Quinault, est créée au Palais-Royal. (18 août) Première d'*Iphigénie* de Racine à l'Orangerie de Versailles. Boileau publie, outre l'*Art poétique*, une traduction du *Traité du sublime* du pseudo-Longin. Rapin, *Réflexions sur la poétique de ce temps*.	Création de *Suréna* à l'Hôtel de Bourgogne (fin novembre ou décembre).
1676		Au mois d'octobre, six tragédies de Corneille (*Horace, Cinna, Pompée, Rodogune, Œdipe et Sertorius*) sont reprises à Versailles.
1677	(1er janvier) Première de *Phèdre* de Racine.	
1680	Création de la Comédie-Française, qui naît de la fusion des trois troupes parisiennes (de Molière, du Marais et de l'Hôtel de Bourgogne).	
1682		Parution de la dernière édition collective revue par Corneille.
1684		Mort de Corneille (1er octobre).

Présentation

> Quand on excelle dans son art, et qu'on lui
> donne toute la perfection dont il est capable,
> l'on en sort en quelque manière, et l'on
> s'égale à ce qu'il y a de plus noble et de plus
> relevé. V[ignon] est un peintre. C[olasse] un
> musicien, et l'auteur de Pyrame [Pradon] est
> un poète : mais MIGNARD est MIGNARD ;
> LULLI est LULLI et CORNEILLE est COR-
> NEILLE [1].

Au printemps 1653, un an après l'échec retentissant de
sa vingt et unième pièce, *Pertharite*, Corneille prit congé
de la scène et d'abord de lui-même. Il avait alors près de
cinquante ans.

> Il vaut mieux que je prenne congé de moi-même que
> d'attendre qu'on me le donne tout à fait, et il est juste
> qu'après vingt années de travail je commence à m'apercevoir
> que je deviens trop vieux pour être encore à la mode. J'en
> remporte cette satisfaction, que je laisse le théâtre français en
> meilleur état que je ne l'ai trouvé et du côté de l'art, et du
> côté des mœurs. Les grands génies qui lui ont prêté leurs
> veilles de mon temps y ont beaucoup contribué, et je me
> flatte jusqu'à penser que mes soins n'y ont pas nui : il en
> viendra de plus heureux après nous qui le mettront à sa per-
> fection, et achèveront de l'épurer [2].

Doit-on dès lors voir dans la publication, en 1660, de
son *Théâtre* complet une volonté de faire de son œuvre
un monument, et lire les *Discours* qui ouvrent chacun des

---

1. La Bruyère, *Les Caractères*, « Du mérite personnel », ¶ 24
(1688), éd. M. Escola, Paris, Champion, « Sources classiques »,
1999, p. 195.
2. Corneille, *Œuvres complètes*, éd. G. Couton, Gallimard,
« Bibliothèque de la Pléiade » (Désormais : *Œuvres complètes*, éd.
cit.), 1980-1987, t. II, p. 715.

trois volumes comme un testament poétique ? S'il poursuit la traduction de *L'Imitation de Jésus-Christ* entreprise en 1651, Corneille se consacre en effet, dès 1656,
à relire, amender et critiquer l'ensemble de ses pièces en
vue d'une publication qu'il conçoit comme définitive [1].
Cet effort touche particulièrement *Le Cid* : s'il ne procède
pas davantage en 1660 qu'en 1648 à des modifications
structurales qui plieraient sa pièce aux exigences formulées par l'Académie lors de la fameuse Querelle, Corneille n'hésite pas à supprimer ou récrire certains vers,
voire une scène entière (la première scène du premier
acte) [2].

Deux commandes viennent l'arracher cependant à sa
retraite : celle de *La Conquête de la Toison d'or* par le
marquis de Sourdéac (été 1656) et celle d'*Œdipe* par Fouquet (1658), qui se résignait mal à voir l'auteur du *Cid*
quitter le monde des lettres [3]. Mais c'est en 1657 qu'in-
tervint l'événement qui rendit Corneille à lui-même : la
publication par l'abbé d'Aubignac d'un ouvrage attendu
depuis les années 1640, *La Pratique du théâtre*. Le premier chapitre « servant de Préface à l'ouvrage » est assez
clair sur le rôle que d'Aubignac entendait jouer dans le
champ littéraire contemporain ; il s'achève sur un éloge
de ce législateur des arts et lettres que fut le cardinal de
Richelieu (mort en 1642), présenté comme le véritable
inspirateur du projet [4].

---

1. Voir l'Avis des livres III et IV de *L'Imitation de Jésus-Christ*
(*Ibid.*, t. II, p. 801) : « En attendant que Dieu m'inspire quelque autre
dessein, je me contenterai de m'appliquer à une revue de mes pièces
de théâtre, pour les réduire en un corps, et vous les faire voir en un
état un peu plus supportable. J'y ajouterai quelques réflexions sur
chaque poème, tirées de l'art poétique, plus courtes, ou plus étendues, selon que les matières s'en offriront ; et j'espère que ce présent renouvelé ne vous sera point désagréable, ni tout à fait inutile
à ceux qui se voudront exercer en cette sorte de poésie. »
2. Publiée une première fois en 1637, *Le Cid* avait connu en 1648
une seconde édition comportant nombre de variantes ; voir l'édition
de G. Forestier du *Cid*, STFM, 1992, p. XXX-XXXIX, et, sur les
enjeux de la Querelle, la section II de notre Dossier, p. 224 *sq.*
3. Sur les circonstances de cette commande, voir l'édition de
B. Louvat, *Œdipe*, Toulouse, Société de littératures classiques,
1995, p. XVIII.
4. D'Aubignac, *La Pratique du théâtre*, I, i, éd. P. Martino,

La lettre adressée par Corneille à l'abbé de Pure [1] en date du 25 août 1660 témoigne que le dramaturge vit dans l'ouvrage de d'Aubignac un défi à relever : contre l'édifice théorique d'un « spéculatif » qui avait l'audace d'intituler *Pratique* son traité, il importait d'élever une poétique qui fût une véritable « pratique » du théâtre. Les dernières lignes du troisième *Discours* ne laissent aucun doute sur cette visée polémique : nul ne peut prétendre dicter au théâtre ses règles sans les avoir d'abord fait triompher sur la scène.

> J'aurai [de l'indulgence] pour ceux dont je verrai réussir les ouvrages sur la Scène avec quelque apparence de Régularité. Il est facile aux spéculatifs d'être sévères ; mais s'ils voulaient donner dix, ou douze Poèmes de cette nature au Public, ils élargiraient peut-être les Règles encore plus que je ne fais, sitôt qu'ils auraient reconnu par l'expérience, quelle contrainte apporte leur exactitude, et combien de belles choses elle bannit de notre Théâtre. Quoi qu'il en soit, voilà mes opinions, ou si vous voulez, mes hérésies touchant les principaux points de l'Art, et je ne sais point mieux accorder les Règles anciennes avec les agréments Modernes. Je ne doute point qu'il ne soit aisé d'en trouver de meilleurs moyens, et je serai tout prêt de les suivre, lorsqu'on les aura mis en pratique aussi heureusement qu'on y a vu les miens [2].

C'est le statut même d'une poétique théâtrale que Corneille récuse ainsi, et la légitimité d'une théorie qui tire son autorité des pièces nécessairement antérieures à partir desquelles elle s'élabore, tout en prétendant délivrer les principes de création de toute œuvre dramatique. Le coup

---

Champion, 1927 (Désormais : D'Aubignac, éd. cit.), p. 17 : « Ce fut pour lui complaire que je dressai *La Pratique du théâtre* qu'il avait passionnément souhaitée, dans la croyance qu'elle pourrait soulager nos Poètes de la peine qu'il leur eût fallu prendre, et du temps qu'il leur eût fallu perdre, s'ils eussent voulu chercher eux-mêmes dans les Livres, et au Théâtre, les observations que j'avais faites. »

1. L'abbé Michel de Pure, surtout connu aujourd'hui comme l'auteur de *La Précieuse ou le mystère des ruelles* (1656-1658), roman qui constitue un témoignage sur le phénomène de la préciosité, jouissait d'une autorité certaine dans les milieux littéraires. Corneille s'adresse à lui comme à un « protecteur » possible dans cette lettre dont nous donnons plus loin un extrait.

2. Voir ci-dessous, p. 152.

de force de toute poétique, c'est de placer sur le même plan les œuvres historiques et les œuvres à venir : nul texte ne fait pour elle autorité, et elle convoque librement les textes comme autant d'exemples. En somme, l'avéré n'est pour elle qu'une des espèces du possible. Au geste inaugural de la théorie littéraire, Corneille a répondu par un autre coup de force : en ne séparant pas ses réflexions sur la poétique du texte même de ses pièces, il donne à lire en amont de toute sa production dramatique, non un discours justificatif ou un commentaire de son œuvre, mais les préceptes que celle-ci *permet* de formuler et qui la fondent en retour. En d'autres termes : une *Poétique* d'Aristote qui aurait été rédigée par Sophocle et donnée par lui en préface d'*Œdipe Roi*.

VINGT ANS APRÈS

Répondre à l'abbé d'Aubignac, c'est donc pour Corneille se réapproprier le texte même de la *Poétique*, et donner à son interprétation une tout autre légitimité que celle dont peut se réclamer un poéticien, fût-il doublé d'un philologue. À l'autorité du texte fondateur, il opposera donc régulièrement l'autorité de son propre théâtre et plus encore la voix d'un public qui l'a constamment plébiscité. On comprend du même coup que les *Discours* puissent se donner pour troisième interlocuteur l'Académie qui avait condamné, en 1637, la pièce avec laquelle Corneille avait trouvé son public, *Le Cid*. Alors qu'il ne les nomme jamais explicitement dans les *Discours*, la lettre à l'abbé de Pure ajoute à la mention d'Aristote, celle de ces deux interlocuteurs modernes que sont l'Académie, en la personne de Jean Chapelain, et l'abbé d'Aubignac :

> Je suis à la fin d'un travail fort pénible sur une matière fort délicate. J'ai traité en trois préfaces les principales questions de l'art poétique sur mes trois volumes de comédies [1].

---

1. Au sens général de « pièces de théâtre » (sans considération des genres dramatiques).

J'y ai fait quelques explications nouvelles d'Aristote, et avancé quelques propositions, et quelques maximes inconnues à nos anciens. J'y réfute celles sur lesquelles l'Académie a fondé la condamnation du *Cid*, et ne suis pas d'accord avec M. d'Aubignac de tout le bien même qu'il dit de moi. Quand cela paraîtra, je ne doute point qu'il ne donne matière aux critiques, prenez un peu ma protection. Ma première préface examine si l'utilité ou le plaisir est le but de [la] poésie dramatique, de quelles utilités elle est capable et quelles en sont les parties, tant intégrales comme le sujet et les mœurs, que de quantité, comme le prologue, l'épisode et l'exode. Dans la seconde je traite des conditions du sujet de la belle tragédie, de quelle qualité doivent être les incidents qui la composent et les personnes qu'on y introduit afin d'exciter la pitié et la crainte, comment se fait la purgation des passions par cette pitié et cette crainte, et des moyens de traiter les choses selon le vraisemblable ou le nécessaire. Je parle en la troisième des trois unités, d'action de jour et de lieu, et crois qu'après cela il n'y a plus guère de question d'importance à remuer et que ce qui reste, n'est que la broderie qu'y peuvent ajouter la rhétorique, la morale, et la politique. [...] L'exécution [de mon dessein] demandait une plus longue étude que mon loisir ne m'a pu permettre. Vous n'y trouverez pas grande élocution ni grande doctrine, mais avec tout cela, j'avoue que ces trois préfaces m'ont plus coûté que n'auraient fait trois pièces de théâtre. J'oubliais à vous dire que je ne prends d'exemples modernes que chez moi, et bien que je contredise quelquefois M. d'Aubignac et M[essieurs] de l'Académie, je ne les nomme jamais, et ne parle non plus d'eux que s'ils n'avaient point parlé de moi. J'y fais aussi une censure de chacun de mes poèmes en particulier, où je ne m'épargne pas. Derechef préparez-vous à être de mes protecteurs [1].

Destinée à connaître une publicité, cette lettre révèle un Corneille conscient de la portée polémique de son geste et en même temps soucieux d'émanciper le texte même des *Discours* de ce contexte polémique : la postérité doit pouvoir retenir les *Discours* comme un dialogue avec le seul Aristote. Et l'on doit entendre littéralement l'effort qu'avoue ici Corneille : si la rédaction de ces trois textes lui a coûté plus d'efforts que la création

1. *Œuvres complètes*, éd. cit., t. III, p. 6-7.

de trois pièces de théâtre, soit vraisemblablement trois ans de travail, c'est que le dramaturge conçoit ces « discours » comme une œuvre à part entière, promise au même avenir que sa production dramatique parce qu'indissociable d'elle. On peut même avancer l'idée que le « coût » d'une telle entreprise tient autant à l'élaboration théorique et au souci de rigueur philologique sur le texte d'Aristote qu'à la volonté d'effacer dans l'édifice les marques de polémique les plus explicites. Au vrai, c'est dès 1637 que l'auteur du *Cid* avait été amené à devenir le théoricien de sa propre pratique.

Entre 1637 et 1653, plusieurs préfaces enregistrent la position de Corneille à l'égard des règles et, plus largement, des grands débats relatifs à la dramaturgie. L'*Épître dédicatoire* de *La Suivante* (1637) convoque l'autorité de l'illustre Scaliger [1] pour appuyer l'idée d'un écart inévitable entre les règles et leur application concrète, et laisse attendre de plus amples développements sur les règles des Anciens et tout particulièrement sur la vraisemblance :

> Savoir les règles, et entendre le secret de les apprivoiser adroitement avec notre Théâtre, ce sont deux sciences bien différentes, et peut-être que pour faire maintenant réussir une pièce, ce n'est pas assez d'avoir étudié dans les livres d'Aristote et d'Horace. J'espère un jour traiter ces matières plus à fond, et montrer de quelle espèce est la vraisemblance qu'ont suivie ces grands maîtres des autres siècles, en faisant parler des bêtes et des choses qui n'ont point de corps [2].

Dix ans plus tard, Corneille publie coup sur coup *Rodogune* et *Héraclius*, et fait précéder les deux tragédies de préfaces capitales : l'essentiel de ce qui fera la spécificité de la dramaturgie cornélienne – les rapports complexes que la tragédie entretient avec le vrai historique – s'y trouve déjà exposé [3]. S'il réaffirme ces

---

1. Auteur d'une *Poétique* parue en 1561 qui contient l'un des commentaires les plus importants sur la doctrine d'Aristote, ainsi que des jugements critiques sur divers poètes anciens et modernes.
2. *Œuvres complètes*, éd. cit., t. I, p. 387. Corneille se proposait donc apparemment d'intégrer à ses réflexions sur la vraisemblance un examen des *Fables* d'Ésope.
3. Voir, dans notre Dossier, les Documents n° 31 à 34.

réflexions fondamentales sur l'Histoire, l'Avertissement à l'édition corrigée du *Cid* (1648) fait clairement de la *Poétique* d'Aristote le seul texte avec lequel Corneille veut désormais dialoguer, et à l'aune duquel il entend juger sa propre pièce contre l'avis même de l'Académie[1]. L'indépendance de Corneille éclate d'autant mieux qu'il pose à la fois l'universalité des principes aristotéliciens et la nécessité de les interpréter librement en fonction des exigences du théâtre moderne. En 1651 enfin, Corneille fait précéder *Don Sanche* d'une importante Épître où il rompt définitivement avec la distinction traditionnelle des genres, en fondant l'opposition entre la tragédie et la comédie sur la nature de l'action et non plus sur la condition des personnages ; il se donne ainsi les moyens, en s'autorisant de la référence à Heinsius[2], de promouvoir une comédie exempte de « ridicule » (qui ne cherche pas à provoquer le rire), mais aussi un nouveau genre, la comédie héroïque dont *Don Sanche* constitue l'acte de naissance[3].

Durant toute cette période, Corneille s'est donné pour interlocuteur privilégié Jean Chapelain qui, quinze ans avant les *Sentiments de l'Académie sur* Le Cid dont il fut le principal rédacteur, avait donné avec la Préface de

---

1. « Ce grand homme [Aristote] a traité la poétique avec tant d'adresse et de jugement, que les préceptes qu'il nous en a laissés sont de tous les temps et de tous les peuples ; et bien loin de s'amuser au détail des bienséances et des agréments, qui peuvent être divers, selon que ces deux circonstances sont diverses, il a été droit aux mouvements de l'âme, dont la nature ne change point. Il a montré quelles passions la tragédie doit exciter dans celles de ses auditeurs ; il a cherché quelles conditions sont nécessaires, et aux personnes qu'on introduit, et aux événements qu'on représente, pour les y faire naître ; il en a laissé des moyens qui auraient produit leur effet partout dès la création du monde, et qui seront capables de le produire encore partout, tant qu'il y aura des théâtres et des acteurs ; et pour le reste, que les lieux et les temps peuvent changer, il l'a négligé et n'a pas même prescrit le nombre des actes, qui n'a été réglé que par Horace beaucoup après lui. » (*Œuvres complètes*, éd. cit., t. I, p. 695-696).
2. Auteur d'un traité *De Tragœdiæ constitutionis* (1643) qui forme l'un des commentaires les plus rigoureux de la *Poétique* d'Aristote, ainsi que d'une dissertation sur la comédie.
3. Voir, dans notre Dossier, le Document 20.

l'*Adone* de Marino (1623) le texte fondateur de la réflexion sur le statut de la fiction au XVIIe siècle. Déjà réputé pour sa remarquable connaissance des théoriciens italiens, Chapelain est amené à jouer un rôle déterminant, auprès de Richelieu, dans les débats théâtraux des années 1630, après la lecture à l'Académie de son *Discours de la poésie représentative* (1635). Corneille l'a côtoyé la même année lors de la création collective de *La Comédie des Tuileries* et la Querelle du *Cid* n'a pas mis un terme aux échanges entre les deux hommes. La composition d'*Horace*, après le silence de trois ans qui suivit la création du *Cid*, fut notamment l'occasion d'une discussion sur la valeur du dénouement. Les *Discours* de 1660 poursuivent de toute évidence ce dialogue avec un théoricien auquel Corneille a gardé toute son estime. Corneille a d'abord été sensible, avec tous ses contemporains, à la force du système de Chapelain, qui affirme pour la première fois en France le statut singulier des fictions représentatives (indépendamment de toute distinction générique, puisque la Préface de l'*Adone* est d'abord une réflexion sur l'épopée) en s'interrogeant sur le mode d'adhésion du lecteur ou du spectateur au monde représenté. La circulation, en 1630, de la *Lettre sur la règle des vingt-quatre heures*, qui mit un terme définitif à la querelle entre dramaturges réguliers, et dramaturges irréguliers sur le bien-fondé des règles, permit de poser deux principes essentiels de la nouvelle doctrine que nous nommons *a posteriori* la doctrine classique : le fondement rationnel des règles, jusqu'alors seulement appuyées de l'autorité des Anciens et, partant, la possibilité de concilier ces mêmes règles avec le plaisir revendiqué par les irréguliers comme la finalité du spectacle théâtral [1].

Si la démarche cornélienne entérine la rupture inaugurée par Chapelain, comme en témoigne surtout le trai-

---

1. Voir G. Forestier, « De la modernité anti-classique au classicisme moderne. Le modèle théâtral (1628-1634) », *Littératures classiques*, 19, automne 1993, p. 87-128, et pour un exposé d'ensemble sur la pensée de Chapelain, A. Duprat, *Poétique et théorie de la fiction du Cinquecento à Chapelain*, thèse de doctorat, Université de Paris-Sorbonne, 1998 (à paraître).

tement de la « règle de l'unité de jour » au troisième *Discours* [1], on verra cependant affleurer dans ces mêmes *Discours* une idée parfaitement absente des textes de Chapelain et de ses épigones (jusqu'à d'Aubignac) et à vrai dire inassimilable par la doctrine classique du vraisemblable : l'affirmation de la part irréductible de *convention* que suppose la représentation théâtrale (c'est un des sens proprement inédit que Corneille donnera au terme de « nécessaire »). La quête d'un fondement rationnel des règles demeure finalement assez indifférente à Corneille pour qui l'existence des règles est d'abord déterminée par la pratique d'un art et l'attitude d'un public ; le début du premier *Discours* est assez net, qui s'interroge non sur l'origine des règles mais sur leur étendue pratique : « il est constant qu'il y a des Préceptes, puisqu'il y a un Art, mais il n'est pas constant quels ils sont ». Pour autant, Corneille retrouve sur bien des points essentiels la pensée de Chapelain : ainsi du souci constant de prendre en compte la « créance » du spectateur, souci qui assoit la définition du vraisemblable sur un fondement rhétorique ; d'une définition des qualités du « caractère » qui fait l'économie d'une perspective moralisante (sur la « bonté des mœurs » notamment, p. 78 *sq.*) ; et peut-être surtout de l'affirmation des pouvoirs de la fiction par rapport à l'Histoire. Mais dans la mesure où Corneille demeure ostensiblement fidèle à lui-même, les *Discours* forment bien le dernier acte de la Querelle du *Cid* : le dramaturge de 1660, qui jouit désormais d'un magistère qu'il n'avait pas encore en 1637, refuse toujours plus fermement la finalité moralisante du poème dramatique et le principe normatif de la vraisemblance dès lors qu'elle est pensée comme le champ d'application des bienséances. Corneille, à la différence de d'Aubignac, ne ramenait cependant pas la pensée de Chapelain à ces deux points : ils demeurent périphériques en regard de la réflexion rhétorique sur l'adhésion du spectateur à la fic-

---

1. « Beaucoup déclament contre cette Règle, qu'ils nomment tyrannique, et auraient raison, si elle n'était fondée que sur l'autorité d'Aristote : mais ce qui la doit faire accepter, c'est la raison naturelle qui lui sert d'appui » (p. 144).

tion. On comprend mieux pourquoi *La Pratique du théâtre* semble être la seule cible polémique des *Discours* : en radicalisant le principe du vraisemblable et la pensée de Chapelain, d'Aubignac trahissait aux yeux du dramaturge le meilleur d'une théorie de la fiction.

Les *Discours* n'en marquent pas moins une rupture avec les débats des années 1630 à 1650, dans la mesure où ils se veulent détachés du contexte de création d'une pièce précise et se trouvent adossés à l'ensemble du théâtre cornélien. Des Examens regroupés, dans chacun des volumes, entre le *Discours* préfaciel et la série des pièces correspondantes (elles-mêmes précédées d'un frontispice original), accueillent désormais, au lieu même des Avertissements originaux, les considérations trop précises qui auraient risqué de parasiter la théorie générale que Corneille entend proposer, tout en mettant en œuvre les principes de cette même théorie. Ce dispositif éditorial qui donne à lire un *Discours* avant une série d'Examens et celle-ci avant le texte même des pièces est à lui seul décisif : les *Discours* sont aux Examens ce qu'était la *Poétique* d'Aristote aux préfaces originales des pièces de Corneille. Il faut donc soutenir que ces Examens, dont on peut penser qu'ils furent élaborés avant les *Discours* dans un exercice de relecture, forment avec eux une seule et même entreprise théorique et critique, ou si l'on veut un seul « texte » [1].

Et en ne prenant pour ses *Discours* d'« exemples modernes que chez [lui] », Corneille sait bien qu'il fait d'une pierre deux coups sinon trois. Il y a là d'abord une façon pour le moins audacieuse de placer son théâtre sur un pied d'égalité avec celui des Anciens, en annulant *de facto* tout l'intervalle (Sophocle et moi) ; une manière ensuite de confronter le théâtre des Anciens aux attentes d'un public moderne qu'il a lui-même contribué à former (Sophocle et mon public) et finalement la doctrine aristotélicienne aux recettes du succès (Aristote et le nouveau Sophocle). En définitive, le seul intervalle qui soit constamment réaffirmé et pleinement assumé est bien

---

1. On trouvera de larges extraits des principaux Examens dans notre Dossier.

celui qui sépare deux poétiques (Aristote et moi). Quoi qu'en dise la fin du premier *Discours*, Corneille a bien trouvé le « loisir » de relire Aristote et certains de ses commentateurs :

> Cette entreprise méritait une longue et très exacte étude de tous les Poèmes qui nous restent de l'Antiquité, et de tous ceux qui ont commenté les Traités, qu'Aristote et Horace ont faits de l'Art Poétique, ou qui en ont écrit en particulier : mais je n'ai pu me résoudre à en prendre le loisir ; et je m'assure que beaucoup de mes Lecteurs me pardonneront aisément cette paresse, et ne seront pas fâchés, que je donne à des productions nouvelles le temps qu'il m'eût fallu consumer à des remarques sur celles des autres Siècles. J'y fais quelques courses, et y prends des exemples quand ma mémoire m'en peut fournir [1].

L'indifférence ainsi affichée s'oppose aux scrupules exégétiques de d'Aubignac qui nourrit les marges de son ouvrage de renvois aux principaux commentaires d'Aristote et d'Horace, et qui fait de leur lecture un préalable pour le poète – *a fortiori* lorsqu'il se fait théoricien [2].

Indifférence en grande partie feinte : on a vu que des textes liminaires antérieurs à 1660 convoquaient à l'occasion Scaliger ou Heinsius. Les *Discours* citent explicitement cinq théoriciens italiens : Robortello, Castelvetro, Beni, Pacci (Pacius chez Corneille, à la suite d'une confusion assez révélatrice entre deux auteurs différents) et Vettori (Victorius), ainsi que Heinsius. Mais chacun d'eux n'est guère convoqué qu'une fois, pour une référence rapide et ponctuelle [3].

---

1. P. 93.
2. D'Aubignac, éd. cit., I, v, p. 32 : « Il faut que [le poète] s'applique à la lecture de la *Poétique* d'Aristote et de celle d'Horace, et qu'il les étudie sérieusement et attentivement. Ensuite il est nécessaire qu'il aille feuilleter leurs Commentaires, et ceux qui ont travaillé sur cette matière, comme Castelvetro, qui dans son grand caquet italien enseigne de belles choses, Hiérosme Vida, Heinsius, Vossius, La Mesnardière et tous les autres. Qu'il lui souvienne que Scaliger dit seul plus que tous les autres, mais il n'en faut pas perdre une parole ; car elles sont toutes de poids. »
3. Alessandro Pazzi ou Pacci (*Aristotelis poetica*, 1536) ; Francesco Robortello (*Francesci Robortelli Utinensis in librum Aristotelis de Arte Poetica Explicationes*, Florence, 1548) ; Pietro Vettori

Si l'économie des citations dans les *Discours* est donc manifeste, en regard des usages du temps, on peut aisément se persuader que, pour tel ou tel passage de la *Poétique* d'Aristote, Corneille a été soucieux de parcourir les principales interprétations. Mais ce n'est qu'à deux reprises qu'il fait étalage de son information ou plus exactement de la pluralité d'interprétations qui se laissent difficilement concilier : c'est lorsqu'il expose (p. 78) ses propres « conjectures » sur le sens à donner à la « bonté » des caractères, la première « qualité » requise par Aristote pour les « mœurs » ; pour l'interprétation globale du passage, Corneille se réfère à Robortello qu'il cite après coup, pour cautionner sa lecture. Vient ensuite une discussion philologique sur une brève phrase de la *Poétique*, qui se laisse d'abord difficilement réduire à l'interprétation que Corneille entend donner de la « bonté des mœurs » : Corneille confronte alors quatre traductions (Pacci, Vettori, Heinsius et Castelvetro), avant de retenir celle de Castelvetro (p. 80). Ailleurs, sur la délicate question de la catharsis, Corneille signale au passage (p. 96) les « douze ou quinze opinions » réunies par Paolo Beni, sans s'attacher davantage à les distinguer ou à les détailler : c'est ici sa propre interprétation qu'il entend faire prévaloir, même s'il s'autorise de celle de Beni.

En multipliant ses références, Corneille veut montrer qu'il connaît, à l'instar des « savants », une diversité de commentateurs. Mais il est patent qu'il n'entend pas recourir systématiquement à la caution de tel ou tel interprète antérieur, et moins encore s'affilier continûment à une « autorité » unique, mais bien entretenir un dialogue direct, sans intermédiaire privilégié, avec Aristote. Les exemples rappelés ci-dessus suffisent à révéler la fonction de ces références : elles sont essentiellement convoquées

---

(*Petri Vettori Commentarii in Primum Librum Aristotelis de Arte Poetarum*, Florence, 1560) ; Lodovico Castelvetro, *Poetica d'Aristotele volgarizzata e sposta*, Vienne, 1570) ; Paolo Beni (Padoue, 1613). Seul Robortello est cité deux fois dans les *Discours* (p. 79 et p. 100). Significativement, le troisième *Discours*, qui est le plus ouvertement technique, ne mentionne explicitement aucun théoricien moderne.

lorsque apparaît une divergence manifeste entre le texte d'Aristote et les principes que le dramaturge élabore de son côté. Corneille ne cherche pas davantage à arbitrer entre les traditions herméneutiques antagonistes représentées par Castelvetro d'un côté, et Robortello et Vettori de l'autre : s'il privilégie parfois les tenants d'une orthodoxie aristotélicienne, il n'en cite pas moins Castelvetro, ouvertement dénigré par les premiers et, en France, par La Mesnardière dans sa *Poétique* [1], dont il a pu retenir une conception de la tragédie coupée d'une fin « morale » et rattachée aux impératifs concrets de la représentation. Corneille montre en outre peu de goût pour les polémiques philologiques : ainsi l'interprétation qu'il propose de la « bonté des mœurs » ou de la catharsis rompt spectaculairement avec les lectures « moralisantes » de la *Poétique*, sans même que Corneille se sente tenu de discuter l'interprétation d'un Heinsius par exemple.

Peut-on dès lors lire les *Discours* de 1660 comme une manière de testament poétique ? On peut certes faire valoir que le public dont Corneille ne cesse de se réclamer dans les *Discours* est également celui qui lui a donné congé en 1652, en se détournant du vieux Corneille au profit de son cadet dont le *Timocrate* avait remporté un succès éblouissant en 1656. Mais ce serait négliger ce que l'on peut supposer de la genèse de ces textes : d'abord peut-être le projet de simples Examens, de notes critiques attachées à la relecture de chacune de ses pièces ; la reconnaissance au sein de cette production d'un « palmarès » des pièces les plus chères au cœur du dramaturge

---

1. Le Discours liminaire sur lequel s'ouvre cette *Poétique* parue en 1639 constitue une attaque en règle du commentaire de Castelvetro : « Parmi les Écrivains modernes qui ont attaqué la grandeur et, maltraité les appâts de cette charmante Princesse [le Poésie], le savant a paru des plus remarquables comme des plus ingénieux. [...] Nous apprenons avec beaucoup d'étonnement que cet illustre Écrivain, originaire d'Italie mère de la politesse, et Interprète d'Aristote Paranymphe de la Poésie, soutient qu'elle a été formée non seulement pour divertir, mais pour divertir le peuple ; et non seulement le peuple, mais la vile populace, grossière, ignorante et stupide. » (La Mesnardière, *La Poétique* ; rééd. Genève, Slatkine Reprints, 1972, non pag.).

(*Rodogune, Le Cid, Cinna* [1]) ; la mise au jour alors d'une cohérence qui fait d'un ensemble de pièces une œuvre, et d'autant de coups d'essais une authentique dramaturgie – et une dramaturgie autonome ; la possibilité ensuite de confronter cette lecture à celle proposée par d'Aubignac qui recourt au théâtre cornélien pour valider un système dans lequel le dramaturge ne se reconnaît pas ; l'idée enfin de relire Aristote avec les yeux de Sophocle, d'autant que la commande de Fouquet invitait à prolonger l'effort théorique par une confrontation pratique avec cet archétype de la tragédie qu'était pour Aristote *Œdipe Roi*. En somme, l'abbé d'Aubignac et Fouquet donnaient à Corneille l'occasion d'être à la fois le nouvel Aristote et le vrai Sophocle du théâtre français.

PRATIQUE CONTRE PRATIQUE

La Pratique du théâtre de l'abbé d'Aubignac, « œuvre très nécessaire à tous ceux qui veulent s'appliquer à la

---

1. L'« affection » de Corneille pour ces trois pièces éclate partout dans les *Discours* : *Rodogune* est citée vingt-trois fois, *Le Cid*, vingt fois ; *Cinna*, dix-neuf. L'Examen de *Rodogune* est tout aussi net : « On m'a souvent fait une question à la cour : quel était celui de mes poèmes que j'estimais le plus ; et j'ai trouvé tous ceux qui me l'ont faite si prévenus en faveur de *Cinna*, ou du *Cid*, que je n'ai jamais osé déclarer toute la tendresse que j'ai toujours eue pour celui-ci, à qui j'aurais volontiers donné mon suffrage, si je n'avais craint de manquer en quelque sorte au respect que je devais à ceux que je voyais pencher d'un autre côté. [...] Cette tragédie me semble être un peu plus à moi que celles qui l'ont précédée, à cause des incidents surprenants qui sont purement de mon invention et n'avaient jamais été vus au théâtre. [...] Elle a tout ensemble la beauté du sujet, la nouveauté des fictions, la force des vers, la facilité de l'expression, la solidité du raisonnement, la chaleur des passions, les tendresses de l'amour et de l'amitié, et cet heureux assemblage est ménagé de sorte qu'elle s'élève d'acte en acte [...]. L'action y est une, grande, complète, sa durée ne va point, ou fort peu, au-delà de celle de la représentation, le jour en est le plus illustre qu'on puisse imaginer, et l'unité de lieu s'y rencontre en la manière que je l'explique dans le troisième de ces discours [...]. » (*Œuvres complètes*, éd. cit., t. II, p. 199-200). Corneille cite dans les *Discours* la quasi-totalité de ses pièces, à l'exception de cinq d'entre elles : *Clitandre, La Galerie du Palais, La Place royale, L'Illusion comique* et *Pertharite*.

Composition des Poèmes Dramatiques », accordait une place prépondérante à Corneille : ses pièces comptent parmi les créations modernes qui méritent une analyse systématique, à l'égal des tragédies antiques les plus célèbres [1]. La protestation de Corneille n'en prend que plus de relief : s'il se dit en désaccord avec le théoricien « avec tout le bien même » que celui-ci dit de lui, c'est que le dramaturge s'est senti dépossédé à la fois de son œuvre, des principes sur lesquels celle-ci s'était édifiée et de l'autorité que lui conféraient quelque trente ans de succès à la scène. Le théoricien usurpait la légitimité du dramaturge en s'érigeant en législateur et en réduisant l'œuvre cornélienne à n'être au mieux qu'un réservoir d'exemples destinés à illustrer un système théorique. D'Aubignac n'instituait finalement le théâtre de Corneille en modèle que pour l'examiner à l'aune de sa propre doctrine et pour le seul profit de cette dernière, ce qui l'autorisait aussi bien à condamner certains choix de Corneille et à récrire par exemple certains de ses dénouements.

S'il n'avait donné au public que deux pièces (deux tragédies en prose, *Zénobie* et *Cyminde*, écrites dans les années 1640), l'abbé d'Aubignac n'en avait pas moins bâti avec sa *Pratique du théâtre* le plus cohérent et le plus complet des systèmes dramatiques, en rupture avec les *Poétiques* antérieures comme son titre suffit à en témoigner. Au lieu de proposer, à l'instar des différents théoriciens italiens (Castelvetro, Robortello), hollandais (Heinsius) et français (La Mesnardière) qui l'avaient précédé, un commentaire d'Aristote, ordonné aux grands principes de la *Poétique* [2], d'Aubignac cherche à formuler

---

1. *La Pratique du théâtre* comporte une quarantaine d'allusions développées au théâtre de Corneille parmi les cent vingt exemples tirés de pièces modernes.
2. La Mesnardière, dans une des dernières grandes *Poétiques* françaises (1639), réorganise à peine la disposition du texte d'Aristote, en reprenant les six parties constitutives de la tragédie que sont la fable ou le *muthos* (à laquelle il consacre logiquement trois chapitres comme à la plus fondamentale), les mœurs (ou caractères), les sentiments ou les pensées prêtées aux personnages, le langage

les lois de la création moderne en les accommodant aux règles des Anciens telles qu'elles sont formulées par Aristote et mises en œuvre par les dramaturges grecs et latins. Un Corneille ne pouvait que souscrire à une telle ambition : l'étendue des désaccords ne doit pas masquer cette convergence fondamentale. Il en va de même pour le principe de « l'illusion mimétique » qui forme la clé de voûte de la dramaturgie classique : selon d'Aubignac comme selon Corneille, le théâtre doit donner au spectateur l'illusion qu'il assiste au déroulement d'une action qui possède toute la cohérence du vrai. Aussi tout dramaturge doit-il concilier deux manières de considérer l'action : l'action devra paraître comme « véritable » aux yeux du spectateur ; mais elle est aussi, fondamentalement, une action fictive et « représentée », qui possède ses exigences propres (gestion de l'espace et du temps, distribution et circulation de l'information nécessaire à son intelligence, etc.). Mais c'est précisément sur la façon dont le dramaturge doit « plier » l'action choisie, dans toutes ses circonstances, au principe premier de l'illusion mimétique, ainsi que dans la marge de manœuvre consentie au créateur, que les deux doctrines se séparent.

La théorie de d'Aubignac prend en effet sa source dans un paradoxe qui en révèle la radicalité : si l'action représentée doit idéalement se dérouler aux yeux du spectateur comme une action réelle, si « les personnages doivent agir et parler comme s'ils étaient vraiment rois » et comme s'ils étaient dans un palais romain « et non pas dans l'Hôtel de Bourgogne » à Paris, alors ils doivent agir « comme si personne ne les voyait et ne les entendait » que les autres personnages ; en conséquence, le dramaturge doit faire « tout comme s'il n'y avait point de spectateurs » (Document 2, p. 218). En d'autres termes, le système suppose la disparition de celui-là même qui en est le destinataire.

Une telle pétition n'avait tout simplement pas de sens pour un dramaturge qui affrontait saison après saison un

---

(l'expression ou *diction*), la disposition du théâtre (le spectacle) et la musique.

public bien réel, qui était par ailleurs conscient de la part irréductible de convention qui entre dans toute création théâtrale : aussi scrupuleuse soit-elle, l'unité de lieu par exemple ne parvient jamais à « naturaliser » complètement l'espace scénique obligé. Plus fondamentalement, le privilège régulièrement accordé par Corneille aux sujets historiques ou connus révèle qu'il entend fonder sa pratique de la tragédie sur les attentes d'un spectateur qui possède une connaissance au moins minimale des tenants et des aboutissants de ces mêmes sujets. Autant que d'un désaccord théorique, il y va d'une divergence quant à la conception du public et en définitive sur la valeur de la représentation elle-même.

Cet antagonisme de fond éclate logiquement dans la définition du sujet tragique ou du « beau poème » : pour d'Aubignac, le poète dispose d'une entière liberté en regard de l'Histoire, dont il peut modifier « la principale action pourvu qu'il fasse un beau poème », c'est-à-dire un poème qui sacrifie le vrai à la vraisemblance et aux bienséances ; pour Corneille au contraire, le sujet d'une tragédie sera d'autant plus efficace qu'il mettra en scène un conflit pour partie extraordinaire, si bien qu'il faut aller jusqu'à dire que « le sujet d'une belle tragédie doit n'être point vraisemblable » (Avis au lecteur d'*Héraclius*, Document 30).

On comprend que d'Aubignac se soit senti directement visé par l'entreprise de Corneille : l'exemplaire de *La Pratique du théâtre* sur lequel l'abbé reportait ses additions et corrections en vue d'une seconde édition qui ne fut jamais publiée, nous enseigne qu'il entendait réviser les éloges prodigués au théâtre de Corneille. Mieux : il projeta de relire à rebours, à partir de *Sophonisbe*, l'ensemble du théâtre de Corneille pour donner une série de *Dissertations* critiques, dont quatre seulement virent le jour, consacrées à *Sophonisbe*, *Sertorius* et *Œdipe* [1]. Ces textes sont pour d'Aubignac l'occasion de s'élever en législateur contre les libertés prises par le dramaturge à

---

1. D'Aubignac, *Dissertations contre Corneille*, éd. N. Hammond et M. Hawcroft, Exeter, University of Exeter Press, « Textes littéraires », 1995.

l'égard des règles, et tout particulièrement des bien-séances, au détriment desquelles Corneille privilégie systématiquement la vérité historique (pour *Sophonisbe*) tout en s'autorisant des inventions qui attentent à l'intégrité des sujets les plus célèbres (*Œdipe*).

Nul doute que d'Aubignac ait été surtout sensible au fait que les *Discours* ne le nomment pas et se donnent pour unique interlocuteur explicite le seul Aristote. De fait, c'est dans son interprétation de la *Poétique* que Corneille trouve le moyen de prendre d'Aubignac – mais aussi l'Académie – à revers.

LA *POÉTIQUE* DÉCOIFFÉE

La distinction aristotélicienne entre Histoire et poésie n'est pas elle-même exempte de tensions : s'il affirme que la poésie a partie liée avec le vraisemblable plutôt qu'avec le vrai historique, Aristote n'en avoue pas moins la supériorité pour la tragédie des sujets connus sur les sujets inventés. De Chapelain à d'Aubignac, il semble que les théoriciens du XVIIᵉ siècle aient tous compris le fameux passage du chapitre 9 comme une invitation à réduire le vrai historique au vraisemblable et à considérer l'Histoire comme un cadre général fournissant un lieu, un temps et des caractères, les uns et les autres suffisamment éloignés. Corneille a été plus attentif à ce qui autorise Aristote à poser à la fois les pouvoirs du vraisemblable et l'efficacité dramatique d'un sujet connu [1] ; l'argument aristotélicien est ouvertement rhétorique et repose sur l'assimilation du possible au persuasif (degré superlatif du possible, le vrai est supérieurement persuasif). Or la tragédie doit être d'autant plus persuasive qu'elle porte à la scène, par définition, un sujet extraordinaire, qui fait violence aux convictions les mieux établies du spectateur : si l'on convient que les meilleurs sujets tragiques sont ceux qui mettent en œuvre le « surgissement des

---

1. Voir H.T. Barnwell, *The Tragic Drama of Corneille and Racine. An old Parallel revisited*, Oxford, Clarendon Press, 1982, chap. II, p. 34 *sq.*

violences au sein des alliances », il faut bien reconnaître qu'il n'est pas si fréquent qu'une mère tue ses enfants, un fils son père, un frère sa sœur... Les sujets les plus authentiquement tragiques ne seraient tout simplement pas recevables s'ils n'étaient attestés et si le poème ne pouvait s'autoriser de la caution de l'Histoire. Ce que Corneille est ainsi le premier à reconnaître pratiquement, c'est le formidable pouvoir de « vraisemblabilisation » inhérent à l'événement historique dès lors qu'il est connu et d'avance accepté comme tel par le spectateur. Mieux : ce pouvoir est tel qu'il va donner aux événements inventés, pour peu que ceux-ci s'insèrent vraisemblablement dans la trame historique, la même crédibilité. G. Forestier a parfaitement souligné l'acuité de l'interprétation de Corneille et la façon dont elle est mise au service de sa dramaturgie :

> Il semble que Corneille soit l'un des seuls à avoir réfléchi sur la manière de dépasser ce point de vue rhétorique : tout en s'en servant pour donner la couleur du vrai aux conflits extraordinaires – et jugés invraisemblables par les théoriciens de son temps – qu'il mettait en scène, il a conçu la fiction théâtrale comme un jeu dialectique entre le vrai et le faux pour reconstruire une histoire à la fois plus forte que la véritable histoire, et compatible avec elle [1].

La primauté de l'action extraordinaire s'explique tout uniment par la finalité même de la tragédie : la production du pathétique comme émotion proprement tragique. C'est précisément sur ce point, auquel il est pourtant conduit par une interprétation rigoureuse du texte de la *Poétique*, que Corneille se sépare d'Aristote, en faisant bon marché et du deuxième ressort tragique traditionnellement associé à la pitié et du principe même d'un effet cathartique de la représentation tragique : dès le premier *Discours*, significativement intitulé « De l'utilité et des parties du poème dramatique », et au terme d'un examen très serré des différents vecteurs possibles de l'instruction morale dans le poème dramatique, Corneille manifeste clairement son

---

1. G. Forestier, *Corneille. Le sens d'une dramaturgie*, SEDES, 1998, p. 18.

scepticisme sur la finalité morale du théâtre. Et dans le deuxième *Discours*, la terreur se voit tout aussi ouvertement subordonnée à la pitié pensée comme seul effet de la tragédie, ressort essentiellement esthétique et non pas moral.

La position de Corneille s'explique dans les deux cas par la promotion d'une attente du spectateur érigée en un principe moderne de création : la nécessité de préserver la « sympathie » du public pour le premier acteur sans laquelle la pitié suscitée par le personnage risquerait de basculer dans un sentiment d'horreur ou de répulsion [1]. On ne confondra donc pas cette nécessité d'une identification, au fondement même de l'illusion mimétique, avec la conception strictement morale d'un dénouement qui punirait les méchants et épargnerait les justes.

La combinaison de ce principe moderne – dont Corneille tente cependant d'attribuer la paternité à Aristote en forçant le passage de la *Poétique* consacré à la définition du héros tragique – avec celui du pathétique, tiré certes d'Aristote, mais auquel le dramaturge accorde une primauté absolue et résolument nouvelle, l'autorise à modifier en conséquence la hiérarchie des catégories aristotéliciennes de sujets tragiques [2]. Le chapitre 14 de la *Poétique* promeut deux types de sujets : ceux où l'on entreprend une action contre un proche que l'on ne connaît pas pour tel et que l'on reconnaît assez tôt pour l'épargner (c'est le sujet d'*Iphigénie en Tauride*) et ceux où la reconnaissance, ou « agnition », intervient après coup (*Œdipe Roi*). Pour Corneille, ces deux sujets présentent deux défauts majeurs au regard de la dramaturgie moderne (c'est-à-dire de la sienne) : le premier en ce que son dénouement n'a rien de tragique – l'ambiguïté d'Aristote sur ce point est totale ; le second en ce qu'il concentre tout l'effet pathétique dans son dénouement ;

---

1. On doit ici encore à G. Forestier d'avoir le premier mis en évidence le rôle capital dévolu à ce principe dicté, selon Corneille, par des considérations « techniques », et non par des spéculations morales. Voir son *Essai de génétique théâtrale. Corneille à l'œuvre*, Klincksieck, 1996, p. 215 *sq.*
2. Voir notre tableau, Document 17, p. 236.

dans l'un et l'autre cas surtout, l'ignorance dans laquelle persécuté et persécutant se trouvent quant à leur identité hypothèque le potentiel tragique d'un véritable conflit entre proches. Face à ces deux catégories, Corneille privilégie le type de sujet qu'Aristote avait mis au ban de sa hiérarchie, et qui présente le double mérite d'offrir un affrontement et de susciter un pathétique continu, tout en sauvant la possibilité de préserver l'innocence du premier acteur. Si ce schéma est bien celui de la plupart des tragédies de Corneille, il est particulièrement exemplaire dans le cas de *Rodogune*, si souvent convoquée dans les *Discours*. La pièce met en scène, dès l'ouverture du théâtre, le conflit entre une mère et ses fils, fait craindre constamment pour la vie des premiers acteurs et épargne en sa fin le personnage principal d'Antiochus tout en punissant la coupable.

C'est donc dans une interprétation du texte de la *Poétique* qu'il veut la plus fidèle à Aristote, tout autant que dans sa propre pratique, que le dramaturge trouve les raisons pour lesquelles « Corneille est Corneille ».

TROIS *DISCOURS* ET CINQ QUESTIONS DE POÉTIQUE

Il faut lire les *Discours* non comme un traité mais comme un dialogue où l'ordre des arguments est commandé tantôt par les grandes articulations de la doctrine aristotélicienne, tantôt par les développements de la *Pratique du théâtre*, tantôt enfin par les simples contraintes de la forme préfacielle. Ainsi le *Discours* sur lequel s'ouvre un premier volume regroupant les premières comédies et *Clitandre*, s'il traite bien de « l'utilité du poème dramatique », ne fera pas de place à la question de la catharsis, réservée au second *Discours* « de la tragédie ». L'organisation en triptyque elle-même n'a visiblement pas d'autre motif pour Corneille que la décision préalable de répartir l'ensemble de son théâtre en trois volumes [1]. Mais dans l'édition in-folio de 1663, où le

---

1. En témoigne le début du troisième *Discours* « des trois unités

théâtre est réparti non plus en trois mais en deux volumes, Corneille ne se résout cependant pas à amputer de l'œuvre ce troisième *Discours* [1].

Si la répartition en trois *Discours* est donc d'abord contingente, le triptyque n'en finit pas moins par paraître aux yeux de Corneille comme une œuvre achevée et suffisante. En 1668, l'édition du *Théâtre*, enrichie de cinq nouvelles pièces (*La Toison d'or, Sertorius, Sophonisbe, Othon, Agésilas*) comporte quatre volumes ; le quatrième est précédé d'un avis du libraire au lecteur qui laisse attendre, pour d'évidentes raisons commerciales, un quatrième *Discours* en même temps que les Examens des nouvelles pièces :

> Je n'ai pu tirer de l'Autheur, pour ce quatrième Volume, un discours pareil à ceux qu'il a mis au devant des trois qui l'ont précédé, ni sa Critique sur les pièces qui le composent, mais il m'a promis l'un et l'autre quand ce volume sera complet, et qu'il en aura huit comme les précédents. En attendant l'effet de cette promesse, je vous donne ici les Préfaces dont il a accompagné chacune de celles-ci quand il les a fait imprimer.

Ce souhait restera lettre morte : Corneille ne donnera qu'en 1682 cette nouvelle édition, et l'on ne voit pas qu'il ait jamais songé à un quatrième *Discours*. On ne peut donc rapporter, comme le voulait G. Couton, l'Avis de 1668, qui ne constitue que le vœu d'un libraire, au pas-

---

d'action, de temps et de lieu », où Corneille souligne que la question des unités a été largement anticipée dans les deux premiers *Discours* : « Les deux Discours précédents, et l'examen de seize Pièces de Théâtre que contiennent mes deux premiers Volumes, m'ont fourni tant d'occasions d'expliquer ma pensée sur ces matières, qu'il m'en resterait peu de chose à dire, si je me défendais absolument de répéter » (p. 133).

1. « Comme il ne peut entrer en [cette édition]-ci que deux des trois Discours qui ont servi de Préfaces à la précédente, et que dans ces trois Discours j'ai tâché d'expliquer ma pensée touchant les plus curieuses et les plus importantes questions de l'Art Poétique, cet Ouvrage de mes réflexions demeurerait imparfait si j'en retranchais le troisième. Et c'est ce qui me fait vous le donner en suite du second Volume, attendant qu'on le puisse reporter au devant de celui qui le suivra, sitôt qu'il pourra être complet » (Avertissement de l'édition originale de 1663, non pag.).

sage de la lettre à l'abbé de Pure déjà citée (« après cela
il n'y a plus guère de question d'importance à remuer et
ce qui reste, n'est que la broderie qu'y peuvent ajouter la
rhétorique, la morale, et la politique ») pour conclure à
l'inachèvement de l'entreprise et rêver au contenu d'une
hypothétique « morale » ou « politique » cornélienne [1].
Morale et politique correspondent très exactement à ce
qu'Aristote appelait les matières « extra-techniques » qui
comme telles ne relèvent pas directement des compétences du dramaturge. Quant à la « rhétorique » entendue
comme rhétorique restreinte aux figures et au vers, Corneille est assez net dans le premier *Discours* : « Je n'ai
rien à dire là-dessus, sinon que le langage doit être net,
les figures placées à propos et diversifiées, et la versification aisée et élevée au-dessus de la prose » (p. 85).

S'il est assez facile de dire quel est l'objet de chacun
des trois *Discours*, il est moins aisé de rendre compte du
détail des enchaînements. Les unités minimales qui
entrent dans la composition de chaque texte semblent
emprunter au modèle exégétique : sur un problème donné
Corneille cherche à convoquer d'abord une traduction
soignée d'Aristote et généralement « réfléchie », selon
l'usage du temps, à partir de la confrontation du texte
grec et de plusieurs traductions latines ; il n'énumère que
très rarement les interprétations canoniques du passage
envisagé, avant de proposer la sienne propre que vient
ultimement valider un exemple tiré de son théâtre, l'essentiel étant pour Corneille de nous faire passer d'une
autorité à une autre. Le volume de ces unités minimales
est fonction des difficultés philologiques ou herméneutiques rencontrées, et leur architecture peut se trouver
compliquée du fait que le texte aristotélicien recourt lui-

---

1. Voir la Notice de G. Couton, dans *Œuvres complètes*, éd. cit.,
t. III, p. 1392-1393 ainsi que le commentaire de G. Forestier, *Essai
de génétique théâtrale*, *op. cit.*, p. 23 *sq.*, et nos principes d'édition,
p. 56-59. S'il place en tête de l'édition de 1663 un avis « Au Lecteur » consacré à ses réflexions sur l'orthographe française et
affirme que « si cette ébauche ne déplaît pas, elle pourra donner
jour à un travail plus achevé sur cette matière », Corneille ne
conçoit vraisemblablement pas ce travail comme partie prenante de
ses réflexions sur la poétique.

même à des exemples qui appellent à leur tour une discussion.

L'enchaînement des différentes unités est commandé à la fois par cette démarche exégétique et par une logique singulière, que les visées polémiques ne suffisent pas à expliquer et qui semble s'être élaborée dans la production du texte, comme si la solidarité de certains principes avait été révélée à Corneille dans le cours même de la rédaction. À l'évidence, les *Discours* ne sont pas composés selon un plan préétabli qui chercherait à démontrer un système, mais trouvent leur cohérence dans le dialogue entre citations, allusions et exemples, et plus encore entre exemples antiques et exemples modernes. Corneille ne dissimule pas l'allure dialogique de son texte :

> J'écris sans ambition, et sans esprit de contestation [...]. Je tâche de suivre toujours le sentiment d'Aristote dans les matières qu'il a traitées, et comme peut-être je l'entends à ma mode, je ne suis point jaloux qu'un autre l'entende à la sienne. Le Commentaire dont je m'y sers le plus est l'expérience du Théâtre, et les réflexions sur ce que j'ai vu y plaire, ou déplaire [1].

Ce régime textuel combiné à la structure singulière des unités de composition apparente donc davantage les *Discours* à des « essais » qu'aux chapitres d'une poétique. Et si leur rédaction a « coûté » à Corneille plus d'efforts « que n'auraient fait trois pièces de théâtre », c'est peut-être parce que ces *Discours* s'écrivent selon une logique radicalement étrangère à la composition d'une tragédie.

Le *Discours de l'utilité* et des parties du poème dramatique

Le titre même du premier *Discours* a dû surprendre les contemporains, qui place apparemment sur le même plan la finalité (les « utilités ») et la composition d'une pièce de théâtre (les « parties ») dans une double référence à Horace et à Aristote.

---

1. Premier *Discours*, p. 93.

La finalité du poème dramatique

Ce titre « de l'utilité et des parties du poème dramatique » est au mieux un trompe-l'œil, sinon une provocation, et ce sur un double plan : l'ouverture du texte affirme sans ambages que « le seul but de la Poésie Dramatique [est] de plaire aux Spectateurs », et la question de l'utilité du théâtre est rapidement qualifiée d'« inutile » pour laisser place à un examen *des* utilités du poème dramatique, c'est-à-dire des lieux de la fiction où peut s'inscrire, le cas échéant, un enseignement moral. Il apparaît d'ailleurs assez vite que la référence à Horace reste secondaire et que Corneille entend bien s'en tenir aux coordonnées de la *Poétique*, dont ce premier *Discours* balaie ostensiblement l'ensemble des chapitres. Des premiers aux derniers chapitres du texte aristotélicien, du « plaisir pris aux représentations » à la supériorité sur l'épopée de la tragédie qui a pour elle « la musique et ce qui relève du spectacle » : cette remarquable « ouverture » du système aristotélicien a le mérite de fournir à Corneille un cadre dans lequel trouveront à s'inscrire l'ensemble de ses réflexions, tout en recentrant ce même système autour du principe du plaisir.

Au vrai, le texte de la *Poétique* est à peine convoqué qu'il est déjà « traversé » : le préambule doit se lire comme un excursus, à la faveur duquel Corneille expose en quelques lignes – en amont de ce qu'il donne comme le véritable commencement (« Je hasarderai quelque chose sur trente ans de travail pour la Scène ») – l'essentiel de la doctrine aristotélicienne dont il retient deux principes qu'il place du même coup au fondement de la sienne propre : 1. S'il est vrai que le poème dramatique a pour fin le plaisir du spectateur, il doit plaire « selon les règles de l'art ». Reste à savoir « quelles elles sont » : Corneille en nomme deux principales, les unités et le couple vraisemblable-nécessaire ; 2. Il faut distinguer ces règles qui concernent le traitement des sujets de la question du choix du sujet. Cette distinction toute pragmatique est fidèle à l'esprit de la *Poétique*, mais Corneille en *déduit* une véritable règle, à la lettre inédite : « Les grands Sujets [...] doivent toujours aller au delà du vraisem-

blable. » Ce même préambule évoque déjà du même coup
les rapports entre la tragédie et l'Histoire, ainsi que le
statut de la vraisemblance par rapport au vrai, toutes
questions que Corneille réserve cependant pour le
deuxième *Discours*.

Les développements sur l'utilité sont commandés alors
par l'association horatienne du plaisir et de l'instruction
(à la faveur d'un centon de la *Poétique*, Corneille a pris
soin de pointer le complet silence d'Aristote sur la question). Quatre utilités sont énumérées, dont trois seulement
sont effectivement passées en revue : les sentences, la
représentation des vices et des vertus et « la punition des
mauvaises actions et la récompense des bonnes » au
dénouement – l'examen de la catharsis étant explicitement renvoyé au *Discours de la tragédie*.

Les composants d'une pièce de théâtre

On en vient sans transition à l'étude des « parties du
poème dramatique », parties « intégrales » ou « de qualité » (éléments constitutifs) puis parties « de quantité »
(relatives au déroulement du poème) [1]. Corneille respecte
et la distinction et la hiérarchie des premières : le sujet
(seule question « technique », c'est-à-dire proprement
poétique), les mœurs ou caractères, les sentiments et la
diction (trois questions « mixtes », qui font appel à des
« arts subsidiaires »), la décoration et la musique enfin
(questions « extra-techniques »). Corneille s'étend surtout
comme Aristote sur « les conditions du sujet », mais aussi
sur les lois du caractère. C'est l'occasion pour lui d'une
nouvelle ouverture, plus précise que la première, du texte
aristotélicien : il s'agit à la fois de refonder la distinction
entre comédie et tragédie (non plus sur le personnel dramatique mais sur la nature de l'action et des enjeux
qu'elle manifeste) et de repenser d'emblée la question de
l'unité de l'action, de sa « juste grandeur » et de sa néces-

---

1. On retrouve chez La Mesnardière, comme chez la plupart des
théoriciens des XVIᵉ et XVIIᵉ siècles, cette distinction reprise des
chapitres 6 et 12 de la *Poétique* d'Aristote ; voir l'éd. R. Dupont-
Roc et J. Lallot, Le Seuil, « Poétique », 1980 (Désormais : *Poétique*, éd. cit.), p. 235, n. 1.

saire complétude (« l'action doit être complète et achevée »).

La longueur du développement consacré ensuite aux caractères tient à la volonté d'isoler radicalement les normes de l'élaboration des caractères de la question de la moralité du théâtre. L'analyse du premier critère aristotélicien, la *bonté des mœurs* (*khrèstos*), donne toute la mesure de ce déplacement qui s'opère au regard non pas tant de la lettre de la *Poétique* que de l'exégèse traditionnelle (le passage donne significativement lieu à l'une des rares discussions philologiques des *Discours*) : « le caractère brillant et élevé d'une habitude vertueuse, ou criminelle, selon qu'elle est propre et convenable à la personne qu'on introduit » (p. 78).

Dans l'examen des parties de quantité, Corneille se montre conscient de la distance qui sépare le théâtre antique du théâtre moderne (en ce qui concerne tout particulièrement le prologue et les chœurs), mais la distinction entre prologue, épisode et exode lui permet d'exposer les trois principes les plus généraux qui règlent la distribution de l'action : le premier acte doit contenir les « semences de tout ce qui doit arriver » ; toutes les « actions momentanées » doivent être « rattachées » à l'action principale ; il faut réserver la catastrophe au cinquième acte et « la reculer vers la fin, autant qu'il est possible ».

Le *Discours de la tragédie et des moyens de la traiter selon le vraisemblable ou le nécessaire*

Si l'on n'éprouve guère de trouble à suivre le fil souplement tendu du premier *Discours*, le deuxième requiert du lecteur qu'il parcoure plusieurs routes à la fois, quitte à se trouver arrêté plusieurs fois au même carrefour. On peut sans doute distinguer deux versants, finalement assez autonomes : la discussion sur la catharsis (p. 95-118) et l'examen des différentes catégories du vraisemblable et du nécessaire (p. 118-132).

La crainte et la pitié

La topographie du premier versant semble se dessiner ainsi : introduite comme la quatrième utilité du poème dramatique et signalée comme spécifique à la tragédie, la catharsis fait tout d'abord l'objet d'une explication à la fois logique et psychologique ; la description (p. 96) intègre comme ressort essentiel du processus cathartique la troisième des propriétés du caractère (*homoios* : semblable) : c'est parce qu'il est en quelque façon « semblable » à nous que le personnage tragique nous invite à méditer sur les conséquences des passions mauvaises.

> La pitié d'un malheur où nous voyons tomber nos semblables, nous porte à la crainte d'un pareil pour nous ; cette crainte au désir de l'éviter ; et ce désir à purger, modérer, rectifier, et même déraciner en nous la passion qui plonge à nos yeux dans ce malheur les personnes que nous plaignons, par cette raison commune, mais naturelle et indubitable, que pour éviter l'effet il faut retrancher la cause.

Fidèle à la démarche d'Aristote (chapitres 13 et 14 de la *Poétique*), Corneille examine alors les moyens dont dispose le poète pour produire techniquement la pitié et la crainte. Il commente (p. 97-100) la définition du personnage tragique « ni tout à fait bon ni tout à fait méchant », puis les catégories de renversement auquel ce personnage peut se trouver soumis (renversement du malheur au bonheur ou du bonheur au malheur, p. 100-105). Il en vient ensuite aux types d'« événements » aptes à susciter la pitié et la crainte, et à une discussion sur la nature des relations entre « persécutant et persécuté » (supériorité de « la proximité du sang et [des] liaisons d'amour ou d'amitié », p. 106) ; puis à la hiérarchie des différentes catégories de sujet, issues de la combinaison de deux ressorts (connaître ou ignorer l'identité de celui qu'on poursuit ; achever ou ne pas achever le geste criminel, p. 107-111). Ce développement ouvre *in fine* sur « deux questions touchant ces Sujets entre des personnes proches » : si le poète peut les inventer (p. 111-115) et « s'il ne peut rien changer en ceux qu'il tire de l'Histoire ou de la Fable »

(p. 115-118). Et l'on glisse ainsi vers le deuxième versant du *Discours* sur le vraisemblable et le nécessaire.

Cette apparente fidélité aux coordonnées aristotéliciennes est en réalité destinée à masquer des divergences majeures et à vrai dire une rupture fondamentale : il s'agit en fait d'orchestrer la disparition de la catharsis, telle du moins qu'elle a été comprise par les commentateurs d'Aristote aux XVIe et XVIIe siècles, du champ de la poétique. La catharsis n'est convoquée au titre de quatrième « utilité » que pour mieux mettre en question l'interprétation moralisante donnée au XVIe siècle du concept aristotélicien, compris alors en référence aux préceptes de l'*utile* formulés par Horace : Corneille se montrera plus « aristotélicien » que bien des interprètes d'Aristote en cherchant à énoncer la nature spécifique de l'émotion suscitée par la représentation tragique, une émotion non pas immédiatement morale mais pleinement esthétique et qui n'a pas d'autre finalité qu'elle-même. Dans le temps même où Corneille examine donc scrupuleusement les différents moyens par lesquels peut s'opérer cette fameuse catharsis, il fait avancer un cheval de Troie au sein duquel il a d'avance enfermé, avec les principes du premier *Discours*, son propre système – une pratique du théâtre où catharsis, crainte et agnition n'occupent plus la place qui était la leur dans la poétique dramatique depuis Aristote.

L'existence même de la catharsis se trouve ainsi triplement discutée : l'explication du processus psychologique n'est donnée qu'à titre de spéculation, et sa réalité est aussitôt mise en doute (« si la purgation des passions se fait dans la Tragédie, je tiens qu'elle se doit faire de la manière que je l'explique ; mais je doute si elle s'y fait jamais », p. 99) ; la place conférée à la catharsis par la *Poétique* est rapportée à une visée seulement polémique d'Aristote à l'égard du livre III de *La République* de Platon (p. 100) ; Corneille avoue enfin son incompréhension radicale à l'égard du modèle d'Œdipe, qui suscite bien la pitié, mais dont on voit mal ce qu'il nous donne à craindre et quelles passions il nous donne à « purger ». Au passage (p. 99), le dramaturge tente honnêtement de confronter son *Cid* au schéma du processus cathartique :

Rodrigue et Chimène y ont cette probité sujette aux passions, et ces passions font leur malheur, puisqu'ils ne sont malheureux qu'autant qu'ils sont passionnés l'un pour l'autre. Ils tombent dans l'infélicité par cette faiblesse humaine dont nous sommes capables comme eux : leur malheur fait pitié, cela est constant, et il en a coûté assez de larmes aux Spectateurs pour ne le point contester. Cette pitié nous doit donner de la crainte de tomber dans un pareil malheur, et purger en-nous ce trop d'amour qui cause leur infortune, et nous les fait plaindre.

· L'exercice ne convainc pourtant pas Corneille, pour lequel l'efficacité cathartique de sa pièce demeure proprement inconnaissable : un dramaturge ne peut tout simplement rien dire des effets proprement moraux consécutifs à la crainte suscitée par une représentation de sa tragédie. On en tirera avec Corneille deux conclusions : qu'une telle efficacité morale de la tragédie relève du champ clos de la conscience du spectateur sur laquelle il n'appartient pas à la poétique de légiférer.

Mais je ne sais si [la pitié] nous donne [cette crainte], ni si elle purge [ce trop de malheur qui cause leur infortune], et j'ai bien peur que le raisonnement d'Aristote sur ce point ne soit qu'une belle idée, qui n'ait jamais son effet dans la vérité. Je m'en rapporte à ceux qui en ont vu les représentations : ils peuvent en demander compte au secret de leur cœur, et repasser sur ce qui les a touchés au théâtre, pour reconnaître s'ils en sont venus par là jusqu'à cette crainte réfléchie, et si elle a rectifié en eux la passion qui a causé la disgrâce qu'ils ont plainte.

Il faut comprendre qu'Aristote a théorisé sur une utilité « qui peut-être n'est qu'imaginaire », et qu'il a sous-estimé la seule utilité véritablement « solide » de la tragédie : le « fruit qui peut naître de la punition des méchantes actions et de la récompense des bonnes », soit « la force de l'exemple » (c'est la troisième « utilité » du théâtre moderne selon le premier *Discours*). On se rappellera qu'au fondement de cette troisième « utilité » figure un des principes premiers de la dramaturgie cornélienne, également énoncé dès le premier *Discours* : la nécessité de préserver la sympathie de l'auditoire pour le « premier acteur » qui conditionne la facture du dénoue-

ment. Corneille distribue donc logiquement (p. 103) la pitié
et la crainte sur deux catégories de personnages qui sont
aussi deux catégories de rôles : aux premiers acteurs (personnages vertueux menacés d'un péril qu'ils ne méritent
pas), la pitié ; aux personnages secondaires (persécutants
animés par des passions condamnables), la crainte.

> Établissons pour Maxime que la perfection de la Tragédie
> consiste bien à exciter de la pitié et crainte par le moyen
> d'un premier Acteur, mais que cela n'est pas d'une nécessité
> si absolue, qu'on ne puisse se servir de divers Personnages,
> pour faire naître ces deux sentiments.

On voit ici quel syllogisme structure en profondeur
l'ensemble du développement : s'il est vrai, comme le
veulent les interprètes d'Aristote, que la crainte est le ressort essentiel de la catharsis, et si la crainte ne peut naître,
dans le théâtre moderne, que du sort des personnages
secondaires, alors la catharsis ne peut jouer qu'aux
marges de la représentation tragique. La constitution
même du personnage tragique et, partant, la hiérarchie
aristotélicienne des sujets tragiques doivent donc être
révisées, ou plus exactement repensées à partir d'un
unique critère : le pathétique, pensé comme la seule émotion tragique, c'est-à-dire aussi comme émotion esthétique pure. Dans l'examen des conditions du sujet, le ressort de la crainte n'a même plus à être rappelé : au
moment où Corneille décide du partage entre morale et
poétique, le terme lui-même ne figure plus qu'aux fron-
tières du système, d'où il entretient encore d'hypothé-
tiques rapports avec une catharsis pour sa part tenue au
dehors.
Les deux réflexions sur fidélité et invention, données
comme deux annexes à l'analyse des catégories de « renversement », révèlent cet infléchissement du second *Discours* où la poétique se trouve « restreinte » à des questions strictement techniques et très exactement *a-morales*.
L'ensemble du développement suivant, qui forme le
second versant du *Discours*, s'écrit finalement comme un
long complément à la réponse apportée ici à la question
« s'il est permis de changer quelque chose aux sujets
qu'on emprunte de l'Histoire ou de la Fable ». Question

qui recouvre deux aspects (la liberté d'*ajouter* à l'Histoire et la possibilité de *falsifier* des événements attestés) et question doublement importante aux yeux de Corneille, comme le montrent les deux allusions au sujet d'Électre (p. 116 et 118) : l'Histoire, ne marquant que les faits, laisse au pouvoir du poète les « moyens de parvenir à l'action » (l'enchaînement causal dont l'événement historique est le dernier terme) ; si l'Histoire par ailleurs établit la culpabilité manifeste du personnage dont le poète entend faire son premier acteur, il faut s'autoriser des « falsifications », « pour exténuer ou retrancher cette horreur dangereuse d'une action historique » et « la faire arriver sans la participation du premier acteur ». On est là au cœur de cette dialectique à trois termes (suivre, ajouter à, falsifier l'Histoire) qui organise le second versant du *Discours*. Tout pourrait dès lors aller très vite, et il suffirait à Corneille de rapporter terme à terme ce triptyque à la trilogie formée par vrai, vraisemblable et nécessaire pour clore ce *Discours* – n'était la « nécessité » d'intégrer les règles...

Vrai, vraisemblable, nécessaire

La suite du *Discours*, qui se donne explicitement pour objet la définition du vraisemblable et du nécessaire, obéit à une tout autre logique : loin de fermer le système de façon synthétique en formulant des principes généraux, Corneille semble s'adonner à des arguties qui pluralisent non seulement les deux termes mais aussi leurs contextes d'emploi (combien faut-il *au juste* distinguer d'espèces du vraisemblable et de catégories de nécessaire ?). Cette pluralisation des termes dit l'essentiel : que le vraisemblable et le nécessaire ne doivent pas apparaître comme des principes normatifs qui viendraient régler de l'extérieur la production dramatique, au nom d'un prétendu fondement rationnel des règles. Sur ce point encore, Corneille s'oppose radicalement à d'Aubignac pour qui la vraisemblance est le principe des principes qui ne souffre pas, en tant que tel, de distinctions (le nécessaire est pour lui l'autre nom de la vraisemblance absolue). Ce dernier développement doit donc se lire comme un commentaire polémique du chapitre 2 de la seconde partie de *La Pratique du théâtre*, qui ne fait de place au vrai qu'en tant qu'il est réduit au vraisemblable :

> La Vraisemblance est [...] l'essence du Poème Dramatique, et sans laquelle il ne se peut rien faire ni rien dire de raisonnable sur la Scène. C'est une Maxime générale que le *Vrai* n'est pas le sujet du Théâtre, parce qu'il y a bien des choses véritables qui n'y doivent pas être vues, et beaucoup qui n'y peuvent pas être représentées. [...] Le *Possible* n'en sera pas aussi le sujet, car il y a bien des choses qui se peuvent faire, ou par la rencontre des causes naturelles, ou par les aventures de la Morale [*i.e.* les lois des « caractères »], qui pourtant seraient ridicules et peu croyables si elles étaient représentées. [...] Il n'y a donc que le *Vraisemblable* qui puisse raisonnablement fonder, soutenir et terminer un Poème Dramatique : ce n'est pas que les choses véritables et possibles soient bannies du Théâtre ; mais elles ne sont reçues qu'en tant qu'elles ont de la vraisemblance ; de sorte que pour les y faire entrer, il faut ôter ou changer toutes les circonstances qui n'ont point ce caractère, et l'imprimer à tout ce qu'on y veut représenter [1].

Il s'agit pour Corneille de sauver toutes ses pièces à sujet historique, c'est-à-dire en définitive l'essentiel de son théâtre tragique, et la pluralisation des termes cherche à prendre l'exact contre-pied de la réduction caractéristique du système de d'Aubignac. Il est significatif que l'opposition entre vraisemblable et nécessaire soit d'emblée pensée en rapport avec le *vrai*, en réhabilitant du même coup la possibilité de traiter les événements « comme ils ont été », ce que d'Aubignac excluait absolument. Et dès lors que Corneille accentue très vite, dans le texte aristotélicien, l'expression d'une alternative (« selon le vraisemblable *ou* selon le nécessaire »), on se trouve, pour l'ensemble du développement, dans un système à trois termes (vrai, vraisemblable, nécessaire), dont le premier commande tout le jeu. Il convient d'écarter d'emblée un malentendu qui a eu la vie longue : la place accordée par Corneille au « vrai » historique n'est pas le signe d'un quelconque souci de vérité, au sens moderne

---

1. D'Aubignac, éd. cit., p. 76-77. Voir aussi notre Dossier, Document n° 29, p. 249.

du terme, ou la marque d'une influence baroque, comme
l'a bien vu G. Forestier :

> Le vrai ne sert que de garantie à [des] sujets trop « sin-
> guliers » pour paraître vraisemblables. [...] L'élément orga-
> nique de toute fiction est le *croyable*. Or, puisque les grands
> sujets sont d'une nature telle qu'ils outrent la vraisemblance
> ordinaire, ils ont un besoin absolu, sous peine d'être rejetés
> comme incroyables par le public, d'une forme quelconque
> d'authenticité. De ce point de vue, le vrai – ou l'Histoire –
> constitue la forme supérieure de l'authenticité. Aristote ne
> disait pas autre chose [1].

En dépit de la multiplication des niveaux d'analyse,
cette seconde partie du *Discours* répond donc à une
unique question : comment harmoniser les inventions qui
relèvent du vraisemblable ou du nécessaire avec les événements reçus de l'Histoire auxquels la tragédie a finalement toujours affaire de façon à les rendre également
croyables – en tenant compte *en outre* des règles ? Cette
harmonisation est une question technique (elle touche à
la fois à la sélection des événements et à leur combinaison
en une intrigue) en même temps qu'une question rhétorique (à quelles conditions le spectateur peut-il accorder
du crédit aux inventions du poète ?). On peut donc distinguer trois niveaux d'analyse : les contraintes liées à la
représentation (les règles), la sélection et la syntaxe des
faits, la crédibilité de l'ensemble aux yeux du spectateur.
La question proprement aristotélicienne du statut ontologique de l'événement (la réflexion sur les degrés du
possible), jamais traitée en tant que telle, est convoquée
librement à chacun de ces trois niveaux.

1. Premier niveau : les actions elles-mêmes, c'est-
à-dire l'événement en tant qu'il est soumis aux
contraintes de la représentation ou *mimèsis* (unités de
temps et de lieu). Il faut préférer évidemment les événements qui peuvent vraisemblablement se dérouler en
quelques heures et dans un lieu unique ; il reste que de
nombreuses actions ne se laissent qu'artificiellement
réduire à ces unités : c'est ce poids de la convention que

---

1. G. Forestier, *Essai de génétique théâtrale, op. cit.*, p. 288-289.

Corneille nomme d'abord (en un premier sens) le nécessaire, soit une forme d'invraisemblance (!) commandée
par les règles. Décrite au début du développement
(p. 121-123), cette nécessité *externe* se retrouve dans les
dernières lignes du *Discours* : « le nécessaire [...] n'est
autre chose que le besoin du Poète pour arriver à son
but », qui est de « plaire selon les règles de son art »
(p. 129-130).

2. Deuxième niveau : la sélection et la combinaison des
événements (le *muthos*). Avant même de bâtir une
intrigue, le poète doit distinguer différentes catégories
d'événements en fonction des différents modes d'adhésion du spectateur à un événement : le spectateur accordera foi et créance à une action, soit parce qu'elle est
attestée par l'Histoire (« vraisemblable particulier », qui
n'est qu'un autre nom du *vrai*), soit parce qu'elle est courante chez le type d'homme qui l'accomplit (« vraisemblable général » ou *éthique*), soit parce qu'une telle action
se produit fréquemment, ou tout au moins plus fréquemment que sa contraire (« vraisemblable ordinaire » ou *statistique*), ou bien encore parce que, quoique rare, elle ne
présente rien d'impossible (« vraisemblable extraordinaire » ou *d'exception*). Sur ces quatre catégories, trois
au moins fournissent les modèles sur lesquels il est permis d'inventer. Ce sont en quelque sorte les « schèmes
rhétoriques » à partir desquels le dramaturge peut mettre
en place une intrigue [1], en les combinant logiquement
selon une unique relation de cause à effet. Corneille
nomme « liaison » cette combinaison entre deux actions
vraisemblables (dans un des sens ci-dessus) ou entre deux
actions dont l'une est vraie et l'autre vraisemblable :
« j'appelle [liaison] la manière dont une action est produite par l'autre » (p. 123). Ces liaisons peuvent être

---

1. Et pour lesquels on risquerait volontiers le néologisme d'*anté-
scènes*, s'il était permis d'ajouter encore à la richesse terminolo-
gique du passage : on est là dans le travail préalable au « décou-
page » des scènes. La distribution des scènes obéit certes à des
exigences liées à l'espace – la circulation des personnages et de
l'information – et au temps – la durée des actes et de l'action elle-
même ; il reste que chaque scène doit idéalement coïncider avec
l'un de ces schèmes rhétoriques et un seul.

elles-mêmes vraisemblables (une action apparaîtra comme un effet d'une action antérieure, parmi d'autres effets possibles) ou vraisemblables et nécessaires (une action apparaîtra comme le seul effet possible d'une action antérieure) : le nécessaire est ici le degré superlatif du vraisemblable. Et l'on devine quelle est, pour Corneille, la « liaison » la plus efficace (et la plus sublime) : celle qui fait d'un événement emprunté à l'Histoire la conséquence nécessaire d'une action inventée. S'il n'est pas « au pouvoir de Dieu même de rien changer au passé » (p. 128), il est permis au poète de réinventer la chaîne de causalité qui a produit l'événement passé.

3. Troisième niveau : la crédibilité de la combinaison. C'est la question de la « motivation » des actions (G. Genette), ou du vraisemblable et du nécessaire vus depuis la salle : le dramaturge va attribuer à ses personnages des motivations psychologiques et « éthiques » susceptibles d'habiller les décisions techniques qui ont présidé à la construction de l'intrigue. En d'autres termes, le spectateur va attribuer à la volonté du personnage telle ou telle action qui s'inscrit en réalité dans une chaîne de causalité déterminée par le dénouement (G. Forestier). Toute action d'un personnage doit idéalement apparaître comme étroitement conditionnée par ce qu'il est (« caractère ») et par la situation dans laquelle il est placé : c'est ce que Corneille nomme le nécessaire (en un deuxième sens, donc), « les choses que les acteurs ont besoin de faire pour arriver à leur but » (un amant pour posséder sa maîtresse, un ambitieux pour s'emparer d'une couronne, un homme offensé pour se venger). En réalité, les deux niveaux de nécessaire, distingués par J.D. Lyons sous la double appellation de « nécessaire diégétique » et de « nécessaire auctorial » [1], sont les deux faces d'un même phénomène : les « besoins » que le dramaturge prête à ses

---

1. John D. Lyons, « Corneille and the Triumph of Pleasure, or the Four Axioms of Tragic Pleasure », *PFSCL*, vol. XIX, n° 37, 1992, p. 330 ; G. Forestier, *Essai de génétique théâtrale, op. cit.*, p. 39 *sq.* et *passim* ; G. Genette, *Figures II*, 1969, rééd. Le Seuil, « Poétique », 1979, p. 71-99.

personnages sont la « couleur » qu'il donne à ce dont il a lui-même besoin pour faire avancer son action [1].

Le *Discours des trois unités d'action, de jour et de lieu*

La facture du troisième *Discours* tranche sur celle des deux précédents : Corneille ne cherche pas à dissimuler que, pour l'essentiel, les aspects relatifs aux trois unités ont été déjà traités et qu'il ne s'agit plus que de détailler quelques-uns des principes déjà énoncés. Des alinéas simplement juxtaposés viendront donc formuler des « règles » pratiques au lieu même où il s'agit de discuter des Règles. On notera également la fréquence des tournures « autant qu'il est possible » et « si possible » qui placent la poétique cornélienne aux antipodes du système élaboré par Chapelain et d'Aubignac où l'ensemble des règles se déduit d'un unique fondement rationnel : Corneille esquisse les contours d'une pratique idéale plutôt qu'il ne cherche à énoncer des principes normatifs. Une écriture plus libre donc, d'autant qu'il n'est guère besoin de multiplier les références à Aristote et/ou Horace (à la notable exception de « l'unité de jour ») pour discuter de règles « modernes » acceptées depuis les années 1640.

Le troisième *Discours* répond donc exactement aux attentes de son titre, et traite successivement des unités d'action, de temps et de lieu, selon la hiérarchie attendue. Il est à peine besoin de souligner que la première commande pour Corneille les deux autres auxquelles il attache finalement moins d'importance. C'est dans l'exa-

---

1. On peut avoir quelque mal à entendre le terme de « nécessaire » ou celui de « nécessités » dans les deux sens indiqués par Corneille. Mais c'est ici la langue elle-même qui décide de ce dédoublement. Un énoncé comme « il est nécessaire que Rodrigue tue le Comte » n'a pas le même sens selon qu'il est formulé depuis la salle ou depuis l'atelier : pour le spectateur, cette action apparaît comme un effet nécessaire du « caractère » du personnage placé dans une situation donnée (sa condition, sa générosité, son éthique est la cause de son geste : il ne pouvait pas en aller autrement) ; pour le dramaturge, cette action est commandée non pas tant par ce qui précède que par ce qui suit : la « nécessité » où il est d'instaurer un conflit entre l'amour et le devoir.

men de l'unité d'action que se révèle surtout l'originalité de la pensée de Corneille, soucieuse à la fois des retombées pratiques et de la solidarité qu'entretiennent entre elles, et en regard du principe de l'unité d'action, des questions habituellement traitées de manière autonome ou seulement historiques. Ainsi le dogme de l'unité d'action demande-t-il d'abord à être compris en termes techniques comme unification dynamique des différentes actions dont l'action principale a besoin. Mais cette syntaxe de l'action se trouve immédiatement rapportée aux problèmes, plus concrets encore, de la distribution en actes, de la sélection des actions à représenter qui va déterminer la place des narrations, de la gestion des intervalles d'actes et des dernières scènes de chaque acte, de la liaison des scènes, et enfin des entrées et sorties des acteurs. La cohérence de la réflexion est telle que les questions suivantes, des unités de temps et de lieu, sont à chaque instant impliquées dans ce premier mouvement : le réglage des entrées et des sorties est dicté par la nature du lieu scénique, les intervalles d'actes intéressent l'unité de temps, et les narrations relèvent à la fois de l'unité d'action et des unités de temps et de lieu...

Corneille ne s'oblige à consacrer aux deux autres unités (qui relèvent pour lui du « nécessaire », c'est-à-dire de ces « nécessités » ou conventions qui s'imposent de l'extérieur au dramaturge), deux développements spécifiques que parce qu'il lui reste à poser des principes dont l'originalité éclate mieux ainsi. C'est d'abord, s'agissant de l'unité de jour, le statut singulier du cinquième acte : « que la part de l'action qu'il représente tienne davantage [de temps] qu'il n'en faut pour sa représentation » (p. 146). C'est ensuite, pour l'unité de lieu, l'audacieuse proposition d'une « fiction de théâtre », soit d'un lieu sans référent, qui assumerait donc la dimension artificielle de la scène théâtrale (p. 151) : bel exemple d'une « spéculation pratique » qui autorise Corneille à donner l'ensemble de ces *Discours* comme une authentique « pratique du théâtre ».

Ces trois *Discours* offrent donc l'exemple d'une poétique d'un genre assez particulier : en rompant avec la perspective rationaliste des théoriciens contemporains au profit d'une réflexion ouvertement rhétorique sur le statut de la fiction dramatique, en distinguant le champ de la poétique de la question de la moralité, en substituant au magistère d'Aristote l'autorité de son propre théâtre, Corneille esquissait également la possibilité d'une théorie littéraire dont les préoccupations sont encore aujourd'hui les nôtres (ainsi de la croyance accordée par le spectateur ou le lecteur à la fiction, ou des conventions qui régissent la représentation). On ne saurait sous-estimer pour autant la dimension originale que leur statut de « Préfaces » accorde à ces trois textes : la poétique théâtrale s'énonce ici à la fois en marge et au sein de l'œuvre dramatique elle-même dont on ne peut plus la distinguer ; elle ressaisit *a posteriori* une pratique du théâtre tout en formulant les principes qui la fondent. En réalité, le discours de Corneille ne cesse de jouer avec l'énoncé qui reste impossible à toute théorie de la littérature et qui forme pourtant toujours son horizon : non pas *c'est ainsi que ça marche* mais *je fais comme ça* [1].

Bénédicte LOUVAT.
Marc ESCOLA.

1. Tous nos remerciements vont à Georges Forestier, dont l'enseignement et les travaux ont inspiré notre entreprise et qui a bien voulu relire nos commentaires, ainsi qu'à Pierre Pasquier, Dominique Moncond'huy, Sophie Rabau, Anne Duprat et Hélène Baby pour les réponses qu'ils ont apportées à certaines de nos questions.

PRINCIPES D'ÉDITION

Le texte retenu est celui de l'édition originale de 1660, parfois meilleur que celui de la dernière édition parue du vivant
de Corneille (1682) que G. Couton a repris dans le t. III des
Œuvres complètes (Gallimard, « Bibliothèque de la Pléiade »,
1987). Nous indiquons les variantes offertes par les quatre éditions (ci-dessous) qui suivirent cette première impression, en
1663, 1664, 1668 et 1682. Figurent entre crochets les rares
leçons que nous avons été amenés à préférer à celles fournies
par la première édition, qu'une note vient alors indiquer.

Ces variantes, appelées par des lettres, ont été placées en bas
de page, ainsi que les notes nécessaires à une première compréhension du texte, appelées par des •. Un glossaire des termes de
dramaturgie est par ailleurs fourni en fin de volume.

Appelées par des chiffres, nos notes, souvent copieuses, qui
détaillent le commentaire suivi des *Discours* proposé dans la
section de la Présentation intitulée « Trois *Discours* et cinq
questions de poétique », ont été regroupées dans une section
autonome. On voudrait ainsi favoriser deux lectures : l'une
avant tout soucieuse d'une compréhension cursive du texte,
l'autre plus attentive à la cohérence de la pensée de Corneille
et qui accepte donc de jouer le jeu des références et des renvois.

Nous avons modernisé l'orthographe mais respecté scrupuleusement la ponctuation originale ainsi que les majuscules placées
à l'initiale de certains noms communs. Les termes grecs, assez
rares chez Corneille, ont été translittérés. Nous avons par ailleurs
conservé quelques archaïsmes de langue qui ne sont pas de
simples archaïsmes de graphie : les verbes « concurrer » (« agir
ensemble », mais également « rivaliser ») et « rétraindre » (pour
« restreindre »), le substantif « intrique », toujours préféré par
Corneille à la forme moderne et déjà courante « intrigue », ainsi
que l'adjectif « intégral » (dans le syntagme « parties intégrales »), utilisé de préférence à « intégrant ». La langue de Corneille semble en effet relativement imperméable aux réformes
grammaticales et lexicales initiées par Vaugelas en 1647 et
demeure fidèle à un état plus ancien de la langue, tout particulièrement pour certains termes techniques.

LES ÉDITIONS ORIGINALES

1. Le / Theatre / de P. Corneille. / Reveu & corrigé par l'Autheur. / I. [II. et III.] Partie. / Imprimé à Rouen, Et se vend / À Paris, / Chez / Augustin Courbé, au Palais, en la / Gallerie des Merciers, à la Palme. / Et / Guillaume de Luyne, Libraire Iuré, / dans la mesme Gallerie, / à la Iustice. / M.DC.LX. [1660]. / Avec Privilege du Roy.
   3 vol. in-8°, front. gravé.
   [Exemplaires consultés : Ars. Rés. Rf.-1701, et : BNF Rés. Yf 2984-1987]
   Les pages préliminaires du premier volume contiennent le *Discours de l'Utilité et des Parties du Poème dramatique* et les Examens de huit pièces (de *Mélite* à *L'Illusion comique*).
   Les pages préliminaires du deuxième volume contiennent le *Discours de la Tragédie...* et les Examens de huit pièces (*Le Cid, Horace, Cinna, Polyeucte, Pompée, Théodore, Le Menteur* et *La Suite du Menteur*).
   Les pages préliminaires du troisième volume contiennent le *Discours des trois Unités...* et les Examens de sept pièces (*Rodogune, Héraclius, Andromède, Don Sanche, Nicomède, Pertharite* et *Œdipe*).

2. Le / Theatre / de / P. Corneille. / Reveu et corrigé par / l'Autheur. / I. [et II.] Partie. / Imprimé à Roüen, Et se vend / À Paris, / Chez Guillaume de Luyne, Libraire Iuré, au / Palais, en la Gallerie des Merciers, / à la Justice ; [ou Chez Thomas Iolly, au Palais, dans la petite / Salle, aux Armes de Hollande, / & à la Palme ; ou Chez Loüis Billaine, au Palais, au second Pilier de la Grand'Salle, à la Palme, & au grand Cesar]. / M.DC.LXIII [1663 ; ou M.DC.LXIV, 1664 ; ou M.DC.LXV, 1665]. / Avec Privilege du Roy.
   2 vol. in-fol., portr. et front. gravés (le t. II porte l'adresse de T. Jolly).
   [Exemplaires consultés : Ars. Rés. Rf.-1702, et : BNF : Rés. Yf-37-38]
   Dans le premier volume, le *Discours du Poëme dramatique* et les Examens de douze pièces (de *Mélite* à *Polyeucte*) occupent 27 des 30 ff. préliminaires (paginés de I à LX).
   Dans le deuxième volume, le *Discours de la Tragedie* et les Examens de douze pièces (de *Pompée* à *La Conquête de la Toison d'or*) occupent 29 feuillets préliminaires ; le *Discours des trois Unités* figure, à la suite des pièces (672 p.) en fin de volume (xvij p.).
   Les premières lignes de l'avis « Au lecteur », en tête du premier volume, expliquent la place du troisième *Discours* :

« Ces deux Volumes contiennent autant de Pièces de Théâtre que les trois que vous avez vus ci-devant imprimés in-Octavo. Ils sont réglés à douze chacun, et les autres à huit. *Sertorius* et *Sophonisbe* ne s'y joindront point, qu'il n'y en ait assez pour faire un troisième de cette Impression, ou un quatrième de l'autre. Cependant, comme il ne peut entrer en celle-ci que deux des trois *Discours* qui ont servi de Préfaces à la précédente, et que dans ces trois *Discours* j'ai tâché d'expliquer ma pensée touchant les plus curieuses et les plus importantes questions de l'Art Poétique, cet Ouvrage de mes réflexions demeurerait imparfait si j'en retranchais le troisième. Et c'est ce qui me fait vous le donner en suite du second Volume, attendant qu'on le puisse reporter au devant de celui qui le suivra, sitôt qu'il pourra être complet. »

Cette édition offre un texte revu par Corneille pour la troisième fois. L'avis « Au Lecteur », qui précède le premier volume, est consacré à l'exposition d'un système orthographique nouveau destiné à faciliter aux étrangers la prononciation de notre langue (distinction de l'*i* voyelle du *j* consonne, emploi des doubles lettres, accentuation de l'*e* ouvert et de l'*é* fermé, etc.). Les typographes ne suivirent pas exactement ces préceptes.

3. Le / Theatre / de / P. Corneille. / Reveu & corrigé par l'Autheur. / I. [II. III. et IV.] Partie. / À Roüen, Et se vend / À Paris, / Chez Guillaume de Luyne, Libraire Iuré, / au Palais, en la Gallerie des Merciers, / à la Iustice ; [ou Chez Thomas Iolly, au Palais, dans / la petite Salle, à la Palme, & aux / Armes de Hollande ; ou Chez Loüis Billaine, au Palais, au second / Pilier de la grand'Salle, à la Palme, / & au grand Cesar. / M.DC.LXIV [1664, et pour la IV. Partie, M.DC.LXVI – 1666]. / Avec Privilege du Roy. 4 vol. in-8°, front. gravés.

[Exemplaires consultés : BNF Rés. Yf 2987-2990]

Le contenu des trois premiers volumes est le même que celui du recueil de 1660, sauf l'addition de *La Toison d'or*. Dans la première partie, un avis « Au Lecteur » précède le *Discours du poème dramatique* ; dans la deuxième, *Théodore*, au lieu d'être placée après *Pompée*, se trouve à la fin du volume ; la troisième renferme huit pièces au lieu de sept.

La quatrième partie (1666) contient *Sertorius*, *Sophonisbe* et *Othon*.

4. Le / Theatre / de / P. Corneille. / Reveu & corrigé par l'Autheur. / I. [II. III. et IV.] Partie. / À Rouen, Et se vend / À Paris, / Chez Guillaume de Luyne, / Libraire Iuré, au

Palais, en la Gallerie / des Merciers, à la Iustice ; [ou Chez
Thomas Iolly, au Palais / dans la petite Salle, à la Palme, &
aux / Armes de Hollande ; ou chez Louis Billaine, au Palais,
/ au second Pilier de la grand'Salle, à la / Palme, & au grand
Cesar.] / M.DC.LXVIII [1668]. / Avec Privilege du Roy. 4
vol. in-12.
[Exemplaires consultés : Ars. Rf.-1705, et BNF : Rés. 2996-
2999.]
Le contenu des trois premières parties est le même que celui
des parties correspondantes du recueil de 1664. La quatrième
renferme *Sertorius*, *Sophonisbe*, *Othon*, *Agésilas* et *Attila*.
Elle est précédée d'un avis du Libraire au Lecteur ainsi
libellé : « Je n'ai pu tirer de l'Autheur, pour ce quatrième
Volume, un discours pareil à ceux qu'il a mis au devant des
trois qui l'ont précédé, ni sa Critique sur les pièces qui le
composent, mais il m'a promis l'un et l'autre quand ce
volume sera complet, et qu'il en aura huit comme les précédents. En attendant l'effet de cette promesse, je vous donne
ici les Préfaces dont il a accompagné chacune de celles-ci
quand il les a fait imprimer. » L'Avis est donc suivi des cinq
préfaces.
Il existe une autre édition dont le titre est exactement semblable à celle-ci qui constitue soit une contrefaçon soit une
édition voulue par les éditeurs pour être diffusée à un prix
moindre (papier moins fin, texte du théâtre plus compact
pour diminuer l'épaisseur du volume).

5. Le / Theatre / de / P. Corneille. / Reveu & corrigé par
l'Autheur. / I. [II. III. et IV.] Partie. / À Paris, / Chez Guillaume de Luyne, / Libraire Iuré, au Palais, en la Gallerie /
des Merciers, sous la montée de la Cour des / Aydes, à la
Iustice ; [ou Chez Estienne Loyson, au premier / Pilier de la
grand'Salle du Palais, proche les / Consultations au nom de
Jesus ; ou Chez Pierre Traboüillet, au / Palais, en la Galerie
des Prisonniers, à l'Image / S. Hubert, & à la Fortune proche
le / Greffe aux Eaux & Forests]. / M.DC.LXXXII [1682]. /
Avec Privilege du Roy. 4 vol. in-12.
[Exemplaires consultés : Ars. Rf.-1707, et BNF : Rés. Yf.-
3000-3003].
Cette édition est la dernière qu'ait publiée Corneille. Chaque
volume contient huit pièces ; l'ordre des titres est le même
que dans l'édition de 1668. Le quatrième contient de plus
Tite et Bérénice, *Pulchérie* et *Suréna*. La promesse de 1664
n'a pas été tenue : cette quatrième partie ne comporte pas un
nouveau *Discours* préliminaire, ni d'Examens des nouvelles
pièces.

Trois Discours
sur le poème dramatique

DISCOURS DE L'UTILITÉ
ET DES PARTIES DU POÈME DRAMATIQUE

Bien que selon Aristote le seul but de la Poésie Dramatique soit de plaire aux Spectateurs, et que la plupart de ces Poèmes [1] leur aient plu, je veux bien avouer toutefois que beaucoup d'entre eux n'ont pas atteint le but de l'Art. *Il ne faut pas prétendre*, dit ce Philosophe, *que ce genre de Poésie nous donne toute sorte de plaisir, mais seulement celui qui lui est propre* [2] ; et pour trouver ce plaisir qui lui est propre, et le donner aux Spectateurs, il faut suivre les Préceptes de l'Art, et leur plaire selon ses Règles. Il est constant • qu'il y a des Préceptes, puisqu'il y a un Art ••, mais il n'est pas constant quels ils sont. On convient du nom sans convenir de la chose, et on s'accorde sur les paroles, pour contester sur leur signification. Il faut observer l'unité d'action, de lieu, et de jour, personne n'en doute ; mais ce n'est pas une petite difficulté de savoir ce que c'est que cette unité d'action, et jusques où peut s'étendre cette unité de jour, et de lieu. Il faut que le Poète traite son Sujet selon le vraisemblable, et le nécessaire ; Aristote le dit [3], et tous ses interprètes répètent les mêmes paroles [a], qui leur semblent si claires et si intelligibles, qu'aucun d'eux n'a daigné nous dire, non plus que lui, ce que c'est que ce vraisemblable, et ce nécessaire. Beaucoup même ont si peu considéré ce dernier mot, qui accompagne toujours l'autre chez ce Philosophe, hormis une seule fois, où il parle de la Comédie [4], qu'on en est venu jusqu'à établir une Maxime très fausse, qu'il faut que le Sujet d'une Tragédie soit vrai-

---

• Il est certain.
•• Le mot « Art » traduit le plus souvent, à l'âge classique, le grec *tekhnè*, soit un ensemble de « préceptes » pratiques nécessaires à la production d'une œuvre (artistique ou non).
a. mots [1663-1682].

semblable ; appliquant ainsi [a] aux conditions du Sujet la
moitié de ce qu'il a dit de la manière de le traiter [5]. Ce
n'est pas qu'on ne puisse faire une Tragédie d'un Sujet
purement vraisemblable, il en donne pour exemple *La
Fleur* d'Agathon [6], où les noms et les choses étaient de
pure invention aussi bien qu'en la Comédie : mais les
grands Sujets qui remuent fortement les passions, et en
opposent l'impétuosité aux lois du devoir ou aux tendresses du sang, doivent toujours aller au-delà du vraisemblable, et ne trouveraient aucune croyance parmi les
Auditeurs, s'ils n'étaient soutenus, ou par l'autorité de
l'Histoire qui persuade avec empire, ou par la préoccupation de l'opinion commune qui nous donne ces mêmes
Auditeurs déjà tous persuadés [7]. Il n'est pas vraisemblable
que Médée tue ses enfants, que Clytemnestre assassine
son mari, qu'Oreste poignarde sa mère : mais l'Histoire
le dit, et la représentation de ces grands crimes ne trouve
point d'incrédules. Il n'est ni vrai, ni vraisemblable,
qu'Andromède exposée à un Monstre marin ait été garantie de ce péril par un Cavalier volant, qui avait des ailes
aux pieds [*] ; mais c'est une erreur [b] que l'Antiquité a
reçue, et comme elle l'a transmise jusqu'à nous, personne
ne s'en offense, quand il [c] la voit sur le Théâtre. Il ne
serait pas permis toutefois d'inventer sur ces exemples [8].
Ce que la vérité ou l'opinion fait accepter serait rejeté,
s'il n'avait point d'autre fondement qu'une ressemblance
à cette vérité, ou à cette opinion. C'est pourquoi notre
Docteur [**] [9] dit que *les Sujets viennent de la Fortune*, qui
fait arriver les choses, et *non de l'Art* qui les imagine.
Elle est maîtresse des Événements, et le choix qu'elle
nous donne de ceux qu'elle nous présente, enveloppe une
secrète défense d'entreprendre sur elle, et d'en produire

a. aussi [1682].
* Le sujet d'Andromède, porté à la scène par Corneille en 1650,
est tiré d'Ovide, *Métamorphoses*, IV, 663-764 (éd. J. Chamonard,
« GF-Flammarion », 1966, p. 129-131). Le « Cavalier volant » : il
s'agit de Persée.
b. fiction [1663-1682].
c. on [1664-1682].
** Aristote, que Corneille nomme aussi, à l'instar des savants de
son siècle, « le Philosophe ».

sur la Scène qui ne soient pas de sa façon. Aussi *les anciennes Tragédies se sont arrêtées autour de peu de familles, parce qu'il était arrivé à peu de familles des choses dignes de la Tragédie.* Les Siècles suivants nous en ont assez fourni, pour franchir ces bornes, et ne marcher plus sur les pas des Grecs ; mais je ne pense pas qu'ils nous aient donné la liberté de nous écarter de leurs Règles. Il faut, s'il se peut, nous accommoder avec elles, et les amener jusques à [a] nous. Le retranchement que nous avons fait des Chœurs nous oblige à remplir nos Poèmes de plus d'Épisodes qu'ils ne faisaient [10], c'est quelque chose de plus, mais qui ne doit pas aller au-delà de leurs Maximes, bien qu'il aille au-delà de leur pratique.

Il faut donc savoir quelles sont ces Règles, mais notre malheur est qu'Aristote et Horace après lui en ont écrit assez obscurément pour avoir besoin d'interprètes, et que ceux qui leur en ont voulu servir jusques ici ne les ont souvent expliqués qu'en Grammairiens, ou en Philosophes. Comme ils avaient plus d'étude et de spéculation [•], que d'expérience du Théâtre, leur lecture nous peut rendre plus doctes, mais non pas nous donner beaucoup de lumières fort sûres pour y réussir.

Je hasarderai quelque chose sur trente ans [b] de travail pour la Scène, et en dirai mes pensées tout simplement sans esprit de contestation, qui m'engage à les soutenir, et sans prétendre que personne renonce en ma faveur à celles qu'il en aura conçues.

Ainsi ce que j'ai avancé dès l'entrée de ce Discours, que *la Poésie Dramatique a pour but le seul plaisir des*

a. jusqu'à [1668-1682].
• « Spéculer », c'est « méditer attentivement sur quelque matière » (*Dictionnaire* de l'Académie, 1694). Le terme de *spéculation* est synomyme de « Théorie » et « en ce sens, il est opposé à Pratique ». L'adjectif substantivé *spéculatif* est plus nettement péjoratif : « ne se dit guère que de ceux qui raisonnent bien ou mal sur les matières politiques, sans être obligés de s'en occuper, ou qui, en toute autre matière, poussent le raisonnement à l'excès, sans s'attacher assez aux faits, à la pratique ».
b. plus de trente ans [1664], quarante ans [1668], cinquante ans [1682].

Spectateurs, n'est pas pour l'emporter opiniâtrement sur ceux qui pensent ennoblir l'Art, en lui donnant pour objet, de profiter aussi bien que de plaire. Cette dispute même serait très inutile, puisqu'il est impossible de plaire selon les Règles, qu'il ne s'y rencontre beaucoup d'utilité. Il est vrai qu'Aristote dans tout son Traité de la *Poétique* n'a jamais employé ce mot une seule fois ; qu'il attribue l'origine de la Poésie au plaisir que nous prenons à voir imiter les actions des hommes[11] ; qu'il préfère la partie du Poème qui regarde le Sujet à celle qui regarde les Mœurs, parce que cette première contient ce qui agrée le plus, comme les Agnitions et les Péripéties ; qu'il fait entrer dans la définition de la Tragédie l'agrément du discours dont elle est composée, et qu'il l'estime[a] enfin plus que le Poème Épique, en ce qu'elle a de plus que lui[b] la décoration extérieure et la Musique, qui délectent puissamment, et qu'étant plus courte et moins diffuse, le plaisir qu'on y prend est plus parfait : mais il n'est pas moins vrai qu'Horace nous apprend que nous ne saurions plaire à tout le monde, si nous n'y mêlons l'utile, et que les gens graves et sérieux, les vieillards, les amateurs de la vertu s'y ennuieront s'ils n'y trouvent rien à profiter[12].

Centuriae seniorum agitant expertia frugis[•]. Ainsi, quoique l'utile n'y entre que sous la forme du délectable, il ne laisse pas d'y être nécessaire, et il vaut mieux examiner de quelle façon il y peut trouver sa place, que d'agiter, comme je l'ai déjà dit, une question inutile touchant l'utilité de cette sorte de Poèmes. J'estime donc qu'il s'y en peut rencontrer de quatre sortes.

La première consiste aux Sentences et instructions Morales qu'on y peut semer presque partout : mais il en faut user sobrement, les mettre rarement en discours généraux, ou ne les pousser guère loin, surtout quand on fait parler un homme passionné, ou qu'on lui fait

---

a. estime [1682] – Probable faute d'impression.
b. en ce qu'elle a de plus [1663-1682].
• Horace, *Art poétique*, v. 341 (trad. F. Villeneuve, Paris, Les Belles Lettres, 1961 (Désormais : *Art poétique*, éd. cit.), p. 220) : « Les centuries d'anciens rejettent les œuvres qui n'apportent aucun profit. »

répondre par un autre ; car il ne doit avoir non plus de patience pour les entendre, que de quiétude d'esprit pour les concevoir, et les dire. Dans les délibérations d'État, où un homme d'importance consulté par un Roi s'explique de sens rassis •, ces sortes de discours trouvent lieu de plus d'étendue ; mais enfin il est toujours bon de les réduire souvent de la Thèse à l'Hypothèse [13], et j'aime mieux faire dire à un Acteur, *l'Amour vous donne beaucoup d'inquiétudes*, que *l'Amour donne beaucoup d'inquiétudes aux esprits qu'il possède*.

Ce n'est pas que je voulusse entièrement bannir cette dernière façon de s'énoncer sur les Maximes de la Morale et de la Politique. Tous mes Poèmes demeureraient bien estropiés, si on en retranchait ce que j'y en ai mêlé ; mais encore un coup, il ne les faut pas pousser loin sans les appliquer au particulier, autrement c'est un lieu commun qui ne manque jamais d'ennuyer l'Auditeur, parce qu'il fait languir l'action, et quelque heureusement que réussisse cet étalage de Moralités, il faut prendre garde [a] que ce ne soit un de ces ornements ambitieux, qu'Horace nous ordonne de retrancher ••.

J'avouerai toutefois que les discours généraux ont souvent grâce, quand celui qui les prononce et celui qui les écoute ont tous deux l'esprit assez tranquille, pour se donner raisonnablement cette patience. Dans le quatrième Acte de *Mélite* •••, la joie qu'elle a d'être aimée de Tircis lui fait souffrir sans chagrin la remontrance de sa Nourrice, qui de son côté satisfait à cette démangeaison, qu'Horace attribue aux vieilles gens, de faire des leçons aux jeunes •••• ; mais si elle savait que Tircis la crût infidèle, et qu'il en fût au désespoir, comme elle l'apprend ensuite, elle n'en souffrirait pas quatre vers. Quelquefois même ces discours sont nécessaires, pour appuyer des sentiments, dont le raisonnement ne se peut fonder sur

---

• « Sans être ému, sans être troublé » (Acad.).

a. toujours craindre [1663-1682].

•• *Art poétique*, v. 446-447 (éd. cit., p. 225) : « [L'homme honnête et judicieux] retranchera les ornements prétentieux [*ambitiosa recidet ornamenta*] ».

••• *Mélite*, acte IV, scène 1.

•••• *Art poétique*, v. 174.

aucune des actions particulières de ceux dont on parle.
Rodogune au premier Acte • ne saurait justifier la
défiance qu'elle a de Cléopâtre, que par le peu de sincérité qu'il y a d'ordinaire dans les réconciliations ᵃ des
Grands après une offense signalée, parce que depuis le
Traité de Paix cette Reine n'a rien fait qui la doive rendre
suspecte de cette haine, qu'elle lui conserve dans le cœur.
L'assurance que prend Mélisse au quatrième de *La Suite
du Menteur* •• sur les premières protestations d'amour que
lui fait Dorante, qu'elle n'a vu qu'une seule fois, ne se
peut autoriser que sur la facilité et la promptitude que
deux Amants nés l'un pour l'autre ont à donner croyance
à ce qu'ils s'entredisent ; et les douze vers qui expriment
cette Moralité en termes généraux ont tellement plu, que
beaucoup de gens d'esprit n'ont pas dédaigné d'en charger leur mémoire. Vous en trouverez ici quelques autres
de cette nature. La seule règle qu'on y peut établir, c'est
qu'il les faut placer judicieusement, et surtout les mettre
en la bouche de gens qui aient l'esprit sans embarras, et
qui ne soient point emportés par la chaleur de l'action.

La seconde utilité du Poème Dramatique se rencontre
en la naïve peinture ••• des vices et des vertus, qui ne
manque jamais à faire son effet, quand elle est bien achevée, et que les traits en sont si reconnaissables, qu'on ne
les peut confondre l'un dans l'autre, ni prendre le vice
pour vertu. Celle-ci se fait alors toujours aimer, quoique
malheureuse, et celui-là se fait toujours haïr, bien que
triomphant. Les Anciens se sont fort souvent contentés
de cette peinture, sans se mettre en peine de faire récom-
penser les bonnes actions, et punir les mauvaises. Clytemnestre et son adultère •••• tuent Agamemnon impuné-
ment ; Médée en fait autant de ses enfants, et Atrée de

• *Rodogune*, acte I, scène 5, v. 313 *sq.*
a. la réconciliation [1664-1682].
•• *La Suite du Menteur*, acte IV, scène 1, v. 1223-1234. Dans
l'édition de 1660, la pièce figurait non dans le premier (phrase
suivante : « ici ») mais dans le deuxième volume.
••• Dans la représentation au naturel, au vif.
•••• Égisthe, l'amant de Clytemnestre. Employé comme substantif,
adultère « se dit de celui ou de celle qui viole la foi conjugale »
(Acad.).

ceux de son frère Thyeste, qu'il lui fait manger. Il est vrai qu'à bien considérer ces actions qu'ils choisissaient pour la Catastrophe de leurs Tragédies, c'étaient des criminels qu'ils faisaient punir, mais par des crimes plus grands que les leurs. Thyeste avait abusé de la femme de son frère ; mais la vengeance qu'il • en prend a quelque chose de plus affreux que ce premier crime. Jason était un perfide d'abandonner Médée, à qui il devait tout ; mais massacrer ses enfants à ses yeux est quelque chose de plus. Clytemnestre se plaignait des concubines qu'Agamemnon ramenait de Troie •• ; mais il n'avait point attenté sur sa vie, comme elle fait sur la sienne : et ces Maîtres de l'Art ont trouvé le crime de son fils Oreste, qui la tue pour venger son père, encore plus grand que le sien, puisqu'ils lui ont donné des Furies vengeresses pour le tourmenter •••, et n'en ont point donné à sa mère, qu'ils font jouir paisiblement avec son Égisthe du royaume d'un mari qu'elle avait assassiné.

Notre Théâtre souffre difficilement de pareils Sujets : le *Thyeste* de Sénèque n'y a pas été fort heureux ; sa *Médée* y a trouvé plus de faveur ••••, mais aussi, à le bien prendre, la perfidie de Jason et la violence du Roi de Corinthe la ••••• font paraître si injustement opprimée, que l'Auditeur entre aisément dans ses intérêts, et regarde sa vengeance comme une justice qu'elle se fait elle-même de ceux qui l'oppriment.

C'est cet intérêt qu'on aime à prendre pour les vertueux qui a obligé d'en venir à cette autre manière de finir le Poème Dramatique par la punition des mauvaises actions

---

• Désigne Atrée. Autre allusion à la pièce de Sénèque dans le deuxième *Discours*, p. 98-99.
•• Corneille songe probablement à l'*Agamemnon* d'Eschyle, v. 1441.
••• C'est tout le sujet des *Euménides*, dernier volet de l'*Orestie* d'Eschyle (après *Agamemnon* et *Les Choéphores*).
•••• Corneille oppose à l'échec du *Thyeste*, tragédie sanglante de Monléon (représentée probablement en 1637) le succès de sa propre *Médée*, la première de ses tragédies (1635).
••••• Corneille renvoie couramment par un simple pronom au personnage éponyme de la pièce citée (l'absence d'italiques pour la mention des titres favorise dans le texte original ce type de glissement).

et la récompense des bonnes, qui n'est pas un précepte de l'Art, mais un usage que nous avons embrassé, dont chacun peut se départir à ses périls. Il était dès le temps d'Aristote et peut-être qu'il ne plaisait pas trop à ce Philosophe, puisqu'il dit, *qu'il n'a eu vogue que par l'imbécillité du jugement des Spectateurs, et que ceux qui le pratiquent s'accommodent au goût du Peuple, et écrivent selon les souhaits de leur Auditoire* [14]. En effet, il est certain que nous ne saurions voir un honnête homme sur notre Théâtre, sans lui souhaiter de la prospérité, et nous fâcher de ses infortunes. Cela fait que quand il en demeure accablé, nous sortons avec chagrin, et remportons une espèce d'indignation contre l'Auteur et les Acteurs : mais quand l'événement remplit nos souhaits, et que la vertu y est couronnée, nous sortons avec pleine joie, et remportons une entière satisfaction, et de l'Ouvrage, et de ceux qui l'ont représenté. Le succès heureux de la vertu, en dépit des traverses • et des périls, nous excite à l'embrasser, et le succès funeste du crime ou de l'injustice est capable de nous en augmenter l'horreur naturelle par l'appréhension d'un pareil malheur [15].

C'est en cela que consiste la troisième utilité du Théâtre, comme la quatrième en la purgation des passions par le moyen de la pitié, et de la crainte. Mais comme cette utilité est particulière à la Tragédie, et que cette première Partie de mes Poèmes ne contient presque que des Comédies où elle n'a point de place je ne m'expliquerai sur cet Article qu'au second Volume où la Tragédie l'emporte [a] [16], et passe à l'examen des parties qu'Aristote attribue au Poème Dramatique. Je dis au Poème Dramatique en général, bien qu'en traitant cette matière il ne parle que de la Tragédie ; parce que tout ce qu'il en dit convient aussi à la Comédie et que la différence de ces deux espèces de Poèmes ne consiste qu'en la dignité des Personnages et des actions qu'ils imitent,

---

• « Obstacle à la réussite des affaires qu'on entreprend » (Furetière).

a. ... cette utilité est particulière à la Tragédie, je m'expliquerai sur cet Article au second Volume, où je traiterai de la Tragédie en particulier, et passe à l'examen... [1663-1682].

et non pas en la façon de les imiter, ni aux choses qui servent à cette imitation [17].

Le Poème est composé de deux sortes de parties. Les unes sont appelées parties de quantité ou d'extension, et Aristote en nomme quatre, le Prologue, l'Épisode, l'Exode, et le Chœur [18]. Les autres se peuvent nommer des parties intégrales [a], qui se rencontrent dans chacune de ces premières pour former tout le corps avec elles. Ce Philosophe y en trouve six, le Sujet, les Mœurs, les Sentiments, la Diction, la Musique, et la Décoration du Théâtre [19]. De ces six, il n'y a que le Sujet dont la bonne constitution dépende proprement de l'Art Poétique : les autres ont besoin d'autres Arts subsidiaires. Les Mœurs, de la Morale ; les Sentiments, de la Rhétorique ; la Diction, de la Grammaire ; et les deux autres parties ont chacune leur Art, dont il n'est pas besoin que le Poète soit instruit, parce qu'il y peut faire suppléer par d'autres [b], ce qui fait qu'Aristote ne les traite pas [20]. Mais comme il faut qu'il exécute lui-même ce qui concerne les quatre premières, la connaissance des Arts dont elles dépendent lui est absolument nécessaire, à moins qu'il ait reçu de la Nature un sens commun assez fort et assez profond, pour réparer [c] ce défaut.

Les conditions du Sujet sont diverses pour la Tragédie, et pour la Comédie. Je ne toucherai à présent qu'à ce qui regarde cette dernière, qu'Aristote définit simplement, *une imitation de personnes basses, et fourbes* [21]. Je ne puis m'empêcher de dire que cette définition ne me satisfait point, et puisque beaucoup de Savants tiennent que son Traité de la *Poétique* n'est pas venu tout entier jusques à nous, je veux croire que dans ce que le temps nous en a dérobé il s'en rencontrait une plus achevée.

La Poésie Dramatique selon lui est une imitation des actions, et il s'arrête ici à la condition des personnes, sans dire [quelles] [d] doivent être ces actions. Quoi qu'il en

---

a. Les éditions de 1668 et 1682 donnent la forme moderne « intégrantes » au lieu d'« intégrales ».

b. d'autres que lui [1663-1682].

c. suppléer à [1663-1682].

d. Les éditions de 1660 et de 1682 donnent « qu'elles ». Les trois autres éditions donnent la seule leçon correcte.

soit, cette définition avait du rapport à l'usage de son temps, où l'on ne faisait parler dans la Comédie que des personnes d'une condition très médiocre • ; mais elle n'a pas une entière justesse pour le nôtre, où les Rois même y peuvent entrer, quand leurs actions ne sont point au-dessus d'elle. Lorsqu'on met sur la Scène un simple intrique •• d'amour entre des Rois, et qu'ils ne courent aucun péril, ni de leur vie, ni de leur État, je ne crois pas que bien que les personnes soient illustres, l'action le soit assez pour s'élever jusques à [a] la Tragédie. Sa dignité demande quelque grand intérêt d'État, ou quelque passion plus noble et plus mâle que l'amour, telles que sont l'ambition, ou la vengeance ; et veut donner à craindre des malheurs plus grands, que la perte d'une Maîtresse [22]. Il est à propos d'y mêler l'amour, parce qu'il a toujours beaucoup d'agrément, et peut servir de fondement à ces intérêts, et à ces autres passions dont je parle ; mais il faut qu'il se contente du second rang dans le Poème, et leur laisse le premier [23].

Cette Maxime semblera nouvelle d'abord : elle est toutefois de la pratique des Anciens, chez qui nous ne voyons aucune Tragédie, où il n'y ait qu'un intérêt d'amour à démêler. Au contraire, ils l'en bannissaient souvent, et ceux qui voudront considérer les miennes, reconnaîtront qu'à leur exemple je ne lui ai jamais laissé y prendre le pas devant, et que dans *Le Cid* même •••, qui est sans contredit la Pièce la plus amoureuse [b] que j'aie faite, le devoir de la naissance et le soin de l'honneur l'emportent sur toutes les tendresses qu'il inspire aux Amants que j'y fais parler.

• Une condition moyenne (sans jugement de valeur).
•• Corneille recourt systématiquement à la forme ancienne (au masculin) du terme *intrigue*, signalée déjà comme archaïque par Vaugelas en 1647, peut-être pour distinguer le sens technique et poétique du sens déjà courant de « manœuvres dissimulées » (les *intrigues de cour*).
a. jusqu'à [1668-1682].
••• Créé comme « tragi-comédie », *Le Cid* est republié sous l'appellation de « tragédie » en 1648. Voir ci-dessous, n. 26.
b. remplie d'amour [1668-1682].

Je dirai plus. Bien qu'il y ait de grands intérêts d'État dans un Poème, et que le soin qu'une personne Royale doit avoir de sa gloire fasse taire sa passion, comme en *Don Sanche* ; s'il ne s'y rencontre point de péril de vie, de pertes d'États, ou de bannissement, je ne pense pas qu'il ait droit de prendre un nom plus relevé que celui de Comédie ; mais pour répondre aucunement à la dignité des personnes dont celui-là représente les actions, je me suis hasardé d'y ajouter l'Épithète d'Héroïque pour le distinguer d'avec les Comédies ordinaires [24]. Cela est sans exemple parmi les Anciens ; mais aussi il est sans exemple parmi eux de mettre des Rois sur le Théâtre, sans quelqu'un de ces grands périls. Nous ne devons pas nous attacher si servilement à leur imitation, que nous n'osions essayer quelque chose de nous-mêmes, quand cela ne renverse point les Règles de l'Art ; ne fût-ce que pour mériter cette louange que donnait Horace aux Poètes de son temps,

> *Nec minimum meruere decus, vestigia Graeca*
> *Ausi deserere* •,

et n'avoir point de part en ce honteux Éloge,

> *O imitatores, servum pecus* ••.

Ce qui nous sert maintenant d'exemple, dit Tacite, *a été autrefois sans exemple, et ce que nous faisons sans exemple en pourra servir un jour* •••.

La Comédie diffère donc en cela de la Tragédie, que celle-ci veut pour son Sujet, une action illustre, extraordinaire, sérieuse ; celle-là s'arrête à une action commune et enjouée : celle-ci demande de grands périls pour ses Héros, celle-là se contente de l'inquiétude •••• et des déplaisirs de ceux à qui elle donne le premier rang parmi ses Acteurs. Toutes les deux ont cela de commun, que

---

• *Art poétique*, v. 286-287 (éd. cit., p. 217) : « Le mérite [des poètes latins] n'a pas été le moins grand lorsqu'ils ont osé abandonner les traces des Grecs. »
•• Horace, *Épîtres*, I, xix, v. 19 : « Imitateurs, troupeau d'esclaves ».
••• Tacite, *Annales*, XI, xxiv.
•••• Agitation (l'impossibilité de trouver le repos).

cette action doit être complète et achevée ; c'est-à-dire, que dans l'événement qui la termine, le Spectateur doit être si bien instruit des sentiments de tous ceux qui y ont eu quelque part, qu'il sorte l'esprit en repos, et ne soit plus en doute de rien. Cinna conspire contre Auguste, sa conspiration est découverte, Auguste le fait arrêter. Si le Poème en demeurait là, l'action ne serait pas complète, parce que l'Auditeur sortirait dans l'incertitude de ce que cet Empereur aurait ordonné de cet ingrat favori. Ptolomée • craint que César qui vient en Égypte ne favorise sa Sœur dont il est amoureux, et ne le force à lui rendre sa part du Royaume, que son Père lui a laissée par Testament : pour en attirer la faveur de son côté par un grand service, il lui immole Pompée ; ce n'est pas assez, il faut voir comment César recevra ce grand sacrifice. Il arrive, il s'en fâche, il menace Ptolomée, il le veut obliger d'immoler les Conseillers de cet attentat à cet illustre mort ; ce Roi surpris de cette réception si peu attendue se résout à prévenir César, et conspire contre lui, pour éviter par sa perte le malheur dont il se voit menacé ; ce n'est pas encore assez, il faut savoir ce qui réussira de cette conspiration. César en a l'avis ••, et Ptolomée périssant dans un combat avec ses Ministres, laisse Cléopâtre en paisible possession du Royaume dont elle demandait la moitié, et César hors de péril ; l'Auditeur n'a plus rien à demander et sort satisfait, parce que l'action est complète.

Je connais des gens d'esprit, et des plus savants en l'Art Poétique, qui m'imputent d'avoir négligé d'achever *Le Cid*, et quelques autres de mes Poèmes [25], parce que je n'y conclus pas précisément le Mariage des premiers Acteurs, et que je ne les envoie point marier au sortir du Théâtre. À quoi il est aisé de répondre, que le Mariage n'est point un achèvement nécessaire pour la Tragédie heureuse [26], ni même pour la Comédie. Quant à la première, c'est le péril d'un Héros qui la constitue, et lorsqu'il en est sorti, l'action est terminée [27]. Bien qu'il ait de l'amour, il n'est point besoin qu'il parle d'épouser sa

---

• Dans *La Mort de Pompée* (représentée en 1642-1643).
•• En est averti.

Maîtresse quand la bienséance ne le permet pas, et il suffit d'en donner l'idée après en avoir levé tous les empêchements, sans lui en faire déterminer le jour. Ce serait une chose insupportable que Chimène en convînt avec Rodrigue dès le lendemain qu'il a tué son père, et Rodrigue serait ridicule, s'il faisait la moindre démonstration de le désirer. Je dis la même chose d'Antiochus •. Il ne pourrait dire de douceurs à Rodogune qui ne fussent de mauvaise grâce, dans l'instant que sa mère se vient d'empoisonner à leurs yeux, et meurt dans la rage de n'avoir pu les faire périr avec elle. Pour la Comédie, Aristote ne lui impose point d'autre devoir pour conclusion, *que de rendre amis ceux qui étaient ennemis* [28]. Ce qu'il faut entendre un peu plus généralement que les termes ne semblent porter, et l'étendre à la réconciliation de toute sorte de mauvaise intelligence ; comme quand un fils rentre aux bonnes grâces d'un père, qu'on a vu en colère contre lui pour ses débauches, ce qui est une fin assez ordinaire aux anciennes Comédies [29] ; ou que deux Amants séparés par quelque fourbe •• qu'on leur a faite, ou par quelque pouvoir dominant, se réunissent par l'éclaircissement de cette fourbe, ou par le consentement de ceux qui y mettaient obstacle ; ce qui arrive presque toujours dans les nôtres, qui n'ont que très rarement une autre fin que des mariages. Nous devons toutefois prendre garde que ce consentement ne vienne pas par un simple changement de volonté, mais par un événement qui en fournisse l'occasion. Autrement il n'y aurait pas grand artifice ••• au dénouement d'une Pièce, si après l'avoir soutenue durant quatre Actes sur l'autorité d'un père qui n'approuve point les inclinations amoureuses de son fils, ou de sa fille, il y consentait tout d'un coup au cinquième par cette seule raison que c'est le cinquième, et que l'Auteur n'oserait en faire six. Il faut un effet considérable qui l'y oblige, comme si l'Amant de sa fille lui

---

• Dans *Rodogune* (1644-1645).

•• Fourberie. L'emploi de « fourbe » comme substantif, courant chez Corneille, est encore attesté par Furetière en 1690.

••• On ne trouverait guère d'ingéniosité (le sens d'« artifice » n'est pas péjoratif).

sauvait la vie en quelque rencontre, où il fût prêt d'être assassiné par ses ennemis, ou que par quelque accident • inespéré il fût reconnu pour être de plus grande condition et mieux dans la fortune, qu'il ne paraissait [30].

Comme il est nécessaire que l'action soit complète, il faut aussi n'ajouter rien au-delà, parce que quand l'effet est arrivé, l'Auditeur ne souhaite plus rien et s'ennuie de tout le reste. Ainsi les sentiments de joie qu'ont deux Amants qui se voient réunis après de longues traverses [31], doivent être bien courts, et je ne sais pas quelle grâce a eue chez les Athéniens la contestation de Ménélas et de Teucer pour la sépulture d'Ajax, que Sophocle fait mourir au quatrième Acte ; mais je sais bien que de notre temps la dispute du même Ajax et d'Ulysse pour les armes d'Achille après sa mort, lassa fort les oreilles, bien qu'elle partît d'une bonne main ••. Je ne puis déguiser même que j'ai peine encore à comprendre comment on a pu souffrir le cinquième de *Mélite* et de *La Veuve*. On n'y voit les premiers Acteurs que réunis ensemble, et ils n'y ont plus d'intérêt qu'à savoir les Auteurs de la fausseté ou de la violence qui les a séparés. Cependant ils en pouvaient être déjà instruits, si je l'eusse voulu, et semblent n'être plus sur le Théâtre que pour servir de témoins au Mariage des Acteurs ••• du second ordre, ce qui fait languir toute cette fin où ils n'ont point de part. Je n'ose attribuer le bonheur qu'eurent ces deux Comédies à l'ignorance des Préceptes, qui était assez générale en ce temps-là, d'autant que ces mêmes Préceptes bien, ou mal observés, doivent faire leur effet bon, ou mauvais, sur ceux même qui faute de les savoir s'abandonnent au courant des sentiments naturels : mais je ne puis que je n'avoue •••• du moins, que la vieille habitude qu'on avait alors à ne voir rien de mieux ordonné a été cause qu'on ne s'est pas indigné contre ces défauts, et que la nouveauté d'un genre de Comédie très agréable, et qui jusque-là n'avait point paru sur la Scène,

---

• Au sens d'« événement ».
•• Celle de Benserade, dans *La Mort d'Achille et la Dispute de ses armes* (1636) que Corneille oppose ici à l'*Ajax* de Sophocle.
••• de ceux [1663-1682].
•••• Je ne peux pas ne pas avouer.

a fait qu'on a voulu trouver belles toutes les parties d'un corps qui plaisait à la vue, bien qu'il n'eût pas toutes ses proportions dans leur justesse [32].

La Comédie et la Tragédie se ressemblent encore en ce que l'action qu'elles choisissent pour imiter *doit avoir une juste grandeur*, c'est-à-dire, *qu'elle ne doit être, ni si petite, qu'elle échappe à la vue comme un atome, ni si vaste, qu'elle confonde la mémoire de l'Auditeur, et égare son imagination*. C'est ainsi qu'Aristote explique cette condition du Poème, et ajoute que *pour être d'une juste grandeur, elle doit avoir un commencement, un milieu, et une fin* [33]. Ces termes sont si généraux, qu'ils semblent ne signifier rien ; mais à les bien entendre, ils excluent les actions momentanées qui n'ont point ces trois parties. Telle est peut-être la mort de la sœur d'Horace, qui se fait tout d'un coup sans aucune préparation dans les trois Actes qui la précèdent, et je m'assure que si Cinna attendait au cinquième à conspirer contre Auguste, et qu'il consumât les quatre autres en protestations d'amour à Émilie, ou en jalousies contre Maxime, cette conspiration surprenante ferait bien des révoltes dans les esprits, à qui ces quatre premiers auraient fait attendre tout autre chose [34].

Il faut donc qu'une action pour être d'une juste grandeur ait un commencement, un milieu, et une fin. Cinna conspire contre Auguste et rend compte de sa conspiration à Émilie, voilà le commencement ; Maxime en fait avertir Auguste, voilà le milieu ; Auguste lui pardonne, voilà la fin [35]. Ainsi dans les Comédies de ce premier Volume j'ai presque toujours établi deux Amants en bonne intelligence, je les ai brouillés ensemble par quelque fourbe, et les ai réunis par l'éclaircissement de cette même fourbe qui les séparait.

À ce que je viens de dire de la juste grandeur de l'action j'ajoute un mot touchant celle de sa représentation, que nous bornons d'ordinaire à un peu moins de deux heures. Quelques-uns réduisent le nombre des Vers qu'on y récite à quinze cents, et veulent que les Pièces de Théâtre ne puissent aller jusqu'à dix-huit, sans laisser un chagrin capable de faire oublier les plus belles choses [36]. J'ai été plus heureux que leur Règle ne me le permet, en ayant pour l'ordinaire donné deux mille aux Comédies, et un peu plus de dix-huit cents aux Tragédies, sans avoir sujet de me plaindre que mon Auditoire ait montré trop de chagrin pour cette longueur.

C'est assez parlé du Sujet de la Comédie, et des conditions qui lui sont nécessaires. La vraisemblance en est une dont je parlerai en un autre lieu [37] ; il y a de plus, que les événements en doivent toujours être heureux, ce qui n'est pas une obligation de la Tragédie, où nous avons le choix de faire un changement de bonheur en malheur, ou de malheur en bonheur [38]. Cela n'a pas besoin de commentaire, je viens à la seconde Partie du Poème, qui sont les Mœurs.

Aristote leur prescrit quatre conditions, *qu'elles soient bonnes, convenables, semblables, et égales* [39]. Ce sont des termes qu'il a si peu expliqués, qu'il nous laisse grand lieu de douter de ce qu'il veut dire.

Je ne puis comprendre comment on a voulu entendre par ce mot de bonnes, qu'il faut qu'elles soient vertueuses. La plupart des Poèmes tant anciens que modernes demeureraient en un pitoyable état si l'on en retranchait tout ce qui s'y rencontre de personnages méchants, ou vicieux, ou tachés de quelque faiblesse qui s'accorde mal avec la vertu. Horace a pris soin de décrire en général les mœurs de chaque âge, et leur attribue plus de défauts que de perfections, et quand il nous prescrit de peindre Médée fière et indomptable, Ixion perfide, Achille emporté de colère, jusqu'à maintenir que les lois ne sont pas faites pour lui, et ne vouloir prendre droit que par les armes, il ne nous donne pas de grandes vertus à exprimer [40]. Il faut donc trouver une bonté compatible avec ces sortes de Mœurs, et s'il m'est permis de dire mes conjectures sur ce qu'Aristote nous demande par là, je crois que c'est le caractère brillant et élevé d'une habitude vertueuse, ou criminelle, selon qu'elle est propre et convenable à la personne qu'on introduit [41]. Cléopâtre dans *Rodogune* est très méchante, il n'y a point de parricide • qui lui

---

• Au sens large de « crime contre nature » (en ce sens, l'infanticide est un *parricide* : « on a quelquefois étendu cette dénomination à

fasse horreur, pourvu qu'il la puisse conserver sur un trône qu'elle préfère à toutes choses, tant son attachement à la domination est violent ; mais tous ses crimes sont accompagnés d'une grandeur d'âme qui a quelque chose de si haut, qu'en même temps qu'on déteste ses actions, on admire la source dont elles partent[42]. J'ose dire la même chose du *Menteur*. Il est hors de doute que c'est une habitude vicieuse que de mentir, mais il débite ses menteries avec une telle présence d'esprit, et tant de vivacité, que cette imperfection a bonne grâce en sa personne, et fait confesser aux Spectateurs que le talent de mentir ainsi est un vice dont les sots ne sont point capables. Pour troisième exemple, ceux qui voudront examiner la manière dont Horace décrit la colère d'Achille, ne s'éloigneront pas de ma pensée. Elle a pour fondement un passage d'Aristote qui suit d'assez près celui que je tâche d'expliquer. *La Poésie*, dit-il, *est une imitation de gens meilleurs qu'ils n'ont été, et comme les Peintres font souvent des portraits flattés qui sont plus beaux que l'Original, et conservent toutefois la ressemblance ; ainsi les Poètes représentant des hommes colères, ou fainéants, doivent tirer une haute idée de ces qualités qu'ils [leur]*[a] *attribuent, en sorte qu'il s'y trouve un bel exemplaire d'équité, ou de dureté, et c'est ainsi qu'Homère a fait Achille bon*[43]. Ce dernier mot est à remarquer, pour faire voir qu'Homère a donné aux emportements de la colère d'Achille cette bonté nécessaire aux Mœurs, que je fais consister en cette élévation de leur caractère, et dont Robortel parle ainsi. *Unumquodque genus per se supremos quosdam habet decoris gradus, et absolutissimam recipit formam, non tamen degenerans a sua natura et effigie pristina*•.

---

ceux qui ôtent la vie à leurs très proches parents, comme frères, sœurs, enfants, petits-enfants, etc. ; et enfin à tous ceux qui se rendent coupables d'un crime énorme et dénaturé », Acad.).

a. « leurs » dans l'édition de 1660.

• L'Italien Robortello, traducteur et interprète de la *Poétique* (1548) : « Chaque genre [de caractères] possède par lui-même son degré d'excellence, et admet une forme parfaite, sans dégénérer jamais de sa nature et de sa figure primitive. »

Ce texte d'Aristote que je viens de citer peut faire de la peine, en ce qu'il porte *que les Mœurs des hommes colères, ou fainéants, doivent être peintes dans un tel degré d'excellence, qu'il s'y rencontre un haut exemplaire d'équité, ou de dureté.* Il y a du rapport de la dureté à la colère, et c'est ce qu'attribue Horace à celle d'Achille, en ce vers :

Iracundus, inexorabilis, acer •.

Mais il n'y en a point de l'équité à la fainéantise, et je ne puis voir quelle part elle peut avoir en son caractère. C'est ce qui me fait douter si le mot Grec *rhaîthumous* a été rendu dans le sens d'Aristote par les interprètes Latins que j'ai suivis [44]. Pacius [45] le tourne *desides*, Victorius, *inertes*, Heinsius, *segnes*, et le mot de *fainéants* dont je me suis servi pour le mettre en notre Langue, répond assez à ces trois versions : mais Castelvetro le rend en la sienne par celui de *mansueti, débonnaires, ou pleins de mansuétude* ; et non seulement ce mot a une opposition plus juste à celui de *colères*, mais aussi il s'accorderait mieux avec cette habitude, qu'Aristote appelle *epieikeian*, dont il nous demande un bel exemplaire. Ces trois interprètes traduisent ce mot Grec par celui *d'équité ou de probité*, qui répondrait mieux au *mansueti* de l'Italien, qu'à leurs *segnes, desides, inertes*, pourvu qu'on n'entendît par là qu'une bonté naturelle, qui ne se fâche que malaisément ; mais j'aimerais mieux encore celui de *piacevolezza* ••, dont l'autre se sert pour l'exprimer en sa Langue, et je crois que pour lui laisser sa force en la nôtre, on le pourrait tourner par celui de *condescendance*, ou *facilité équitable d'approuver, excuser, et supporter tout ce qui arrive*. Ce n'est pas que je me veuille faire juge entre de si grands hommes ; mais je ne puis dissimuler que la version Italienne de ce passage me semble avoir quelque chose de plus juste que ces trois Latines. Dans cette diversité d'interprétations, chacun est en liberté de choisir, puisque même on a droit

---

• *Art poétique*, v. 121, déjà cité n. 40, p. 159.
•• Affabilité. Corneille traduit par « condescendance ».

de les rejeter toutes, quand il s'en présente une nouvelle qui plaît davantage, et que les opinions des plus savants ne sont pas des lois pour nous.

Il me vient encore une autre conjecture touchant ce qu'entend Aristote par cette bonté de Mœurs, qu'il leur impose pour première condition. C'est qu'elles doivent être vertueuses, tant qu'il se peut, en sorte que nous n'exposions point de vicieux, ou de criminels sur le Théâtre, si le Sujet que nous traitons n'en a besoin. Il donne lieu lui-même à cette pensée, lorsque voulant marquer un exemple d'une faute contre cette Règle, il se sert de celui de Ménélas dans l'*Oreste* d'Euripide, dont le défaut ne consiste pas en ce qu'il est injuste, mais en ce qu'il l'est sans nécessité [46].

Je trouve dans Castelvetro une troisième explication qui pourrait ne déplaire pas, qui est, que cette bonté de Mœurs ne regarde que le premier Personnage qui doit toujours se faire aimer, et par conséquent être vertueux, et non pas ceux qui le persécutent, ou le font périr ; mais comme c'est rétraindre • à un seul ce qu'Aristote dit en général, j'aimerais mieux m'arrêter, pour l'intelligence de cette première condition, à cette élévation, ou perfection de caractère dont j'ai parlé, qui peut convenir à tous ceux qui paraissent sur la Scène, et je ne pourrais suivre cette dernière interprétation, sans condamner le Menteur dont l'habitude est vicieuse, bien qu'il tienne le premier rang dans la Comédie qui porte ce titre [47].

En second lieu les Mœurs doivent être convenables. Cette condition est plus aisée à entendre que la première. Le Poète doit considérer l'âge, la dignité, la naissance, l'emploi, et le pays de ceux qu'il introduit : il faut qu'il sache ce qu'on doit à sa Patrie, à ses parents, à ses amis, à son Roi ; quel est l'office d'un Magistrat, ou d'un Général d'Armée [48], afin qu'il puisse y conformer ceux qu'il veut faire aimer aux Spectateurs, et en éloigner ceux qu'il leur veut faire haïr ; car c'est une Maxime infaillible, que pour bien réussir, il faut intéresser l'Auditoire pour les premiers Acteurs. Il

---

• Graphie déjà ancienne pour *restreindre*.

est bon de remarquer encore que ce qu'Horace dit des Mœurs de chaque âge n'est pas une Règle, dont on ne se puisse dispenser sans scrupule. Il fait les jeunes gens prodigues, et les vieillards avares ; le contraire arrive tous les jours sans merveille •, mais il ne faut pas que l'un agisse à la manière de l'autre, bien qu'il ait quelquefois des habitudes et des passions qui conviendraient mieux à l'autre. C'est le propre d'un jeune homme d'être amoureux, et non pas d'un vieillard, cela n'empêche pas qu'un vieillard ne le devienne [49] ; les exemples en sont assez souvent devant nos yeux ; mais il passerait pour fou, s'il voulait faire l'amour en jeune homme, et s'il prétendait se faire aimer par les bonnes qualités de sa personne. Il peut espérer qu'on l'écoutera, mais cette espérance doit être fondée sur son bien, ou sur sa qualité ••, et non pas sur ses mérites ; et ses prétentions ne peuvent être raisonnables, s'il ne croit avoir affaire à une âme assez intéressée, pour déférer tout à l'éclat des richesses, ou à l'ambition du rang.

La qualité de semblables, qu'Aristote demande aux Mœurs, regarde particulièrement les personnes que l'Histoire ou la Fable nous fait connaître, et qu'il faut toujours peindre telles que nous les y trouvons. C'est ce que veut dire Horace par ce vers :

Sit Medea ferox indomptaque •••.

Qui peindrait Ulysse en grand guerrier, ou Achille en grand discoureur, ou Médée en femme fort soumise, s'exposerait à la risée publique. Ainsi ces deux qualités, dont quelques interprètes ont beaucoup de peine à trouver la différence qu'Aristote veut qui soit entre elles sans la désigner, s'accorderont aisément, pourvu qu'on les sépare, et qu'on donne celle de convenables aux personnes imaginées qui n'ont jamais eu d'être que dans

---

• Sans qu'on s'en étonne (une *merveille* étant une « chose qui cause de l'admiration », c'est-à-dire de l'étonnement).
•• Au sens strictement social (son « rang »).
••• *Art poétique*, v. 123 (déjà cité n. 40, p. 159). Les éditions ultérieures rétablissent le texte exact (*invictaque* au lieu de *indomptaque*).

l'esprit du Poète, en réservant l'autre pour celles qui sont connues par l'Histoire ou par la Fable, comme je le viens de dire[50].

Il reste à parler de l'égalité, qui nous oblige à conserver jusqu'à la fin à nos Personnages les Mœurs que nous leur avons données au commencement.

seruetur ad imum
Qualis ab ince[p]to[a] processerit, et sibi constet •.

L'inégalité y peut toutefois entrer sans défaut, non seulement quand nous introduisons des personnes d'un esprit léger et inégal, mais encore lorsqu'en conservant l'égalité au-dedans, nous donnons l'inégalité au-dehors selon les occasions[b]. Telle est celle de Chimène du côté de l'amour, elle aime toujours fortement Rodrigue dans son cœur, mais cet amour agit autrement en présence[c] du Roi, autrement en celle de l'Infante, et autrement en celle de Rodrigue, et c'est ce qu'Aristote appelle des Mœurs inégalement égales[51].

Il se présente une difficulté à éclaircir sur cette matière, touchant ce qu'entend Aristote, lorsqu'il dit, *que la Tragédie se peut faire sans Mœurs, et que la plupart de celles des Modernes de son temps n'en ont point*[52]. Le sens de ce Passage est assez malaisé à concevoir, vu que selon lui-même c'est par les Mœurs qu'un homme est méchant ou homme de bien, spirituel ou stupide, timide ou hardi, constant ou irrésolu, bon ou mauvais Politique, et qu'il est impossible qu'on en mette aucun sur le Théâtre qui ne soit bon, ou méchant, et qui n'ait quelqu'une de ces autres qualités. Pour accorder ces deux sentiments qui semblent opposés l'un à l'autre, j'ai remarqué que ce Philosophe dit ensuite, *que si un Poète a fait de belles Narrations morales, et des discours bien sentencieux, il n'a*

---

a. *incerto* dans l'édition de 1660, peut-être par une faute typographique.
• *Art poétique*, v. 126-127 (éd. cit., p. 209) : « [Si vous risquez sur la scène un sujet vierge et osez élaborer un personnage nouveau,] qu'il demeure jusqu'au bout tel qu'il s'est montré dès le début (*ab incepto*) et reste égal à lui-même. »
b. l'occasion [1682].
c. en la présence [1664-1682].

fait encore rien par là qui concerne la Tragédie [53]. Cela m'a fait considérer que les Mœurs ne sont pas seulement le principe des actions, mais aussi du raisonnement. Un homme de bien agit et raisonne en homme de bien, un méchant agit et raisonne en méchant, et l'un et l'autre étale de diverses Maximes de Morale, suivant cette diverse habitude [54]. C'est donc de ces Maximes, que cette habitude produit, que la Tragédie peut se passer, et non pas de l'habitude même, puisqu'elle est le principe des actions, et que les actions sont l'âme de la Tragédie, où l'on ne doit parler qu'en agissant et pour agir. Ainsi pour expliquer ce passage d'Aristote par l'autre, nous pouvons dire, que quand il parle d'une Tragédie sans Mœurs, il entend une Tragédie où les Acteurs énoncent simplement leurs sentiments, ou ne les appuient que sur des raisonnements tirés du fait, comme Cléopâtre dans le second Acte de *Rodogune*, et non pas sur des Maximes de Morale ou de Politique, comme Rodogune dans son premier Acte. Car, je le répète encore, faire un Poème de Théâtre, où aucun des Acteurs ne soit bon ni méchant, prudent ni imprudent, cela est absolument impossible.

Après les Mœurs viennent les Sentiments, par où l'Acteur fait connaître ce qu'il veut ou ne veut pas, en quoi il peut se contenter d'un simple témoignage de ce qu'il se propose de faire, sans le fortifier de raisonnements moraux, comme je le viens de dire. Cette partie a besoin de la Rhétorique pour peindre les passions et les troubles de l'esprit, pour consulter [a], délibérer, exagérer, ou exténuer, mais il y a cette différence pour ce regard • entre le Poète Dramatique, et l'Orateur, que celui-ci peut étaler son Art et le rendre remarquable avec pleine liberté, et que l'autre doit le cacher avec soin, parce que ce n'est jamais lui qui parle, et que ceux qu'il fait parler ne sont pas des Orateurs [55].

La Diction •• dépend de la Grammaire. Aristote lui attribue les Figures, que nous ne laissons pas d'appeler

---

a. pour en consulter [1682].

• De ce point de vue.

•• Le mot traduit *lexis* et ne regarde que l'écriture (la mise en vers,

communément Figures de Rhétorique. Je n'ai rien à dire là-dessus, sinon que le langage doit être net, les Figures placées à propos et diversifiées, et la versification aisée, et élevée au-dessus de la Prose, mais non pas jusqu'à l'enflure du Poème Épique, puisque ceux que le Poète fait parler ne sont pas des Poètes [56].

Le retranchement que nous avons fait des Chœurs, a retranché la Musique de nos Poèmes. Une chanson y a quelquefois bonne grâce, et dans les Pièces de Machines cet ornement est redevenu nécessaire pour remplir les oreilles de l'Auditeur, cependant que ces [a] Machines descendent [57].

La décoration du Théâtre a besoin de trois Arts pour la rendre belle, de la Peinture, de l'Architecture, et de la Perspective. Aristote prétend que cette partie non plus que la précédente ne regarde pas le Poète [58], et comme il ne la traite point, je me dispenserai d'en dire plus qu'il ne m'en a appris.

Pour achever ce discours, je n'ai plus qu'à parler des parties de quantité, qui sont le Prologue, l'Épisode, l'Exode, et le Chœur. *Le Prologue est ce qui se récite avant le premier chant du Chœur. L'Épisode, ce qui se récite entre les chants du Chœur. Et l'Exode, ce qui se récite après le dernier chant du Chœur* [59]. Voilà tout ce que nous en dit Aristote, qui nous marque plutôt la situation de ces parties, et l'ordre qu'elles ont entre elles dans la représentation, que la part de l'action qu'elles doivent contenir. Ainsi pour les appliquer à notre usage, le Prologue est notre premier Acte, l'Épisode fait les trois suivants, l'Exode le dernier.

Je dis que le Prologue est ce qui se récite devant le premier chant du Chœur, bien que la version ordinaire porte, *devant la première entrée du Chœur*, ce qui nous embarrasserait fort, vu que dans beaucoup de Tragédies Grecques le Chœur parle le premier [60], et ainsi elles manqueraient de cette partie, ce qu'Aristote n'eût pas manqué de remarquer. Pour m'enhardir à changer ce terme, afin

---

« le choix et l'arrangement des mots »), et non la déclamation (qui, dans la tradition rhétorique, relève comme la gestuelle de l'*actio*).
a. les [1682].

de lever la difficulté, j'ai considéré qu'encore que le mot Grec *parodos* dont se sert ici ce Philosophe, signifie communément l'entrée en un chemin ou Place publique, qui était le lieu ordinaire où nos Anciens faisaient parler leurs Acteurs, en cet endroit toutefois il ne peut signifier que le premier chant du Chœur. C'est ce qu'il m'apprend lui-même un peu après, en disant que le *parodos* du Chœur est la première chose que dit tout le Chœur ensemble. Or quand le Chœur entier disait quelque chose, il chantait, et quand il parlait sans chanter, il n'y avait qu'un de ceux dont il était composé qui parlât au nom de tous. La raison en est que le Chœur alors tenait lieu [a] d'Acteur, et ce qu'il disait servait à l'action, et devait par conséquent être entendu, ce qui n'eût pas été possible, si tous ceux qui le composaient, et qui étaient quelquefois jusqu'au nombre de cinquante, eussent parlé, ou chanté tous à la fois. Il faut donc rejeter ce premier *parodos* du Chœur, qui est la borne du Prologue, à la première fois qu'il demeurait seul sur le Théâtre et chantait : jusque-là il n'y était introduit que parlant avec un Acteur par une seule bouche, ou s'il y demeurait seul sans chanter, il se séparait en deux demi-Chœurs, qui ne parlaient non plus chacun de leur côté que par un seul organe, afin que l'Auditeur pût entendre ce qu'ils disaient, et s'instruire de ce qu'il fallait qu'il apprît pour l'intelligence de l'action.

Je réduis ce Prologue à notre premier Acte, suivant l'intention d'Aristote, et pour suppléer en quelque façon à ce qu'il ne nous a pas dit, ou que les années nous ont dérobé de son livre, je dirai qu'il doit contenir les semences de tout ce qui doit arriver, tant pour l'action principale, que pour les Épisodiques, en sorte qu'il n'entre aucun Acteur dans les Actes suivants, qui ne soit connu par ce premier, ou du moins appelé par quelqu'un qui y aura été introduit. Cette Maxime est nouvelle et assez sévère, et je ne l'ai pas toujours gardée [61] ; mais j'estime qu'elle sert beaucoup à fonder une véritable unité

---

a. tenait le lieu [1682].

d'action, par la liaison de toutes celles qui concurrent •
dans le Poème. Les Anciens s'en sont fort écartés, particulièrement dans les Agnitions, pour lesquelles ils se
sont presque toujours servis de gens qui survenaient par
hasard au cinquième Acte, et ne seraient arrivés qu'au
dixième, si la Pièce en eût eu dix. Tel est ce vieillard de
Corinthe dans l'*Œdipe* de Sophocle et de Sénèque, où il
semble tomber des Nues par miracle, en un temps où les
Acteurs ne sauraient plus par où en prendre ••, ni quelle
posture tenir, s'il arrivait une heure plus tard. Je ne l'ai
introduit qu'au cinquième Acte non plus qu'eux ; mais
j'ai préparé sa venue dès le premier, en faisant dire à
Œdipe qu'il attend dans le jour la Nouvelle de la mort de
son père •••. Ainsi dans *La Veuve*, bien que Célidan ne
paraisse qu'au troisième, il y est amené par Alcidon qui
est du premier. Il n'en est pas de même des Maures dans
Le Cid, pour lesquels il n'y a aucune préparation au premier Acte. Le Plaideur de Poitiers dans *Le Menteur* avait
le même défaut, mais j'ai trouvé le moyen d'y remédier
en cette Édition, où le Dénouement se trouve préparé par
Philiste, et non plus par lui ••••.

Je voudrais donc que le premier Acte contînt si bien
le fondement de toutes les actions, qu'il fermât la porte
à tout le reste ª. Encore que souvent il ne donne pas

• Corneille ici encore privilégie la graphie ancienne du verbe
« concourir », peut-être pour faciliter le rapprochement avec le
substantif « concurrence » (voir Examen de *La Suivante*, Document 43, et deux autres occurrences du verbe, ci-dessous p. 88).
L'« unité d'action » est d'ores et déjà à entendre comme unification
dynamique des différents « fils » mis en concurrence.
•• Ne sauraient plus comment s'en tirer.
••• « La mort du Roi mon père à Corinthe m'appelle, / J'en attends
aujourd'hui la funeste nouvelle », *Œdipe*, acte I, scène 3, v. 261-
262.
•••• Il s'agit du personnage d'Argante qui, dans les éditions de
1644 à 1656, intervenait à la scène 1 de l'acte V. Son rôle, très
court, fut supprimé dans l'édition de 1660 (voir *Œuvres complètes*,
éd. cit., t. II, p. 73, var. a, et p. 1236) et l'information qu'il venait
apporter est alors mise dans la bouche de Philiste, personnage introduit pour sa part dès le premier acte.
a. contînt le fondement de toutes les actions, et fermât la porte à
tout ce qu'on voudrait introduire d'ailleurs dans le reste du Poème
[1663-1682].

toutes les lumières nécessaires pour l'entière intelligence du Sujet, et que tous les Acteurs n'y paraissent pas, il suffit qu'on y parle d'eux, [ou]ᵃ que ceux qu'on y fait paraître aient besoin de les aller chercher, pour venir à bout de leurs intentions. Ce que je dis ne se doit entendre que des Personnages qui agissent dans la Pièce par quelque propre intérêt considérable, ou qui apportent une Nouvelle importante qui produit un notable effet. Un Domestique qui n'agit que par l'ordre de son maître, un Confident qui reçoit le secret de son ami, et le plaint dans son malheur, un père qui ne se montre que pour consentir ou contredire le Mariage de ses enfants, une femme qui console et conseille son mari, en un mot, tous ces gens sans action n'ont point besoin d'être insinués au premier Acte ; et quand je n'y aurais point parlé de Livie dans *Cinna*, j'aurais pu la faire entrer au quatrième, sans pécher contre cette Règle. Mais je souhaiterais qu'on l'observât inviolablement, quand on fait concurrer deux actions différentes, bien qu'ensuite elles se mêlent ensemble. La conspiration de Cinna, et la consultation d'Auguste avec lui et Maxime n'ont aucune liaison entre elles, et ne font que concurrer d'abord, bien que le résultat de l'une produise de beaux effets pour l'autre, et soit cause que Maxime en fait découvrir le secret à cet Empereur. Il a été besoin d'en donner l'idée dès le premier Acte, où Auguste mande Cinna et Maxime. On n'en sait pas la cause, mais enfin il les mande, et cela suffit pour faire une surprise très agréable, de le voir délibérer s'il quittera l'Empire, ou non, avec deux hommes qui ont conspiré contre lui. Cette surprise aurait perdu la moitié de ses grâces, s'il ne les eût point mandés dès le premier Acte, ou si on n'y eût point connu Maxime pour un des Chefs de ce grand dessein ⁶². Dans *Don Sanche*, le choix que la Reine de Castille doit faire d'un mari, et le rappel de celle d'Aragon dans ses États, sont deux choses tout à fait différentes, aussi sont-elles proposées toutes deux au premier Acte, et quand on introduit deux sortes d'Amours •, il ne faut jamais y manquer.

---

a. « où » dans l'édition de 1660.
• Quand le personnel dramatique compte deux couples d'amants,

Ce premier Acte s'appelait Prologue du temps d'Aristote, et communément on y faisait l'ouverture du Sujet, pour instruire le Spectateur de tout ce qui s'était passé avant le commencement de l'action qu'on allait représenter, et de tout ce qu'il fallait qu'il sût pour comprendre ce qu'il allait voir. La manière de donner cette intelligence a changé suivant les temps. Euripide en a usé assez grossièrement, en introduisant, tantôt un Dieu dans une Machine, par qui les Spectateurs recevaient cet éclaircissement [63], et tantôt un de ses principaux Personnages qui les en instruisait lui-même, comme dans son *Iphigénie*, et dans son *Hélène*, où ces deux Héroïnes racontent d'abord toute leur histoire, et l'apprennent à l'Auditeur, sans avoir aucun Acteur avec elles à qui adresser leur discours.

Ce n'est pas que je veuille dire, que quand un Acteur parle seul, il ne puisse instruire l'Auditeur de beaucoup de choses ; mais il faut que ce soit par les sentiments d'une passion qui l'agite, et non pas par une simple Narration [64]. Le monologue d'Émilie, qui ouvre le Théâtre dans *Cinna*, fait assez connaître qu'Auguste a fait mourir son père, et que pour venger sa mort elle engage son Amant à conspirer contre lui ; mais c'est par le trouble et la crainte que le péril où elle expose Cinna jette dans son âme, que nous en avons la connaissance. Surtout le Poète se doit souvenir, que quand un Acteur est seul sur le Théâtre, il est présumé ne faire que s'entretenir en lui-même, et ne parle qu'afin que le Spectateur sache de quoi il s'entretient, et à quoi il pense. Ainsi ce serait une faute insupportable, si un autre Acteur apprenait par là ses secrets. On excuse cela dans une passion si violente, qu'elle force d'éclater, bien qu'on n'ait personne à qui la faire entendre, et je ne le voudrais pas condamner en un autre, mais j'aurais de la peine à me le souffrir [65].

Plaute a cru remédier à ce désordre d'Euripide, en introduisant un Prologue détaché, qui se récitait par un Personnage, qui n'avait quelquefois autre nom que celui de Prologue, et n'était point du tout du corps de la Pièce.

comme dans la plupart des comédies (ci-dessus, p. 76), les « premiers amants » (action principale) et les « seconds amants » (épisode).

Aussi ne parlait-il qu'aux Spectateurs, pour les instruire de ce qui avait précédé, et amener le Sujet jusques au premier Acte, où commençait l'action [66].

Térence, qui est venu depuis lui, a gardé ces Prologues, et en a changé la matière. Il les a employés à faire son Apologie contre ses envieux, et pour ouvrir son Sujet, il a introduit une nouvelle sorte de Personnages, qu'on a appelés Protatiques, parce qu'ils ne paraissaient [a] que dans la Protase, où s'en doit faire la proposition [b]. Ils en écoutaient l'histoire qui leur était racontée par un autre Acteur, et par ce récit qu'on leur en faisait l'Auditeur demeurait instruit de ce qu'il devait savoir [c]. Tels sont Sosie dans son *Andrienne*, et Davus dans son *Phormion*, qu'on ne revoit plus après la narration écoutée [d], et qui ne servent qu'à l'écouter. Cette Méthode est fort artificieuse, mais je voudrais pour sa perfection que ces mêmes Personnages servissent encore à quelque autre chose dans la Pièce, et qu'ils y fussent introduits par quelque autre occasion que celle d'écouter ce récit. Pollux dans *Médée* [67] est de cette nature. Il passe par Corinthe en allant au mariage de sa sœur, et s'étonne d'y rencontrer Jason qu'il croyait en Thessalie ; il apprend de lui sa fortune, et son divorce avec Médée, pour épouser Créuse, qu'il aide ensuite à sauver des mains d'Égée qui l'avait fait enlever, et raisonne avec le Roi sur la défiance qu'il doit avoir des présents de Médée. Toutes les Pièces n'ont pas besoin de ces éclaircissements, et par conséquent on se peut passer souvent de ces Personnages, dont Térence ne s'est servi que ces deux fois dans les six Comédies que nous avons de lui.

Notre Siècle a inventé une autre espèce de Prologue pour les Pièces de Machines, qui ne touche point au Sujet, et n'est qu'une louange adroite du prince devant qui ces Poèmes doivent être représentés. Dans l'*Andromède*,

a. paraissent [1682].
b. où se doit faire la proposition et l'ouverture du Sujet [1663-1682].
c. devait savoir, touchant les intérêts des premiers Acteurs, avant qu'ils parussent sur le Théâtre [1663-1682].
d. après la narration [1663-1682].

Melpomène emprunte au Soleil ses rayons pour éclairer son Théâtre en faveur du Roi, pour qui elle a préparé un spectacle magnifique. Le Prologue de *La Toison d'or* sur le mariage de [S]a Majesté, et la Paix avec l'Espagne, a quelque chose encore de plus éclatant [68]. Ces Prologues doivent avoir beaucoup d'invention, et je ne pense pas qu'on y puisse raisonnablement introduire que des Dieux imaginaires de l'Antiquité, qui ne laissent pas toutefois de parler des choses de notre temps, par une fiction Poétique, qui fait un grand accommodement de Théâtre.

L'Épisode selon Aristote en cet endroit sont nos trois Actes du milieu ; mais comme il applique ce nom ailleurs aux actions qui sont hors de la principale, et qui lui servent d'un ornement dont elle se pourrait passer, je dirai que bien que ces trois Actes s'appellent Épisode, ce n'est pas à dire qu'ils ne soient composés que d'Épisodes [69]. La consultation d'Auguste au second de *Cinna*, les remords de cet ingrat, ce qu'il en découvre à Émilie, et l'effort que fait Maxime pour persuader à cet objet de son amour caché de s'enfuir avec lui, ne sont que des Épisodes ; mais l'avis que fait donner Maxime par Euphorbe à l'Empereur, les irrésolutions de ce Prince, et les conseils de Livie, sont de l'action principale [70] ; et dans *Héraclius*, ces trois Actes ont plus d'action principale, que d'Épisodes [71]. Ces Épisodes sont de deux sortes, et peuvent être composés des actions particulières des principaux Acteurs, dont toutefois l'action principale pourrait se passer, ou des intérêts des seconds Amants qu'on introduit, et qu'on appelle communément des personnages Épisodiques. Les uns et les autres doivent avoir leur fondement dans le premier Acte, et être attachés à l'action principale ; c'est-à-dire, y servir de quelque chose, et particulièrement ces Personnages Épisodiques doivent s'embarrasser si bien avec les premiers, qu'un seul intrigue brouille les uns et les autres [72]. Aristote blâme fort les Épisodes détachés, et dit *que les mauvais Poètes en font par ignorance, et les bons en faveur des Comédiens pour leur donner de l'emploi.* L'Infante du *Cid* est de ce nombre, et on le pourra condamner, ou lui faire grâce par ce texte d'Aristote, suivant le rang qu'on voudra me donner parmi nos Modernes [73].

Je ne dirai rien de l'Exode, qui n'est autre chose que
notre cinquième Acte. Je pense en avoir expliqué le principal emploi, quand j'ai dit que l'action du Poème Dramatique devait [a] être complète •. Je n'y ajouterai que ce
mot ; qu'il faut, s'il se peut lui réserver toute la Catastrophe, et même la reculer vers la fin autant qu'il est
possible. Plus on la diffère, plus les esprits demeurent
suspendus, et l'impatience qu'ils ont de savoir de quel
côté elle tournera, est cause qu'ils la reçoivent avec plus
de plaisir : ce qui n'arrive pas quand elle commence avec
cet Acte [74]. L'Auditeur qui la sait trop tôt n'a plus de
curiosité, et son attention languit durant tout le reste, qui
ne lui apprend rien de nouveau. Le contraire s'est vu dans
la *Marianne* ••, dont la mort, bien qu'arrivée dans l'intervalle qui sépare le quatrième Acte du cinquième, n'a
pas empêché que les déplaisirs d'Hérode, qui occupent
tout ce dernier, n'aient plu extraordinairement. Mais je ne
conseillerais à personne de s'assurer sur cet exemple. Il
ne se fait pas des miracles tous les jours, et quoique feu
Mr Tristan [b], eût bien mérité ce beau succès par le grand
effort d'esprit qu'il avait fait à peindre les désespoirs de
ce Monarque, peut-être que l'excellence de l'Acteur, qui
en soutenait le Personnage, y contribuait beaucoup.

Voilà ce qui m'est venu en pensée touchant le but, les
utilités, et les parties du Poème Dramatique. Quelques
Personnes de condition, qui peuvent tout sur moi, ont
voulu que je donnasse mes sentiments au Public, sur les
Règles d'un Art qu'il y a si longtemps que je pratique
assez heureusement. Comme ce Recueil est séparé en
trois volumes, je sépare [c] les principales matières en trois

---

a. doit [1664-1682].

• P. 74-76.

•• Tragédie de Tristan L'Hermite représentée à l'Hôtel de Bourgogne en 1636 avec dans le rôle d'Hérode l'acteur Montdory, mort
en 1660. Corneille rend hommage à celui qui avait créé le rôle de
Rodrigue.

b. quoique son Auteur [1668-1682].

c. Comme ce Recueil a été séparé en trois volumes dans l'impression qui s'en est faite in Octavo, j'avais séparé [1663] ; Comme
ce Recueil est séparé en trois Volumes, j'ai séparé [1664-1682].

Discours, pour leur servir de Préfaces. Je parlerai [a] au second des conditions particulières de la Tragédie, des qualités des Personnes et des événements qui lui peuvent fournir de Sujet, et de la manière de le traiter selon le vraisemblable ou le nécessaire. Je réserve pour le troisième à m'expliquer [b] sur les trois unités, d'action, de jour, et de lieu. Cette entreprise méritait une longue et très exacte étude de tous les Poèmes qui nous restent de l'Antiquité, et de tous ceux qui ont commenté les Traités, qu'Aristote et Horace ont faits de l'Art Poétique, ou qui en ont écrit en particulier : mais je n'ai pu me résoudre à en prendre le loisir ; et je m'assure que beaucoup de mes Lecteurs me pardonneront aisément cette paresse, et ne seront pas fâchés, que je donne à des productions nouvelles le temps qu'il m'eût fallu consumer à des remarques sur celles des autres Siècles. J'y fais quelques courses [•], et y prends des exemples quand ma mémoire m'en peut fournir. Je n'en cherche de Modernes que chez moi, tant parce que je connais mieux mes ouvrages que ceux des autres, et en suis plus le maître, que parce que je ne veux pas m'exposer au péril de déplaire à ceux que je reprendrais en quelque chose, ou que je ne louerais pas assez en ce qu'ils ont fait d'excellent. J'écris sans ambition, et sans esprit de contestation, je l'ai déjà dit. Je tâche de suivre toujours le sentiment d'Aristote dans les matières qu'il a traitées, et comme peut-être je l'entends à ma mode, je ne suis point jaloux qu'un autre l'entende à la sienne. Le Commentaire dont je m'y sers le plus, est l'expérience du Théâtre, et les réflexions sur ce que j'ai vu y plaire, ou déplaire [75]. J'ai pris pour m'expliquer un style simple, et me contente d'une expression nue de mes opinions, bonnes ou mauvaises, sans y rechercher aucun enrichissement d'Éloquence. Il me suffit de me faire entendre, je ne prétends pas qu'on admire ici ma façon d'écrire, et ne fais point de scrupule de me [c] servir souvent des mêmes termes, ne fût-ce que pour épargner le

---

a. Je parle [1663-1682].
b. Je m'explique dans le troisième [1663-1682].
• Quelques incursions.
c. m'y [1663-1682].

temps d'en chercher d'autres, dont peut-être la variété ne dirait pas si justement ce que je veux dire. J'ajoute à ces trois Discours généraux l'examen de chacun de mes Poèmes en particulier, afin de voir en quoi ils s'écartent, ou se conforment aux Règles que j'établis. Je n'en dissimulerai point les défauts, et en revanche je me donnerai la liberté de remarquer ce que j'y trouverai de moins imparfait. Monsieur de Balzac • ᵃ accorde ce Privilège à une certaine espèce de gens, et soutient qu'ils peuvent dire d'eux-mêmes par franchise, ce que d'autres diraient par vanité. Je ne sais si j'en suis, mais je veux avoir assez bonne opinion de moi pour n'en désespérer pas.

• Guez de Balzac, mort en 1654, qui avait soutenu Corneille dans les années 1640, et notamment lors de la Querelle du *Cid*.
a. Balzac [1668-1682].

DISCOURS DE LA TRAGÉDIE,
ET DES MOYENS DE LA TRAITER,
SELON LE VRAISEMBLABLE OU LE NÉCESSAIRE

Outre les trois utilités du Poème Dramatique dont j'ai parlé dans le discours que j'ai fait servir de Préface à la première Partie de ce Recueil, la Tragédie a celle-ci de particulière, que *par la pitié et la crainte elle purge de semblables passions.* Ce sont les termes dont Aristote se sert dans sa définition [1], et qui nous apprennent deux choses. L'une, qu'elle doit exciter [a] la pitié et la crainte ; l'autre, que par leur moyen elle purge de semblables passions. Il explique la première assez au long, mais il ne dit pas un mot de la dernière, et de toutes les conditions qu'il emploie en cette définition, c'est la seule qu'il n'éclaircit point. Il témoigne toutefois dans le dernier Chapitre de ses *Politiques* un dessein d'en parler fort au long dans ce Traité [2], et c'est ce qui fait que la plupart de ses Interprètes veulent que nous ne l'ayons pas tout entier [b] ; parce que nous n'y voyons rien du tout sur cette matière. Quoi qu'il en puisse être, je crois qu'il est à propos de parler de ce qu'il a dit, avant que de faire effort pour deviner ce qu'il a voulu dire. Les Maximes qu'il établit pour l'un pourront nous conduire à quelques conjectures pour l'autre [•], et sur la certitude de ce qui nous demeure nous pourrons fonder une opinion probable de ce qui n'est point venu jusqu'à [c] nous.

Nous avons pitié, dit-il, *de ceux que nous voyons souffrir un malheur qu'ils ne méritent pas, et nous craignons qu'il ne nous en arrive un pareil, quand nous le voyons souffrir à nos semblables* [3]. Ainsi la pitié embrasse l'in-

---

a. qu'elle excite [1663-1682].
b. que nous ne l'ayons entier [1664-1682].
• Les principes explicitement formulés doivent nous aider à faire une hypothèse sur ce qu'Aristote « a voulu dire ».
c. jusques à [1663-1664].

térêt de la personne que nous voyons souffrir, la crainte qui la suit regarde le nôtre, et ce Passage seul nous donne assez d'ouverture • pour trouver la manière dont se fait la purgation des passions dans la Tragédie. La pitié d'un malheur où nous voyons tomber nos semblables, nous porte à la crainte d'un pareil pour nous ; cette crainte au désir de l'éviter ; et ce désir à purger, modérer, rectifier, et même déraciner en nous la passion qui plonge à nos yeux •• dans ce malheur les personnes que nous plaignons, par cette raison commune, mais naturelle et indubitable, que pour éviter l'effet il faut retrancher la cause [4]. Cette explication ne plaira pas à ceux qui s'attachent aux Commentateurs de ce Philosophe. Ils se gênent ••• sur ce Passage, et s'accordent si peu l'un avec l'autre, que Paul Beni [5] marque jusques à [a] douze ou quinze opinions diverses, qu'il réfute avant que de nous donner la sienne. Elle est conforme à celle-ci pour le raisonnement, mais elle diffère en ce point, qu'elle n'en applique l'effet qu'aux Rois et aux Princes ; peut-être par cette raison, que la Tragédie ne peut nous faire craindre que les maux que nous voyons arriver à nos semblables, et que n'en faisant arriver qu'à des Rois, et à des Princes, cette crainte ne peut faire d'effet que sur des gens de leur condition. Mais sans doute il a entendu trop littéralement ce mot de, *nos semblables*, et n'a pas assez considéré qu'il n'y avait point de Rois à Athènes, où se représentaient les Poèmes dont Aristote tire ses exemples, et sur lesquels il forme ses Règles. Ce Philosophe n'avait garde d'avoir cette pensée qu'il lui attribue, et n'eût pas employé dans la définition de la Tragédie une chose dont l'effet pût arriver si rarement, et dont l'utilité se fût rétrainte à si peu de personnes [6]. Il est vrai qu'on n'introduit d'ordinaire que des Rois pour premiers Acteurs dans la Tragédie, et que les Auditeurs n'ont point de sceptres par où leur ressembler, afin d'avoir lieu de craindre les malheurs qui leur arrivent ; mais ces Rois sont hommes comme les Audi-

---

• Nous donne assez d'indications pour...
•• Devant nos propres yeux.
••• Ils se torturent l'esprit.
a. jusqu'à [1668-1682].

teurs, et tombent dans ces malheurs par l'emportement des passions dont les Auditeurs sont capables. Ils prêtent même un raisonnement aisé à faire du plus grand au moindre, et le Spectateur peut concevoir avec facilité, que si un Roi pour trop s'abandonner à l'ambition, à l'amour, à la haine, à la vengeance, tombe dans un malheur si grand qu'il lui fait pitié, à plus forte raison, lui qui n'est qu'un homme du commun, doit tenir la bride à de telles passions, de peur qu'elles ne l'abîment dans un pareil malheur. Outre que ce n'est pas une nécessité de ne mettre que les infortunes des Rois sur le Théâtre. Celles des autres hommes y trouveraient place, s'il leur en arrivait d'assez illustres, et d'assez extraordinaires pour la mériter, et que l'Histoire prît assez de soin d'eux pour nous les apprendre. Scédase n'était qu'un paysan de Leuctres, et je ne tiendrais pas la sienne • indigne d'y paraître, si la pureté de notre Scène pouvait souffrir qu'on y parlât du violement effectif de ses deux filles, après que l'idée de la prostitution n'y a pu être soufferte dans la personne d'une Sainte qui en fut garantie ••.

Pour nous faciliter les moyens de faire naître cette pitié et cette crainte, où Aristote semble nous obliger, il nous aide à choisir les personnes et les événements, qui peuvent exciter l'une et l'autre. Sur quoi je suppose ce qui est très véritable, que notre Auditoire n'est composé ni de méchants, ni de Saints, mais de gens d'une probité commune, et qui ne sont pas si sévèrement retranchés dans l'exacte vertu, qu'ils ne soient susceptibles des passions, et capables des périls où elles engagent ceux qui leur défèrent trop. Cela supposé, examinons ceux que ce Philosophe exclut de la Tragédie, pour en venir avec lui à ceux dans lesquels il fait consister sa perfection [7].

En premier lieu, il ne veut point *qu'un homme fort vertueux y tombe de la félicité dans le malheur*, et soutient *que cela ne produit ni pitié, ni crainte, parce que*

• L'infortune (l'antécédent figure, au pluriel, dans la phrase précédente).
•• Allusion à *Scédase ou l'hospitalité violée*, l'une des premières tragédies d'Alexandre Hardy (publiée en 1624), et à l'échec de la *Théodore* de Corneille (1645).

c'est un événement tout à fait injuste. Quelques Interprètes poussent la force de ce mot Grec *miaron* qu'il fait
servir d'Épithète à cet événement, jusqu'à le rendre par
celui d'*abominable.* À quoi j'ajoute qu'un tel succès •
excite plus d'indignation et de haine contre celui qui fait
souffrir, que de pitié pour celui qui souffre, et qu'ainsi
ce sentiment, qui n'est pas le propre de la Tragédie à
moins que d'être bien ménagé, peut étouffer celui qu'elle
doit produire, et laisser l'Auditeur mécontent par la colère
qu'il remporte, et qui se mêle à la compassion qui lui
plairait, s'il la remportait seule [8].

Il ne veut pas non plus *qu'un méchant homme passe
du malheur à la félicité, parce que non seulement il ne
peut naître d'un tel succès aucune pitié, ni crainte ; mais
il ne peut pas même nous toucher par ce sentiment naturel de joie, dont nous remplit la prospérité d'un premier
Acteur à qui notre faveur s'attache* [9]. La chute d'un
méchant dans le malheur a de quoi nous plaire par l'aversion que nous prenons pour lui, mais comme ce n'est
qu'une juste punition, elle ne nous fait point de pitié, et
ne nous imprime aucune crainte, d'autant que nous ne
sommes pas si méchants que lui, pour être capables de
ses crimes, et en appréhender une aussi funeste issue.

Il reste donc à trouver un milieu entre ces deux extré-
mités, par le choix d'un homme, qui ne soit ni tout à fait
bon, ni tout à fait méchant, et qui par une faute, ou faiblesse humaine, tombe dans un malheur qu'il ne mérite
pas. Aristote en donne pour exemples Œdipe, et Thyeste,
en quoi véritablement je ne comprends point sa pensée.
Le premier me semble ne faire aucune faute, bien qu'il
tue son père, parce qu'il ne le connaît pas, et qu'il ne fait
que disputer le chemin en homme de cœur contre un
inconnu qui l'attaque avec avantage [10]. Néanmoins
comme la signification du mot grec *hamarthèma* peut
s'étendre à une simple erreur de méconnaissance [11], telle
qu'était la sienne, admettons-le avec ce Philosophe, bien
que je ne puisse voir quelle passion il nous donne à purger, ni de quoi nous pouvons nous corriger sur son

---

• Au sens spécifique de « l'issue d'un tel renversement » (même
sens dans la citation suivante d'Aristote).

exemple. Mais pour Thyeste, je n'y puis découvrir cette probité commune, ni cette faute sans crime qui le plonge dans son malheur [12]. Si nous le regardons avant la Tragédie qui porte son nom, c'est un incestueux qui abuse de la femme de son frère : si nous le considérons dans la Tragédie, c'est un homme de bonne foi qui s'assure sur la parole de son frère, avec qui il s'est réconcilié. En ce premier état il est très criminel, en ce dernier, très homme de bien. Si nous attribuons son malheur à son inceste, c'est un crime dont l'Auditeur [•] n'est point capable, et la pitié qu'il prendra de lui n'ira point jusqu'à cette crainte qui purge, parce qu'il ne lui ressemble point. Si nous imputons son désastre à sa bonne foi, quelque crainte pourra suivre la pitié que nous en aurons, mais elle ne purgera qu'une facilité de confiance sur la parole d'un ennemi réconcilié, qui est plutôt une qualité d'honnête homme, qu'une vicieuse habitude, et cette purgation ne fera que bannir la sincérité des réconciliations. J'avoue donc avec franchise que je n'entends point l'application de cet exemple.

J'avouerai plus. Si la purgation des passions se fait dans la Tragédie, je tiens qu'elle se doit faire de la manière que je l'explique ; mais je doute si elle s'y fait jamais, et dans celles-là même qui ont les conditions que demande Aristote. Elles se rencontrent dans *Le Cid*, et en ont causé le grand succès. Rodrigue et Chimène y ont cette probité sujette aux passions, et ces passions font leur malheur, puisqu'ils ne sont malheureux qu'autant qu'ils sont passionnés l'un pour l'autre. Ils tombent dans l'infélicité par cette faiblesse humaine dont nous sommes capables comme eux : leur malheur fait pitié, cela est constant, et il en a coûté assez de larmes aux Spectateurs pour ne le point contester. Cette pitié nous doit donner une crainte de tomber dans un pareil malheur, et purger en nous ce trop d'amour qui cause leur infortune, et nous les fait plaindre ; mais je ne sais si elle nous la donne, ni si elle le purge [••], et j'ai bien peur que le raisonnement

---

• l'Auditoire [1663-1682].
•• Je ne sais si cette pitié nous donne cette crainte, ni si elle purge en nous « ce trop d'amour qui cause leur infortune ».

d'Aristote sur ce point ne soit qu'une belle idée, qui n'ait jamais son effet dans la vérité. Je m'en rapporte à ceux qui en ont vu les représentations : ils peuvent en demander compte au secret de leur cœur, et repasser sur ce qui les a touchés au Théâtre, pour reconnaître s'ils en sont venus par là jusqu'à cette crainte réfléchie, et si elle a rectifié en eux la passion qui a causé la disgrâce qu'ils ont plainte [13]. Un des Interprètes d'Aristote veut qu'il n'ait parlé de cette purgation des passions dans la Tragédie, que parce qu'il écrivait après Platon, qui bannit les poètes Tragiques de sa République, parce qu'ils les remuent trop fortement [14]. Comme il écrivait pour le contredire, et montrer qu'il n'est pas à propos de les bannir des États bien policés, il a voulu trouver cette utilité dans ces agitations de l'âme, pour les rendre recommandables par la raison même, sur qui l'autre se fonde pour les bannir. Le fruit qui peut naître des impressions que fait la force de l'exemple lui manquait : la punition des méchantes actions, et la récompense des bonnes, n'étaient pas de l'usage de son siècle, comme nous les avons rendues de celui du nôtre [15] ; et [n'y] [a] pouvant trouver une utilité solide hors celle des Sentences et des discours Didactiques, dont la Tragédie se peut passer selon son avis, il en a substitué une, qui peut-être n'est qu'imaginaire. Du moins si pour la produire il faut les conditions qu'il demande, elles se rencontrent si rarement, que Robortel ne les trouve que dans le seul *Œdipe*, et soutient que ce Philosophe ne nous les prescrit pas comme si nécessaires, que leur manquement rende un ouvrage défectueux, mais seulement comme des idées de la perfection des Tragédies [16]. Notre Siècle les a vues dans *Le Cid*, mais je ne sais s'il les a vues en beaucoup d'autres, et si nous voulons rejeter un coup d'œil sur cette Règle, nous avouerons que le succès a justifié beaucoup de Pièces où elle n'est pas observée.

L'exclusion des personnes tout à fait vertueuses qui tombent dans le malheur bannit les Martyrs de notre Théâtre : Polyeucte y a réussi contre cette Maxime, et

---

a. *ny* dans le texte de 1660 et dans celui de 1664.

Héraclius et Nicomède y ont plu, bien qu'ils n'impriment que de la pitié, et ne nous donnent rien à craindre, ni aucune passion à purger, puisque nous les y voyons opprimés, et près de périr, sans aucune faute de leur part, dont nous puissions nous corriger sur leur exemple [17].

Le malheur d'un homme fort méchant n'excite ni pitié, ni crainte, parce qu'il n'est pas digne de la première, et que les Spectateurs ne sont pas méchants comme lui, pour concevoir l'autre à la vue de sa punition : mais il serait à propos de mettre quelque distinction entre les crimes. Il en est dont les honnêtes gens sont capables par une violence de passion, dont le mauvais succès peut faire effet dans l'âme de l'Auditeur. Un honnête homme ne va pas voler au coin d'un bois, ni faire un assassinat de sang-froid ; mais s'il est bien amoureux, il peut faire une super-cherie à son rival, il peut s'emporter de colère et tuer dans un premier mouvement, et l'ambition le peut enga-ger dans un crime, ou dans une action blâmable. Il est peu de mères qui voulussent assassiner, ou empoisonner leurs enfants, de peur de leur rendre leur bien •, comme Cléopâtre dans *Rodogune* ; mais il en est assez qui prennent goût à en jouir, et ne s'en dessaisissent qu'à regret, et le plus tard qu'il leur est possible. Bien qu'elles ne soient pas capables d'une action si noire et si déna-turée, que celle de cette Reine de Syrie, elles ont en elles quelque teinture du principe qui l'y porta, et la vue de la juste punition qu'elle en reçoit leur peut faire craindre, non pas un pareil malheur, mais une infortune propor-tionnée à ce qu'elles sont capables de commettre [18]. Il en est ainsi de quelques autres crimes qui ne sont pas de la portée de nos Auditeurs. Le Lecteur en pourra faire l'examen et l'application, sur cet exemple.

Cependant quelque difficulté qu'il y ait à trouver cette purgation effective et sensible des passions, par le moyen de la pitié et de la crainte, il est aisé de nous accommoder avec Aristote. Nous n'avons qu'à dire que par cette façon

---

• Plutôt que d'avoir à leur restituer les biens qui leur sont dus. « Leur bien » forme l'antécédent du pronom adverbial *en* dans « en jouir » et « ne s'en désaisissent » (mais dans « il en est assez qui », *en* reprend « de mères »).

de s'énoncer il n'a pas entendu que ces deux moyens y servissent toujours ensemble, et qu'il suffit selon lui de l'un des deux pour faire cette purgation ; avec cette différence toutefois, que la pitié n'y peut arriver sans la crainte, et que la crainte peut y parvenir sans la pitié [19]. La mort du Comte n'en fait aucune dans *Le Cid*, et peut toutefois mieux purger en nous cette sorte d'orgueil envieux de la gloire d'autrui, que toute la compassion que nous avons de Rodrigue et de Chimène ne purge les attachements de ce violent amour qui les rend à plaindre l'un et l'autre. L'Auditeur peut avoir de la commisération pour Antiochus, pour Nicomède, pour Héraclius ; mais s'il en demeure là, et qu'il ne puisse craindre de tomber dans un pareil malheur, il ne guérira d'aucune passion. Au contraire il n'en a point pour Cléopâtre, ni pour Prusias, ni pour Phocas ; mais la crainte d'une infortune semblable, ou approchante, peut purger en une mère l'opiniâtreté à ne se point dessaisir du bien de ses enfants, en un mari le trop de déférence à une seconde femme au préjudice de ceux de son premier lit, en tout le monde l'avidité d'usurper le bien ou la dignité d'autrui par violence ; et tout cela proportionnément à la condition d'un chacun, et à ce qu'il est capable d'entreprendre. Les déplaisirs et les irrésolutions d'Auguste dans *Cinna*, peuvent faire ce dernier effet, par la pitié et la crainte jointes ensemble ; mais, comme je l'ai déjà dit, il n'arrive pas toujours que ceux que nous plaignons soient malheureux par leur faute. Quand ils sont innocents, la pitié que nous en prenons ne produit aucune crainte, et si nous en concevons quelqu'une qui purge nos passions, c'est par le moyen d'une autre personne que de celle qui nous fait pitié, et nous la devons toute à la force de l'exemple [20].

Cette explication se trouvera autorisée par Aristote même, si nous voulons bien peser la raison qu'il rend de l'exclusion de ces événements qu'il désapprouve dans la Tragédie. Il ne dit jamais, *celui-là n'y est pas propre, parce qu'il n'excite que de la pitié* [a], et ne fait point naître de crainte, et cet autre n'y est pas supportable,

---

a. *que la pitié* [1664-1682].

parce qu'il n'excite que de la crainte et ne fait point naître de pitié ; mais il les rebute, *parce*, dit-il, *qu'ils n'excitent ni pitié, ni crainte*, et nous donne à connaître par là, que c'est par le manque de l'une et de l'autre qu'ils ne lui plaisent pas, et que s'ils produisaient l'une des deux, il ne leur refuserait point son suffrage [21]. L'exemple d'Œdipe qu'il allègue me confirme dans cette pensée. Si nous l'en croyons, il a toutes les conditions requises en la Tragédie ; néanmoins son malheur n'excite que de la pitié [22], et je ne pense pas qu'à le voir représenter, aucun de ceux qui le plaignent s'avise de craindre de tuer son père, ou d'épouser sa mère. Si sa représentation nous peut imprimer quelque crainte, et que cette crainte soit capable de purger en nous quelque inclination blâmable ou vicieuse, elle y purgera la curiosité de savoir l'avenir, et nous empêchera d'avoir recours à des prédictions, qui ne servent d'ordinaire qu'à nous faire choir dans le malheur qu'on nous prédit, par les soins mêmes que nous prenons de l'éviter ; puisqu'il est certain qu'il n'eût jamais tué son père, ni épousé sa mère, si son père et sa mère ne l'eussent fait exposer, de peur que cela n'arrivât [a]. Ainsi non seulement ce seront Laïus et Jocaste qui feront naître cette crainte, mais elle ne naîtra que de l'image d'une faute qu'ils ont faite quarante ans avant l'action qu'on représente, et ne s'imprimera en nous que par un autre Acteur que le premier, et par une action hors de la Tragédie.

Pour recueillir [•] ce discours, avant que de passer à une autre matière, établissons pour Maxime que la perfection de la Tragédie consiste bien à exciter de la pitié et de la crainte par le moyen d'un premier Acteur, comme peut faire Rodrigue dans *Le Cid*, et Placide dans *Théodore* [23], mais que cela n'est pas d'une nécessité si absolue, qu'on ne se puisse servir de divers Personnages, pour faire naître ces deux sentiments, comme dans *Rodogune* [24], et même ne porter l'Auditeur qu'à l'un des deux, comme dans *Polyeucte*, dont la représentation n'imprime que de la pitié sans aucune crainte [25]. Je ne dis pas la même

a. ... sa mère à qui l'Oracle avait prédit que cela arriverait, ne l'eussent fait exposer, de peur qu'il n'arrivât. [1664-1682].
• Pour rassembler les éléments du développement, pour résumer.

chose de la crainte sans la pitié, parce que je n'en sais point d'exemple, et n'en conçois point d'idée que je puisse croire agréable ᵃ ²⁶. Cela posé, trouvons quelque modération à la rigueur de ces Règles du Philosophe, ou du moins quelque favorable interprétation, pour n'être pas obligés de condamner beaucoup de Poèmes que nous avons vu réussir sur nos Théâtres ²⁷.

Il ne veut point qu'un homme tout à fait innocent tombe dans l'infortune, parce que cela étant abominable, il excite plus d'indignation contre celui qui le persécute, que de pitié pour son malheur ; il ne veut pas non plus qu'un très méchant y tombe, parce qu'il ne peut donner de pitié par un malheur qu'il mérite, ni en faire craindre un pareil à des Spectateurs qui ne lui ressemblent pas ; mais quand ces deux raisons cessent, en sorte qu'un homme de bien qui souffre, excite plus de pitié pour lui, que d'indignation contre celui qui le fait souffrir, ou que la punition d'un grand crime peut corriger en nous quelque imperfection qui a du rapport avec lui, j'estime qu'il ne faut point faire de difficulté d'exposer sur la Scène des hommes très vertueux, ou très méchants dans le malheur ²⁸. En voici deux ou trois manières, que peut-être Aristote n'a su prévoir, parce qu'on n'en voyait pas d'exemples sur les Théâtres de son temps.

La première est, quand un homme très vertueux est persécuté par un très méchant, et qu'il échappe du péril où le méchant demeure enveloppé, comme dans *Rodogune* et dans *Héraclius*, qu'on n'aurait pu souffrir, si Antiochus et Rodogune eussent péri dans la première, et Héraclius, Pulchérie, et Martian dans l'autre, et que Cléopâtre et Phocas y eussent triomphé. Leur malheur y donne une pitié, qui n'est point étouffée par l'aversion qu'on a pour ceux qui les tyrannisent, parce qu'on espère toujours que quelque heureuse révolution • les empêchera de succomber, et bien que les crimes de Phocas et de Cléopâtre soient trop grands pour faire craindre l'Auditeur d'en commettre de pareils, leur funeste issue peut faire sur lui

---

a. Cette phrase est supprimée à partir de l'édition de 1664.
• Quelque heureux renversement de fortune.

les effets dont j'ai déjà parlé. Il peut arriver d'ailleurs •
qu'un homme très vertueux soit persécuté, et périsse
même par les ordres d'un autre qui ne soit pas assez
méchant pour attirer trop d'indignation sur lui, et qui
montre plus de faiblesse que de crime, dans la persécution
qu'il lui fait. Si Félix fait périr son gendre Polyeucte, ce
n'est pas par cette haine enragée contre les Chrétiens, qui
nous le rendrait exécrable, mais seulement par une lâche
timidité qui n'ose le sauver en présence de Sévère, dont
il craint la haine et la vengeance, après les mépris qu'il
en a faits durant son peu de fortune. On prend bien
quelque aversion pour lui, on désapprouve sa manière
d'agir, mais cette aversion ne l'emporte pas sur la pitié
qu'on a de Polyeucte, et n'empêche pas que sa conversion
miraculeuse à la fin de la Pièce, ne le réconcilie pleinement avec l'Auditoire. On peut dire la même chose de
Prusias dans *Nicomède*, et de Valens dans *Théodore*. L'un
maltraite son fils, bien que très vertueux, et l'autre est
cause de la perte du sien, qui ne l'est pas moins ; mais
tous les deux n'ont que des faiblesses qui ne vont point
jusques au crime, et loin d'exciter une indignation qui
étouffe la pitié qu'on a pour ces fils généreux, la lâcheté
de leur abaissement sous des Puissances qu'ils redoutent,
et qu'ils devraient braver pour bien agir, fait qu'on a
quelque compassion d'eux-mêmes, et de leur honteuse
Politique [29].

Pour nous faciliter les moyens d'exciter cette pitié, qui
fait de si beaux effets sur nos Théâtres, Aristote nous
donne encore une autre lumière [a]. *Toute action*, dit-il, *se
passe, ou entre des amis, ou entre des ennemis, ou entre
des gens indifférents l'un pour l'autre. Qu'un ennemi tue
ou veuille tuer son ennemi, cela ne produit aucune
commisération, sinon en tant qu'on s'émeut d'apprendre
ou de voir la mort d'un homme, quel qu'il soit. Qu'un
indifférent tue un indifférent, cela ne touche guère davantage, d'autant qu'il n'excite aucun combat dans l'âme de
celui qui fait l'action : mais quand les choses arrivent
entre des gens que la naissance ou l'affection attache aux*

• Par ailleurs.
a. nous donne une lumière [1663-1682].

intérêts l'un de l'autre, comme alors qu'un mari tue, ou est prêt de tuer sa femme, une mère ses enfants, un frère sa sœur ; c'est ce qui convient merveilleusement à la Tragédie [30]. La raison en est claire. Les oppositions des sentiments de la Nature aux emportements de la passion, ou à la sévérité du devoir, forment de puissantes agitations, qui sont reçues de l'Auditeur avec plaisir, et il se porte aisément à plaindre un malheureux opprimé, ou poursuivi par une personne qui devrait s'intéresser à sa conservation, et qui quelquefois ne poursuit sa perte qu'avec déplaisir, ou du moins avec répugnance. Horace et Curiace ne seraient point à plaindre, s'ils n'étaient point amis et beaux-frères, ni Rodrigue s'il était poursuivi par un autre que par sa Maîtresse ; et le malheur d'Antiochus toucherait beaucoup moins, si un autre que sa mère lui demandait le sang de sa Maîtresse, ou qu'un autre que sa Maîtresse lui demandât celui de sa mère, ou si après la mort de son frère qui lui donne sujet de craindre un pareil attentat sur sa personne, il avait à se défier d'autres, que de sa mère, et de sa Maîtresse.

C'est donc un grand avantage pour exciter la commisération que la proximité du sang et [a] les liaisons d'amour ou d'amitié • entre le persécutant et le persécuté, le poursuivant et le poursuivi, celui qui fait souffrir et celui qui souffre : mais il y a quelque apparence que cette condition n'est pas d'une nécessité plus absolue que celle dont je viens de parler, et qu'elle ne regarde que les Tragédies parfaites non plus que celle-là ••. Du moins les Anciens ne l'ont pas toujours observée ; je ne la vois point dans l'*Ajax* de Sophocle, ni dans son *Philoctète*, et qui voudra parcourir ce qui nous reste d'Eschyle et d'Euripide, y pourra rencontrer quelques exemples à joindre à ceux-ci. Quand je dis que ces deux conditions

a. Le mot manque dans l'édition de 1663.
• D'affection (« Affection qu'on a pour quelqu'un, soit qu'elle soit seulement d'un côté, soit qu'elle soit réciproque », Furetière). Le terme est à prendre ici au sens fort de lien entre proches.
•• La « condition » dont il vient d'être question, c'est le fait pour une tragédie d'« exciter de la pitié et de la crainte par le moyen d'un premier acteur », condition (suffisante mais non nécessaire) de la tragédie parfaite.

ne sont que pour les Tragédies parfaites, je n'entends pas dire que celles où elles ne se rencontrent point soient imparfaites : ce serait les rendre d'une nécessité absolue, et me contredire moi-même. Mais par ce mot de Tragédies parfaites, j'entends celles du genre le plus sublime et le plus touchant [31], en sorte que celles qui manquent de l'une de ces deux conditions, ou de toutes les deux, pourvu qu'elles soient régulières à cela près, ne laissent pas d'être parfaites en leur genre, bien qu'elles demeurent dans un rang moins élevé, et n'approchent pas de la beauté et de l'éclat des autres, si elles n'en empruntent de la pompe des Vers, ou de la magnificence du spectacle, ou de quelque autre agrément qui vienne d'ailleurs que du Sujet [32].

Dans ces actions Tragiques qui se passent entre proches, il faut considérer si celui qui veut faire périr l'autre le connaît, ou ne le [a] connaît pas, et s'il achève ou n'achève pas. La diverse combinaison • de ces deux manières d'agir, forme quatre sortes de Tragédies à qui notre Philosophe attribue divers degrés de perfection. *On connaît celui qu'on veut perdre, et on le fait périr en effet, comme Médée tue ses enfants, Clytemnestre son mari, Oreste sa mère, et la moindre espèce est celle-là. On le fait périr sans le connaître, et on le reconnaît avec déplaisir après l'avoir perdu, et cela,* dit-il, *ou avant la Tragédie comme Œdipe, ou dans la Tragédie comme l'Alcméon d'Astydamas, et Télégonus dans* Ulysse blessé, qui sont deux Pièces que le temps n'a pas laissé venir jusqu'à nous ; et cette seconde espèce a quelque chose de plus élevé selon lui que la première. La troisième est dans le haut degré d'excellence, *quand on est prêt de faire périr un de ses proches sans le connaître, et qu'on le reconnaît assez tôt pour le sauver, comme Iphigénie reconnaît Oreste pour son frère lorsqu'elle devait le sacrifier à Diane, et s'enfuit avec lui.* Il cite encore deux autres exemples, de Mérope dans *Cresphonte*, et de *Hellé*, dont nous ne connaissons ni l'un ni l'autre. Il condamne entièrement la quatrième espèce de ceux qui connaissent,

---

a. Le mot manque dans l'édition de 1663.
• « Combinaison ou combination » (Furetière).

entreprennent, et n'achèvent pas, qu'il dit *avoir quelque chose de méchant, et rien de Tragique*, et en donne pour exemple Hémon qui tire l'épée contre son père dans l'*Antigone*, et ne s'en sert que pour se tuer lui-même [33]. Mais si cette condamnation n'était modifiée, elle s'étendrait un peu loin, et envelopperait non seulement *Le Cid*, mais *Cinna, Rodogune, Héraclius* et *Nicomède*.

Disons donc qu'elle ne doit s'entendre que de ceux qui connaissent la personne qu'ils veulent perdre, et s'en dédisent par un simple changement de volonté, sans aucun événement notable qui les y oblige, et sans aucun manque de pouvoir de leur part. J'ai déjà marqué cette sorte de dénouement pour vicieux •. Mais quand ils y font de leur côté tout ce qu'ils peuvent, et qu'ils sont empêchés d'en venir à l'effet par quelque Puissance supérieure, ou par quelque changement de fortune qui les fait périr eux-mêmes, ou les réduit sous le pouvoir de ceux qu'ils voulaient perdre, il est hors de doute que cela fait une Tragédie d'un genre peut-être plus sublime, que les trois qu'Aristote avoue, et que s'il n'en a point parlé, c'est qu'il n'en voyait point d'exemples sur les Théâtres de son temps, où ce n'était pas la Mode de sauver les bons par la perte des méchants, à moins que de les souiller eux-mêmes de quelque crime, comme Électre qui se délivre d'oppression par la mort de sa mère, où elle encourage son frère, et lui en facilite les moyens.

L'action de Chimène n'est donc pas défectueuse, pour ne perdre pas Rodrigue après l'avoir entrepris, puisqu'elle y fait son possible, et que tout ce qu'elle peut obtenir de la justice de son Roi, c'est un combat, où la victoire de ce déplorable •• Amant lui impose silence. Cinna et son Émilie ne pèchent point contre la Règle en ne perdant point Auguste, puisque la conspiration découverte les en met dans l'impuissance, et qu'il faudrait qu'ils n'eussent aucune teinture d'humanité, si une clémence si peu attendue ne dissipait toute leur haine. Qu'épargne Cléopâtre pour perdre Rodogune ? qu'oublie Phocas pour se défaire d'Héraclius ? et si Prusias demeurait le maître, Nicomède

---

• Voir premier *Discours*, p. 75.
•• Digne de pitié.

n'irait-il pas servir d'otage à Rome ; ce qui lui serait un plus rude supplice que la mort ? Les deux premiers reçoivent la peine de leurs crimes, et succombent dans leur entreprise ᵃ sans s'en dédire, et ce dernier • est forcé de reconnaître son injustice, après que le soulèvement de son Peuple, et la générosité de ce fils qu'il voulait agrandir •• aux dépens de son aîné, ne lui permettent plus de la faire réussir.

Ce n'est pas démentir Aristote, que de l'expliquer ainsi favorablement, pour trouver dans cette quatrième manière d'agir qu'il rebute •••, une espèce de nouvelle Tragédie plus belle que les trois qu'il recommande, et qu'il leur eût sans doute préférée, s'il l'eût connue. C'est faire honneur à notre Siècle sans rien retrancher de l'autorité de ce Philosophe ; mais je ne sais comment faire pour lui conserver cette autorité, et renverser l'ordre de la préférence qu'il établit entre ces trois espèces. Cependant je pense être bien fondé sur l'expérience, à douter si celle qu'il estime la moindre des trois, n'est point la plus belle, et si celle qu'il tient la plus belle, n'est point la moindre ³⁴. La raison est que celle-ci ne peut exciter de pitié. Un père y veut perdre son fils sans le connaître, et ne le regarde que comme indifférent, et peut-être comme ennemi ³⁵. Soit qu'il passe pour l'un ou pour l'autre, son péril n'est digne d'aucune commisération selon Aristote même, et ne fait naître en l'Auditeur, qu'un certain mouvement de trépidation intérieure, qui le porte à craindre que ce fils ne périsse avant que l'erreur soit découverte, et à souhaiter qu'elle se découvre assez tôt pour l'empêcher de périr : ce qui part de l'intérêt qu'on ne manque jamais à prendre dans la fortune d'un homme assez vertueux pour se faire aimer, et quand cette reconnaissance arrive, elle ne produit qu'un sentiment de conjouissance •••• de voir arriver la chose comme on le souhaite ᵇ.

---

a. leurs entreprises [1682].
b. comme on le souhaitait [1663-1682].
• Prusias.
•• Qu'il voulait élever en dignité.
••• Rejette.
•••• Furetière ne donne pour le substantif que « compliment qu'on

Quand elle ne se fait qu'après la mort de l'inconnu, la compassion qu'excitent les déplaisirs de celui qui le fait périr, ne peut avoir grande étendue, puisqu'elle est reculée et renfermée dans la Catastrophe. Mais lorsqu'on agit à visage découvert, et qu'on sait à qui on en veut, le combat des passions contre la Nature, ou du devoir contre l'amour, occupe la meilleure partie du Poème, et de là naissent les grandes et fortes émotions, qui renouvellent à tous moments, et redoublent la commisération. Pour justifier ce raisonnement par l'expérience, nous voyons que Chimène et Antiochus en excitent beaucoup plus que ne fait Œdipe de sa personne. Je dis, de sa personne, parce que le Poème entier en excite peut-être autant que *Le Cid*, ou que *Rodogune* ; mais il en doit une partie à Dircé, et ce qu'elle en fait naître n'est qu'une pitié empruntée d'un Épisode [36].

Je sais que l'Agnition est un grand ornement dans les Tragédies, Aristote le dit, mais il est certain qu'elle a ses incommodités. Les Italiens l'affectent en la plupart de leurs Poèmes, et perdent quelquefois, par l'attachement qu'ils y ont, beaucoup d'occasions de sentiments Pathétiques, qui auraient des beautés plus considérables. Cela se voit manifestement en *La Mort de Crispe*, faite par un de leurs plus beaux esprits, Jean-Baptiste Ghirardelli [37], et imprimée à Rome en l'année 1653. Il n'a pas manqué d'y cacher sa naissance à Constantin, et d'en faire seulement un grand Capitaine, qu'il ne reconnaît pour son fils qu'après qu'il l'a fait mourir. Toute cette Pièce est si pleine d'esprit et de beaux sentiments, qu'elle eut assez d'éclat pour obliger à écrire contre son Auteur, et à la censurer sitôt qu'elle parut. Mais combien cette naissance cachée sans besoin, et contre la vérité d'une histoire connue, lui a-t-elle dérobé de choses plus belles que les brillants dont il a semé cet ouvrage ? Les ressentiments, le trouble, l'irrésolution, et les déplaisirs de Constantin auraient été bien autres à prononcer un arrêt de mort

---

fait à quelqu'un pour lui témoigner la joie de quelque heureux succès qui lui est arrivé », mais définit ainsi *conjouir* : « ne se dit qu'avec le pronom personnel. Se réjouir avec quelqu'un d'une bonne fortune qui lui est arrivée ».

contre son fils, que contre un soldat de fortune. L'injustice de sa préoccupation • aurait été bien plus sensible à Crispe de la part d'un père, que de la part d'un maître ; et la qualité de fils augmentant la grandeur du crime qu'on lui imposait, eût en même temps augmenté la douleur d'en voir un père persuadé. Fauste même aurait eu plus de combats intérieurs pour entreprendre un inceste, que pour se résoudre à un adultère, ses remords en auraient été plus animés, et ses désespoirs plus violents. L'Auteur a renoncé à tous ces avantages pour avoir dédaigné de traiter ce Sujet, comme l'a traité de notre temps le Père Stephonius jésuite [38], et comme nos Anciens ont traité celui d'Hippolyte ; et pour avoir cru l'élever d'un étage plus haut selon la pensée d'Aristote, je ne sais s'il ne l'a point fait tomber au-dessous de ceux que je viens de nommer.

Il y a grande apparence que ce qu'a dit ce Philosophe de ces divers degrés de perfection pour la Tragédie, avait une entière justesse de son temps et devant [a] ses compatriotes, je n'en veux point douter ; mais aussi je ne me puis empêcher de dire que le goût de notre Siècle n'est point celui du sien sur cette préférence d'une espèce à l'autre, ou du moins, que ce qui plaisait au dernier point à ses Athéniens, ne plaît pas également à nos Français ; et je ne sais point d'autre moyen de trouver mes doutes supportables, et demeurer tout ensemble dans la vénération que nous devons à tout ce qu'il a écrit de la Poétique.

Avant que de quitter cette matière, examinons son sentiment sur deux questions touchant ces Sujets entre des personnes proches : l'une si le Poète les peut inventer, l'autre s'il ne peut rien changer en ceux qu'il tire de l'Histoire, ou de la Fable [39].

Pour la première, il est indubitable que les Anciens en prenaient si peu de liberté, qu'ils arrêtaient leurs Tragédies autour de peu de familles, parce que ces sortes d'actions étaient arrivées en peu de familles, ce qui fait dire à ce Philosophe que la Fortune leur fournissait des Sujets, et non pas l'Art. Je pense l'avoir dit en l'autre

---

• L'injuste projet de Constantin.
a. et en la présence de [1663-1682].

Discours [40]. Il semble toutefois qu'il en accorde un plein pouvoir aux Poètes par ces paroles. *Ils doivent bien user de ce qui est reçu, ou inventer eux-mêmes.* Ces termes décideraient la question s'ils n'étaient point si généraux ; mais comme il a posé trois espèces de Tragédies [41], selon les divers temps de connaître, et les diverses façons d'agir, nous pouvons faire une revue sur toutes les trois, pour juger s'il n'est point à propos d'y faire quelque distinction qui resserre cette liberté •. J'en dirai mon avis d'autant plus hardiment, qu'on ne pourra m'imputer de contredire Aristote, pourvu que je la laisse entière à quelqu'une des trois [42].

J'estime donc en premier lieu qu'en celles où l'on se propose de faire périr quelqu'un que l'on connaît, soit qu'on achève, soit qu'on soit empêché d'achever, il n'y a aucune liberté d'inventer la principale action, mais qu'elle doit être tirée de l'Histoire, ou de la Fable. Ces entreprises entre des Proches •• ont toujours quelque chose de si criminel et de si contraire à la Nature, qu'elles ne sont pas croyables à moins que d'être appuyées sur l'une ou sur l'autre, et jamais elles n'ont cette vraisemblance, sans laquelle ce qu'on invente ne peut être de mise [43].

Je n'ose décider si absolument de la seconde espèce. Qu'un homme prenne querelle avec un autre, et que l'ayant tué il vienne à le reconnaître pour son père, ou pour son frère, et en tombe au désespoir, cela n'a rien que [a] de vraisemblable, et par conséquent on le peut inventer [44] ; mais d'ailleurs ••• cette circonstance de tuer son père ou son frère sans le connaître est si extraordinaire, et si éclatante, qu'on a quelque droit de dire que l'Histoire n'ose manquer à s'en souvenir, quand elle arrive entre des personnes illustres, et de refuser toute croyance à de tels événements, quand elle ne les marque point. Le Théâtre ancien ne nous en fournit aucun

---

• Examiner successivement les trois espèces de tragédies et évaluer pour chacune d'elles la liberté apparemment consentie par Aristote au dramaturge.

•• contre des Proches [1663-1682].

a. Le mot manque dans l'édition de 1663.

••• Toutefois.

exemple qu'Œdipe, et je ne me souviens point d'en avoir vu chez nos Historiens, que celui de Thésée, qui fut reconnu.par son père comme il était prêt de l'empoisonner [45]. Je sais que l'un et l'autre sentent plus la Fable que l'Histoire, et que par conséquent leur aventure peut avoir été inventée [a], ou en tout, ou en partie ; mais la Fable et l'Histoire de l'Antiquité sont si mêlées ensemble, que pour n'être pas en péril d'en faire un faux discernement, nous leur donnons une égale autorité sur nos Théâtres. Il suffit que nous n'inventions pas ce qui de soi n'est point vraisemblable [•], et qu'étant inventé de longue main, il soit devenu si bien de la connaissance de l'Auditeur, qu'il ne s'effarouche point à le voir sur la Scène. Toute la *Métamorphose* d'Ovide est manifestement d'invention : on en peut [b] tirer des Sujets de Tragédie, mais non pas inventer sur ce modèle, si ce n'est des Épisodes de même trempe. La raison en est, que bien que nous ne devions rien inventer que de vraisemblable, et que ces Sujets Fabuleux comme Andromède et Phaéton ne le soient point du tout, inventer des Épisodes, ce n'est pas tant inventer, qu'ajouter à ce qui est déjà inventé ; et ces Épisodes trouvent une espèce de vraisemblance dans leur rapport avec l'Action principale, en sorte qu'on peut dire que supposé que cela se soit pu faire, il s'est pu faire comme le Poète l'a [c] décrit [46].

De tels Épisodes toutefois ne seraient pas propres à un Sujet Historique, ou de pure invention, parce qu'ils manqueraient de rapport avec l'action principale, et seraient moins vraisemblables qu'elle. Les apparitions de Vénus et d'Éole ont eu bonne grâce dans *Andromède* ; mais si j'avais fait descendre Jupiter pour réconcilier Nicomède avec son père, ou Mercure pour révéler à Auguste la conspiration de Cinna, j'aurais fait révolter tout mon Auditoire, et cette merveille aurait détruit toute la

---

a. ... je ne me souviens point d'en avoir vu aucun autre chez nos Historiens. Je sais que cet événement sent plus la Fable que l'Histoire, et que par conséquent il peut avoir été inventé [1663-1682].
• Soit une action principale qui relèverait du merveilleux (païen ou chrétien), et non du « possible extraordinaire ».
b. on ne peut [1663] – on peut en [1664-1682].
c. la [1663] – le [1664-1682].

croyance que le reste de l'action aurait obtenue. Ces
dénouements par des Dieux de Machine sont fort fréquents chez les Grecs, dans des Tragédies qui paraissent
Historiques, et qui sont vraisemblables à cela près. Aussi
Aristote ne les condamne pas tout à fait et se contente de
leur préférer ceux qui viennent du Sujet [47]. Je ne sais ce
qu'en décidaient les Athéniens qui étaient leurs juges,
mais les deux exemples que je viens de citer montrent
suffisamment qu'il serait dangereux pour nous de les imiter en cette sorte de licence. On me dira que ces apparitions n'ont garde de nous plaire, parce que nous en
savons manifestement la fausseté, et qu'elle choquent
notre Religion, ce qui n'arrivait pas chez les Grecs.
J'avoue qu'il faut s'accommoder aux mœurs de l'Auditeur, et à plus forte raison à sa croyance : mais aussi doit-
on m'accorder que nous avons du moins autant de foi
pour l'apparition des Anges et des Saints, que les Anciens
en avaient pour celles [a] de leur Apollon et de leur Mercure. Cependant qu'aurait-on dit, si pour démêler Héraclius d'avec Martian après la mort de Phocas, je me fusse
servi d'un Ange ? Ce Poème est entre des Chrétiens, et
cette apparition y aurait eu autant de justesse que celles
des Dieux de l'Antiquité dans ceux des Grecs ; c'eût été
néanmoins un secret infaillible de rendre celui-là ridicule,
et il ne faut qu'avoir un peu de sens commun pour en
demeurer d'accord [48]. Qu'on me permette donc de dire
avec Tacite : *Non omnia apud priores meliora, sed nostra
quoque aetas multa laudis et artium imitanda posteris
tulit* •.

Je reviens aux Tragédies de cette seconde espèce, où
l'on ne connaît un père, ou un fils, qu'après l'avoir fait

---

a. celle [1664-1682].

• Tacite, *Annales*, III, 55 : « Tout ne fut pas mieux autrefois ; notre
siècle aussi a produit beaucoup de vertus et de talents dignes d'être
proposés pour modèle à la postérité » (trad. H. Bornecque, « GF-
Flammarion », 1965, p. 166). La formule, dans son esprit sinon
dans sa lettre ne déparerait pas un manifeste des Modernes contre
les Anciens... Mais le neutre pluriel latin autorise également à
comprendre « des événements dignes d'être loués et de fournir des
sujets aux œuvres d'art », sens sans doute préférable dans le
contexte de cette citation.

périr, et pour conclure en deux mots après cette digression, je ne condamnerai jamais personne pour en avoir inventé, mais je ne me le permettrai jamais [49].

Celles de la troisième espèce ne reçoivent aucune difficulté. Non seulement on les peut inventer, puisque tout y est vraisemblable, et suit le train commun des affections naturelles [50], mais je doute même si ce ne serait point les bannir du Théâtre, que d'obliger les Poètes à en prendre les Sujets dans l'Histoire. Nous n'en voyons point de cette nature chez les Grecs, qui n'aient la mine d'avoir été inventés par leurs Auteurs. Il se peut faire que la Fable leur en ait prêté quelques-uns. Je n'ai pas les yeux assez pénétrants pour percer de si épaisses obscurités, et déterminer si l'*Iphigénie in Tauris* est de l'invention d'Euripide, comme son *Hélène*, et son *Ion*, ou s'il l'a prise d'un autre ; mais je crois pouvoir dire qu'il est très malaisé d'en trouver dans l'Histoire : soit que tels [a] événements n'arrivent que très rarement, soit qu'ils n'aient pas assez d'éclat pour y mériter une place [b] [51]. Quoi qu'il en soit, ceux qui aiment à les mettre sur la Scène peuvent les inventer sans crainte de la censure. Ils pourront produire par là quelque agréable suspension dans l'esprit de l'Auditeur, mais il ne faut pas qu'ils se promettent de lui tirer beaucoup de larmes [52].

L'autre question, s'il est permis de changer quelque chose aux Sujets qu'on emprunte de l'Histoire ou de la Fable, semble décidée en termes assez formels par Aristote, lorsqu'il dit, *qu'il ne faut point changer les Sujets reçus, et que Clytemnestre ne doit point être tuée par un autre qu'Oreste, ni Ériphyle par un autre qu'Alcméon* [53]. Cette décision peut toutefois recevoir quelque distinction, et quelque tempérament [•]. Il est constant que les circonstances, ou si vous l'aimez mieux, les moyens de parvenir à l'action demeurent en notre pouvoir. L'Histoire souvent

---

a. de tels [1663].
b. une place. Celui de Thérèse reconnu par le Roi d'Athènes, son père, sur le point qu'il l'allait faire périr, est le seul dont il me souvienne. Quoi qu'il en soit... [1663-1682].
• Comprendre : ce jugement peut être nuancé en distinguant plusieurs niveaux d'analyse.

ne les marque pas, ou en rapporte si peu, qu'il est besoin d'y suppléer pour remplir le Poème : et même il y a quelque apparence de présumer que la mémoire de l'Auditeur, qui les aura lues autrefois, ne s'y sera pas si fort attachée, qu'il s'aperçoive assez du changement que nous y aurons fait, pour nous accuser de mensonge ; ce qu'il ne manquerait pas de faire s'il voyait que nous changeassions l'action principale. Cette falsification serait cause qu'il n'ajouterait aucune foi à tout le reste ; comme au contraire il croit aisément tout ce reste, quand il le voit servir d'acheminement à l'effet qu'il sait véritable, et dont l'Histoire lui a laissé une plus forte impression [54]. L'exemple de la mort de Clytemnestre peut servir de preuve à ce que je viens d'avancer. Sophocle et Euripide l'ont traitée tous deux, mais chacun avec un nœud et un dénouement tout à fait différents l'un de l'autre, et c'est cette différence qui empêche que ce ne soit la même Pièce, bien que ce soit le même Sujet, dont ils ont conservé l'action principale [55]. Il faut donc la conserver comme eux ; mais il faut examiner en même temps si elle n'est point si cruelle, ou si difficile à représenter, qu'elle puisse diminuer quelque chose de la croyance que l'Auditeur doit à l'Histoire, et qu'il veut bien donner à la Fable, en se mettant en la place de ceux qui l'ont prise pour une vérité. Lorsque cet inconvénient est à craindre, il est bon de cacher l'événement à la vue, et de le faire savoir par un récit qui frappe moins que le Spectacle, et nous impose plus aisément.

C'est par cette raison qu'Horace ne veut pas que Médée tue ses enfants, ni qu'Atrée fasse rôtir ceux de Thyeste devant le [a] Peuple [56]. L'horreur de ces actions engendre une répugnance à les croire, aussi bien que la Métamorphose de Progné en oiseau, et de Cadmus en serpent, dont la représentation presque impossible excite la même incrédulité, quand on la hasarde aux yeux du Spectateur.

Quaecumque ostendis mihi sic, incredulus odi.

---

a. à la vue du [1663-1682].

Je passe plus outre, et pour exténuer, ou retrancher • cette horreur dangereuse d'une action Historique, je voudrais la faire arriver sans la participation du premier Acteur, pour qui nous devons toujours ménager la faveur de l'Auditoire. Après que Cléopâtre eut tué Séleucus, elle présenta du poison à son autre fils Antiochus à son retour de la chasse, et ce Prince soupçonnant ce qui en était, la contraignit de le prendre, et la força à s'empoisonner. Si j'eusse fait voir cette action sans y rien changer, c'eût été punir un parricide par un autre parricide •• ; on eût pris aversion pour Antiochus, et il a été bien plus doux, de faire qu'elle-même, voyant que sa haine et sa noire perfidie allaient être découvertes, s'empoisonne dans son désespoir, à dessein d'envelopper ces deux Amants dans sa perte, en leur ôtant tout sujet de défiance. Cela fait deux effets. La punition de cette impitoyable mère laisse un plus fort exemple, puisqu'elle devient un effet de la justice du Ciel, et non pas de la vengeance des hommes ; d'autre côté Antiochus ne perd rien de la compassion, et de l'amitié qu'on avait pour lui, qui redoublent plutôt qu'elles ne diminuent ; et enfin l'action Historique s'y trouve conservée malgré ce changement, puisque Cléopâtre périt par le même poison qu'elle présente à Antiochus [57].

Phocas était un tyran, et sa mort n'était pas un crime ; cependant il a été sans doute plus à propos de la faire arriver par la main d'Exupère, que par celle d'Héraclius. C'est un soin que nous devons prendre de préserver nos Héros du crime tant qu'il se peut, et les exempter même de tremper leurs mains dans le sang, si ce n'est en un juste combat. J'ai beaucoup osé dans *Nicomède*. Prusias son père l'avait voulu faire assassiner dans son Armée, sur l'avis qu'il en eut par les assassins mêmes il entra dans son Royaume, s'en empara, et réduisit ce malheureux père à se cacher dans une caverne où il lui fit trouver la mort qu'il lui destinait [a]. Je n'ai pas poussé l'Histoire jusque-là, et après l'avoir peint trop vertueux pour l'en-

---

• Atténuer, ou supprimer...
•• Au sens de « crime contre quelqu'un du même sang ».
a. où il le fit assassiner lui-même [1664-1682].

gager dans un parricide, j'ai cru que je pouvais me contenter de le rendre maître de la vie de ceux qui le persécutaient, sans le faire passer plus avant [58].

Je ne saurais dissimuler une délicatesse • que j'ai sur la mort de Clytemnestre, qu'Aristote nous propose pour exemple des actions qui ne doivent point être changées [59]. Je veux bien avec lui qu'elle ne meure que de la main de son fils Oreste, mais je ne puis souffrir chez Sophocle que ce fils la poignarde de dessein formé, cependant qu'elle est à genoux devant lui, et le conjure de lui laisser la vie. Je ne puis même pardonner à Électre, qui passe pour une vertueuse opprimée dans le reste de la Pièce, l'inhumanité dont elle encourage son frère à ce parricide ••. C'est un fils qui venge son père, mais c'est sur sa mère qu'il le venge. Séleucus et Antiochus avaient droit d'en faire autant dans *Rodogune*, mais je n'ai osé leur en donner la moindre pensée. Aussi notre Maxime de faire aimer nos principaux Acteurs n'était pas de l'usage de nos Anciens [a], et ces Républicains avaient une si forte haine des Rois, qu'il voyaient avec plaisir des crimes dans les plus innocents de leur race. Pour rectifier ce Sujet à notre Mode, il faudrait qu'Oreste n'eût dessein que contre Égisthe, qu'un reste de tendresse respectueuse pour sa mère lui en fît remettre la punition aux Dieux, que cette Reine s'opiniâtrât à la protection de son adultère, et qu'elle se mît entre son fils et lui si malheureusement, qu'elle reçût le coup que ce Prince voudrait porter à cet assassin de son père. Ainsi elle mourrait de la main de son fils, comme le veut Aristote, sans que la barbarie d'Oreste nous fît horreur comme dans Sophocle, ni que son action méritât des Furies vengeresses pour le tourmenter, puisqu'il demeurerait innocent [60].

Le même Aristote nous autorise à en user de cette manière, lorsqu'il nous apprend que *le Poète n'est pas*

• Un scrupule, une réticence.
•• Corneille fait allusion à la dernière séquence d'*Électre*, où l'héroïne reste seule en scène avec le chœur pendant qu'en coulisse Oreste accomplit le meurtre (« Frappe deux fois si tu peux », Euripide, *Théâtre complet*, éd. Berguin-Duclos, « GF-Flammarion », t. I, p. 181).
a. des Anciens [1664-1682].

*obligé de traiter les choses comme elles se sont passées,
mais comme elles ont pu, ou dû se passer, selon le vraisemblable, ou le nécessaire* [61]. Il répète souvent ces derniers mots, et ne les explique jamais. Je tâcherai d'y suppléer au moins mal qu'il me sera possible, et j'espère
qu'on me pardonnera si je m'abuse.

Je dis donc premièrement que cette liberté qu'il nous
laisse d'embellir les actions Historiques par des inventions vraisemblables, n'emporte aucune défense de nous
écarter du vraisemblable dans le besoin •. C'est un privilège qu'il nous donne, et non pas une servitude qu'il
nous impose. Cela est clair par ses paroles mêmes. Si
nous pouvons traiter les choses selon le vraisemblable, ou
selon le nécessaire, nous pouvons quitter le vraisemblable
pour suivre le nécessaire, et cette alternative met en notre
choix de nous servir de celui des deux que nous jugerons
le plus à propos [62].

Cette liberté du Poète se trouve encore en termes plus
formels dans le vingt et cinquième Chapitre, qui contient
les excuses, ou plutôt les justifications dont il se peut
servir contre la censure [63]. *Il faut*, dit-il, *qu'il suive un de
ces trois moyens de traiter les choses, et qu'il les représente ou comme elles ont été, ou comme on dit qu'elles
ont été, ou comme elles ont dû être* : par où il lui donne
le choix, ou de la vérité Historique, ou de l'opinion
commune sur quoi la Fable est fondée, ou de la vraisemblance. Il ajoute ensuite. *Si on le reprend de ce qu'il n'a
pas écrit les choses dans la vérité, qu'il réponde qu'il les
a écrites comme elles ont dû être ; si on lui impute de
n'avoir fait ni l'un ni l'autre, qu'il se défende sur ce
qu'en publie l'opinion commune, comme en ce qu'on
raconte des Dieux, dont la plus grande partie n'a rien de
véritable. Et un peu plus bas. Quelquefois ce n'est pas le
meilleur qu'elles se soient passées de la manière qu'il les*

• « Dans le besoin » est à prendre au sens de « lorsqu'on en a
besoin » (et c'est déjà une des acceptions du « nécessaire », voir
ci-dessous, p. 129). Phrase de transition donc entre la réflexion sur
la liberté d'invention consentie dans le traitement des sujets historiques et un développement sur les exigences logiques de la mise
en intrigue.

décrit [a], néanmoins elles se sont passées effectivement de cette manière, et par conséquent il est hors de faute. Ce dernier Passage montre que nous ne sommes point obligés de nous écarter de la vérité, pour donner une meilleure forme aux actions de la Tragédie par les ornements de la vraisemblance [64], et le montre d'autant plus fortement, qu'il demeure pour constant par le second de ces trois Passages que l'opinion commune suffit pour nous justifier, quand nous n'avons pas pour nous la vérité, et que nous pourrions faire quelque chose de mieux que ce que nous faisons, si nous recherchions les beautés de cette vraisemblance [65]. Nous courons par là quelque risque d'un plus faible succès, mais nous ne péchons que contre le soin que nous devons avoir de notre gloire, et non pas contre les Règles du Théâtre.

Je fais une seconde remarque sur ces termes de *vraisemblable et de nécessaire* dont l'ordre se trouve quelquefois renversé chez ce Philosophe, qui tantôt dit *selon le nécessaire ou le vraisemblable*, et tantôt *selon le vraisemblable ou le nécessaire*. D'où je tire une conséquence, qu'il y a des occasions où il faut préférer le vraisemblable au nécessaire, et d'autres où il faut préférer le nécessaire au vraisemblable. La raison en est, que ce qu'on emploie le dernier dans les propositions alternatives, y est placé comme un pis-aller, dont il faut se contenter, quand on ne peut arriver à l'autre, et qu'on doit faire effort pour le premier avant que de se réduire au second, où l'on n'a droit de recourir qu'au défaut de ce premier [66].

Pour éclaircir cette préférence mutuelle du vraisemblable au nécessaire, et du nécessaire au vraisemblable, il faut distinguer deux choses dans les actions qui composent la Tragédie. La première consiste en ces actions mêmes, accompagnées des inséparables circonstances du temps et du lieu, et l'autre en la liaison qu'elles ont ensemble, qui les fait naître l'une de l'autre. En la première, le vraisemblable est à préférer au nécessaire, et le nécessaire au vraisemblable dans la seconde [67].

Il faut placer les actions où il est plus facile et mieux séant qu'elles arrivent, et les faire arriver dans un loisir

---

a. qu'il décrit [1664-1682].

raisonnable, sans les presser extraordinairement, si la nécessité de les renfermer dans un lieu et dans un jour ne nous y oblige. J'ai déjà fait voir en l'autre Discours, que pour conserver l'unité de lieu nous faisons parler souvent des personnes dans une Place publique, qui vraisemblablement s'entretiendraient dans une chambre •, et je m'assure que si on racontait dans un Roman ce que je fais arriver dans *Le Cid*, dans *Polyeucte*, dans *Pompée*, ou dans *Le Menteur*, on lui donnerait un peu plus d'un jour pour l'étendue de sa durée. L'obéissance que nous devons aux Règles de l'unité de jour et de lieu nous dispense alors du vraisemblable, bien qu'elle ne nous permette pas l'impossible [68] : mais nous ne tombons pas toujours dans cette nécessité, et *La Suivante*, *Cinna*, *Théodore*, et *Nicomède* n'ont point eu besoin de s'écarter de la vraisemblance, à l'égard du temps, comme ces autres Poèmes.

Cette réduction de la Tragédie au Roman est la pierre de touche ••, pour démêler les actions nécessaires d'avec les vraisemblables [69]. Nous sommes gênés au Théâtre par le lieu, par le temps, et par les incommodités de la représentation, qui nous empêchent d'exposer à la vue beaucoup de Personnages tout à la fois, de peur que les uns ne demeurent sans action, ou ne troublent [a] celle des autres. Le Roman n'a aucune de ces contraintes. Il donne aux actions qu'il décrit tout le loisir qu'il leur faut pour arriver, il place ceux qu'il fait parler, agir, ou rêver, dans une chambre, dans une forêt, en Place publique, selon qu'il est plus à propos pour leur action particulière ; il a pour cela tout un Palais, toute une ville, tout un Royaume [b] où les promener ; et s'il fait arriver ou raconter quelque chose en présence de trente personnes, il en peut décrire les divers sentiments l'un après l'autre. C'est

---

• Ça n'est pas dans le premier *Discours* mais dans certains Examens des comédies du premier volume que Corneille a évoqué la question. Voir notamment les Examens de *La Galerie du Palais* (Document 56), de *La Suivante* (Document 52) et de *La Place royale* (Document 50).
•• Fragment de jaspe utilisé pour éprouver l'or ou l'argent ; par extension : ce qui sert à reconnaître la valeur d'une chose.
a. que les uns demeurent sans action ou troublent [1664-1682].
b. tout un Royaume, toute la Terre, où... [1663-1682].

pourquoi il n'a jamais aucune liberté de s'écarter [a] de la vraisemblance, parce qu'il n'a jamais aucune raison ni excuse légitime pour s'en écarter [70].

Comme le Théâtre ne nous laisse pas tant de facilité de réduire tout dans le vraisemblable, parce qu'il ne nous fait rien savoir que par des gens qu'il expose à la vue de l'Auditeur en peu de temps, il nous en dispense aussi plus aisément. On peut soutenir que ce n'est pas tant nous en dispenser, que nous permettre une vraisemblance plus large : mais puisque Aristote nous autorise à y traiter les choses selon le nécessaire, j'aime mieux dire que tout ce qui s'y passe d'une autre façon qu'il ne se passerait dans un Roman, n'a point de vraisemblance, à le bien prendre, et se doit ranger entre les actions nécessaires [71].

J'anticipe l'examen d'*Horace* pour en donner des exemples [b] [72]. L'unité de lieu y est exacte, tout s'y passe dans une Salle. Mais si on en faisait un Roman avec les mêmes particularités de Scène en Scène, que j'y ai employées, ferait-on tout passer dans cette Salle ? À la fin du premier Acte, Curiace et Camille sa Maîtresse vont rejoindre le reste de la famille qui doit être dans un autre appartement ; Entre les deux Actes, ils y reçoivent la Nouvelle de l'élection des trois Horaces ; à l'ouverture du second [,] Curiace paraît dans cette même Salle pour l'en congratuler. Dans le Roman il aurait fait cette congratulation au même lieu où l'on en reçoit la nouvelle en présence de toute la famille, et il n'est point vraisemblable qu'ils s'écartent eux deux pour cette conjouissance ; mais il est nécessaire pour le Théâtre, et à moins que cela les sentiments des trois Horaces, de leur père, de leur sœur, de Curiace, et de Sabine se fussent présentés à faire paraître tout [c] à la fois. Le Roman qui ne fait rien voir en fût aisément venu à bout : mais sur la Scène il a fallu les séparer, pour y mettre quelque ordre, et les prendre l'un après l'autre, en commençant par ces deux-ci, que j'ai été forcé de ramener dans cette Salle sans vraisemblance. Cela passé, le reste de l'Acte est tout à

a. se départir [1663-1682].

b. L'*Horace* en peut fournir quelques exemples [1663-1682].

c. tous [1663-1682].

fait vraisemblable, et n'a rien qu'on fût obligé de faire arriver d'une autre manière dans le Roman. À la fin de cet Acte, Sabine et Camille outrées de déplaisir se retirent de cette Salle, avec un emportement de douleur, qui vraisemblablement va renfermer leurs larmes dans leur chambre, où le Roman les ferait demeurer, et y recevoir la Nouvelle du combat. Cependant, par la nécessité de les faire voir aux Spectateurs, Sabine quitte sa chambre au commencement du troisième Acte, et revient entretenir ses douloureuses inquiétudes dans cette Salle, où Camille la vient trouver. Cela fait, le reste de cet Acte est vraisemblable, comme en l'autre, et si vous voulez examiner avec cette rigueur les premières Scènes des deux derniers, vous trouverez peut-être la même chose, et que le Roman placerait ses Personnages ailleurs qu'en cette Salle, s'ils en étaient une fois sortis comme ils en sortent à la fin de chaque Acte.

Ces exemples peuvent suffire pour expliquer comme on peut traiter une action selon le nécessaire, quand on ne la peut traiter selon le vraisemblable, qu'on doit toujours préférer au nécessaire, lorsqu'on ne regarde que les actions en elles-mêmes.

Il n'en va pas ainsi de leur liaison qui les fait naître l'une de l'autre. Le nécessaire y est à préférer au vraisemblable : non que cette liaison ne doive toujours être vraisemblable ; mais parce qu'elle est beaucoup meilleure, quand elle est vraisemblable et nécessaire tout ensemble. La raison en est aisée à concevoir. Lorsqu'elle n'est que vraisemblable sans être nécessaire, le Poème s'en peut passer, et elle n'y est pas de grande importance ; mais quand elle est vraisemblable et nécessaire, elle devient une partie essentielle du Poème, qui ne peut subsister sans elle [73]. *Cinna* nous peut fournir des exemples [a] de ces deux sortes de liaisons ; j'appelle ainsi la manière dont une action est produite par l'autre. Sa conspiration contre Auguste est causée nécessairement par l'amour qu'il a pour Émilie, parce qu'il la veut épouser, et qu'elle ne veut se donner à lui qu'à cette condition. De ces deux actions, l'une est vraie, l'autre est vraisemblable, et leur

---

a. Vous trouverez dans *Cinna* des exemples [1663-1682].

liaison est nécessaire[74]. La bonté d'Auguste donne des
remords et de l'irrésolution à Cinna, ces remords et cette
irrésolution ne sont causés que vraisemblablement par
cette bonté, et n'ont qu'une liaison vraisemblable avec
elle, parce que Cinna pouvait demeurer dans la fermeté,
et arriver à son but, qui est d'épouser Émilie. Il la
consulte dans cette irrésolution ; cette consultation n'est
que vraisemblable, mais elle est un effet nécessaire de
son amour, parce que s'il eût rompu la conjuration sans
son aveu, il ne fût jamais arrivé à ce but qu'il s'était
proposé, et par conséquent voilà une liaison nécessaire
entre deux actions vraisemblables, ou si vous l'aimez
mieux, une production nécessaire d'une action vraisemblable par une autre pareillement vraisemblable[75].

Avant que d'en venir aux définitions et divisions du vraisemblable et du nécessaire[76], je fais encore une réflexion
sur les actions qui composent la Tragédie, et trouve que
nous pouvons y en faire entrer de trois sortes, selon que nous
le jugeons à propos. Les unes suivent l'Histoire, les autres
ajoutent à l'Histoire, les troisièmes falsifient l'Histoire. Les
premières sont vraies, les secondes quelquefois vraisemblables, et quelquefois nécessaires, et les dernières doivent
toujours être nécessaires[77].

Lorsqu'elles sont vraies, il ne faut point se mettre en
peine de la vraisemblance, elles n'ont pas besoin de son
secours. *Tout ce qui s'est fait, manifestement s'est pu
faire*, dit Aristote, *parce que s'il ne s'était pu faire, il ne
se serait pas fait*. Ce que nous ajoutons à l'Histoire,
comme il n'est pas appuyé de son autorité •, n'a pas cette
prérogative. *Nous avons une pente naturelle*, ajoute ce
Philosophe, *à croire que ce qui ne s'est point fait n'a pu
encore se faire*[78], et c'est pourquoi ce que nous inventons
a besoin de la vraisemblance la plus exacte qu'il est possible pour le rendre croyable[79].

À bien peser ces deux Passages, je crois ne m'éloigner
point de sa pensée, quand j'ose dire pour définir le vraisemblable, que c'est *une chose manifestement possible
dans la bienséance, et qui n'est ni manifestement vraie,*

• Comprendre : dans la mesure où ce qu'on ajoute à l'Histoire ne
bénéficie pas de sa caution.

ni manifestement fausse [80]. On en peut faire deux divisions, l'une en vraisemblable général et particulier, l'autre en ordinaire et extraordinaire.

Le vraisemblable général est ce que peut faire, et qu'il est à propos que fasse un Roi, un Général d'Armée, un Amant, un Ambitieux, etc. Le particulier est ce qu'a pu ou dû faire Alexandre, César, Alcibiade, compatible avec ce que l'Histoire nous apprend de ses actions. Ainsi tout ce qui choque l'Histoire sort de cette vraisemblance, parce qu'il est manifestement faux, et il n'est pas vraisemblable que César après la bataille de Pharsale se soit remis en bonne intelligence avec Pompée, ou Auguste avec Antoine après celle d'Actium ; bien qu'à parler en termes généraux, il soit vraisemblable, que dans une guerre civile, après une grande bataille, les Chefs des partis contraires se réconcilient, principalement lorsqu'ils sont généreux l'un et l'autre [81].

Cette fausseté manifeste qui détruit la vraisemblance se peut rencontrer même dans les Pièces qui sont toutes d'invention. On n'y peut falsifier l'Histoire, puisqu'elle n'y a aucune part, mais il y a des circonstances des temps, et des lieux, qui peuvent convaincre un Auteur de fausseté, quand il prend mal ses mesures. Si j'introduisais un Roi de France ou d'Espagne sous un nom imaginaire, et que je choisisse pour le temps de mon action un siècle, dont l'Histoire eût marqué les véritables Rois de ces deux Royaumes, la fausseté serait toute visible ; et c'en serait une encore plus palpable, si je plaçais Rome à deux lieues de Paris, afin qu'on pût y aller et revenir en un même jour. Il y a des choses sur qui le Poète n'a jamais aucun droit • [82]. Il peut prendre quelque licence sur l'Histoire, en tant [qu'elle] regarde les actions des particuliers, comme celle de César, ou d'Auguste, et leur attribuer des actions qu'ils n'ont pas faites, ou les faire arriver d'une autre manière qu'ils ne les ont faites ; mais il ne peut pas renverser la Chronologie, pour faire vivre Alexandre du temps de César, et moins encore changer la situation des lieux, ou les noms des Royaumes, des Provinces, des

---

• « Sur qui » : sur lesquelles.

Villes, des Montagnes, et des Fleuves remarquables. La raison est, que ces Provinces, ces Montagnes, ces Rivières sont des choses permanentes. Ce que nous savons de leur situation était dès le commencement du Monde, nous devons présumer qu'il n'y a point eu de changement à moins que l'Histoire le marque, et la Géographie nous en apprend tous les noms anciens et modernes. Ainsi un homme serait ridicule d'imaginer que du temps d'Abraham Paris fût au pied des Alpes, ou que la Seine traversât l'Espagne, et de mêler de pareilles Grotesques • dans une Pièce d'invention. Mais l'Histoire est des choses qui passent, et qui succédant les unes aux autres n'ont que chacune un moment pour leur durée, dont il en échappe beaucoup à la connaissance de ceux qui l'écrivent. Aussi n'en peut-on montrer aucune qui contienne tout ce qui s'est passé dans les lieux dont elle parle, ni tout ce qu'ont fait ceux dont elle décrit la vie [83]. Je n'en excepte pas même les *Commentaires* de César qui écrivait sa propre histoire, et devait la savoir tout entière. Nous savons quels pays arrosai[en]t le Rhône et la Seine, avant qu'il vînt dans les Gaules : mais nous ne savons que fort peu de chose ; et peut-être rien du tout, de ce qui s'y est passé avant sa venue. Ainsi nous pouvons bien y placer des actions que nous feignons arrivées avant ce temps-là, mais non pas sous ce prétexte de fiction Poétique, et d'éloignement des temps, y changer la distance naturelle d'un lieu à l'autre. C'est de cette façon que Barclay en a usé dans son *Argenis* •• [84], où il ne nomme aucune Ville, ni Fleuve de Sicile, ni de nos Provinces, que par des noms véritables, bien que ceux de toutes les personnes qu'il y

---

• « Figures bizarres et chargées, imaginées par un peintre, et dans lesquelles la nature est outrée et contrefaite. *Figures grotesques.* Dans ce sens, on l'emploie plus ordinairement comme substantif, et l'on ne s'en sert guère qu'au pluriel. » (*un peintre en grotesques*) (Acad.).

•• Le diplomate anglais John Barclay (1582-1621) écrivit en latin un roman satirique à clés (*Euphormio sive Satiricon*), dédié à Louis XIII, puis un roman allégorique également satirique, *Argenis* (1621), qui fut traduit en français, et qui constituait une histoire cryptée des règnes de Henri III et de Henri IV.

met sur le tapis soient entièrement de son invention, aussi bien que leurs actions.

Aristote semble plus indulgent sur cet article, puisqu'*il trouve le Poète excusable, quand il pèche contre un autre Art que le sien, comme contre la Médecine, ou contre l'Astrologie.* À quoi je réponds qu'*il ne l'excuse que sous cette condition, qu'il arrive par là au but de son Art, auquel il n'aurait pu arriver autrement.* Encore avoue-t-il *qu'il pèche en ce cas, et qu'il est meilleur de ne pécher point du tout* [85]. Pour moi, s'il faut recevoir cette excuse, je ferais distinction entre les Arts qu'il peut ignorer sans honte, parce qu'il lui arrive rarement des occasions d'en parler sur son Théâtre, tels que sont la Médecine et l'Astrologie que je viens de nommer, et les Arts, sans la connaissance desquels, ou en tout, ou en partie, il ne saurait établir de justesse dans aucune Pièce, tels que sont la Géographie et la Chronologie. Comme il ne saurait représenter aucune action sans la placer en quelque lieu et en quelque temps, il est inexcusable, s'il fait paraître de l'ignorance dans le choix de ce lieu et de ce temps où il la place.

Je viens à l'autre division du vraisemblable en ordinaire, et extraordinaire. L'ordinaire est une action qui arrive plus souvent, ou du moins aussi souvent que sa contraire. L'extraordinaire est une action qui arrive à la vérité moins souvent que sa contraire, mais qui ne laisse pas d'avoir sa possibilité assez aisée, pour n'aller point jusqu'au miracle, ni jusqu'à ces événements singuliers, qui servent de matière aux Tragédies sanglantes par l'appui qu'ils ont de l'Histoire, ou de l'opinion commune, et qui ne se peuvent tirer en exemple que pour les Épisodes de la Pièce dont ils font le corps, parce qu'ils ne sont pas croyables à moins que d'avoir cet appui [86]. Aristote donne deux idées ou exemples généraux de ce vraisemblable extraordinaire [87]. L'un d'un homme subtil et adroit qui se trouve trompé par un moins subtil que lui : l'autre d'un faible qui se bat contre un plus fort que lui, et en demeure victorieux ; ce qui sur tout ne manque jamais à être bien reçu, quand la cause du plus simple ou du plus faible est la plus équitable. Il semble alors que la justice du Ciel ait présidé au succès, qui trouve d'ailleurs une croyance d'autant plus facile, qu'il répond aux souhaits de l'Auditoire, qui s'intéresse toujours pour ceux dont le procédé est le meilleur. Ainsi la victoire du Cid contre le Comte se trouverait dans la vraisemblance extraordinaire, quand elle ne serait pas vraie. *Il est vraisemblable*, dit notre Docteur, *que beaucoup de choses arrivent contre le vraisemblable* ; et puisqu'il avoue par là que ces effets extraordinaires arrivent contre la vraisemblance, j'aimerais mieux les nommer simplement croyables, et les ranger sous le nécessaire, attendu qu'on ne s'en doit jamais servir sans nécessité [88].

On peut m'objecter que le même Philosophe dit qu'*au regard de la Poésie on doit préférer l'impossible croyable au possible incroyable* [89], et conclure de là que j'ai peu de raison d'exiger du vraisemblable, par la définition que j'en ai faite, qu'il soit manifestement possible pour être croyable, puisque selon Aristote il y a des choses impossibles qui sont croyables.

Pour résoudre cette difficulté, et trouver de quelle nature est cet impossible croyable dont il ne donne aucun exemple, je réponds qu'il y a des choses impossibles en elles-mêmes qui paraissent aisément possibles, et par conséquent croyables, quand on les envisage d'une autre manière [90]. Telles sont toutes celles où nous falsifions l'histoire. Il est impossible qu'elles se [a] soient passées comme nous les représentons, puisqu'elles se sont passées autrement, et qu'il n'est pas au pouvoir de Dieu même de rien changer au passé ; mais elles paraissent manifestement possibles, quand elles sont dans la vraisemblance générale, pourvu qu'on les regarde détachées de l'Histoire, et qu'on veuille oublier pour quelque temps ce qu'elle dit de contraire à ce que nous inventons [91]. Tout ce qui se passe dans *Nicomède* est impossible, puisque l'Histoire porte qu'il fit mourir son père sans le voir, et que ses frères du second lit étaient en otage à Rome, lorsqu'il s'empara du Royaume [92]. Tout ce qui arrive dans *Héraclius* ne l'est pas moins, puisqu'il n'était pas fils de Maurice, et que bien loin de passer pour celui de Phocas

_____

a. qu'elles soient passées [1663-1682].

et être nourri • comme tel chez ce Tyran, il vint fondre
sur lui à force ouverte •• des bords de l'Afrique dont il
était Gouverneur, et ne le vit peut-être jamais. On ne
prend point néanmoins pour incroyables les incidents de
ces deux Tragédies, et ceux qui savent le désaveu qu'en
fait l'Histoire, la mettent aisément à quartier •••, pour se
plaire à leur représentation, parce qu'ils sont dans la vraisemblance générale, bien qu'ils manquent de la particulière [93].

Tout ce que la Fable nous dit de ses Dieux, et de ses
Métamorphoses, est encore impossible, et ne laisse pas
d'être croyable par l'opinion commune, et par cette vieille
traditive •••• qui nous a accoutumés à en ouïr parler. Nous
avons droit d'inventer même sur ce modèle, et de joindre
des incidents également impossibles à ceux que ces
anciennes erreurs nous prêtent. L'Auditeur n'est point
trompé de son attente, quand le titre du Poème le prépare
à n'y voir rien que d'impossible en effet ; il y trouve tout
croyable, et cette première supposition faite qu'il est des
Dieux, et qu'ils prennent intérêt et font commerce avec
les hommes, à quoi il vient tout résolu, il n'a aucune
difficulté à se persuader du reste •••••.

Après avoir tâché d'éclaircir ce que c'est que le vraisemblable, il est temps que je hasarde une définition du
nécessaire, dont Aristote parle tant, et qui seul nous peut
autoriser à changer l'Histoire, et à nous écarter de la vraisemblance ••••••. Je dis donc que le nécessaire en ce qui
regarde la Poésie, n'est autre chose que *le besoin du
Poète pour arriver à son but, ou pour y faire arriver ses
Acteurs.* Cette définition a son fondement sur les diverses

• Élevé.
•• « Par force, à force ouverte, de vive force. loc. adverbiales. En
employant la force, la violence, par une violence manifeste. *Ils
résolurent d'attaquer cette ville à force ouverte, de la prendre de
vive force, après avoir inutilement tenté essayé d'y entrer par surprise* » (Acad.).
••• « À part, à l'écart » (signalé comme vieilli par l'Acad., 1694).
•••• « Chose apprise par tradition » (Furetière), tradition.
••••• Voir ci-dessus, p. 113, sur l'invention d'épisodes dans les
sujets merveilleux.
•••••• De la vraisemblance particulière au profit de la générale.

acceptions du mot Grec *anankaion* qui ne signifie pas toujours ce qui est absolument nécessaire, mais aussi quelquefois ce qui est seulement utile à parvenir à quelque chose [94].

Le but des Acteurs est divers, selon les divers desseins que la variété des Sujets leur donne. Un Amant a celui de posséder sa Maîtresse, un ambitieux de s'emparer d'une Couronne, un homme offensé de se venger, et ainsi des autres. Les choses qu'ils ont besoin de faire pour y arriver constituent ce nécessaire, qu'il faut préférer au vraisemblable, ou pour parler plus juste, qu'il faut ajouter au vraisemblable dans la liaison des actions, et leur dépendance l'une de l'autre. Je pense m'être déjà assez expliqué là-dessus, je n'en dirai pas davantage.

Le but du Poète est de plaire selon les Règles de son Art. Pour plaire, il a besoin quelquefois de rehausser l'éclat des belles actions, et d'exténuer l'horreur des funestes. Ce sont des nécessités d'embellissement, où il peut bien choquer la vraisemblance particulière par quelque altération de l'Histoire, mais non pas se dispenser de la générale, que rarement, et pour des choses qui soient de la dernière beauté, et si brillantes, qu'elles éblouissent [95]. Surtout il ne doit jamais les pousser au-delà de la vraisemblance extraordinaire [96], parce que ces ornements qu'il ajoute de son invention ne sont pas d'une nécessité absolue, et qu'il fait mieux de s'en passer tout à fait, que d'en parer son Poème contre toute sorte de vraisemblance. Pour plaire selon les Règles de son Art, il a besoin de renfermer son action dans l'unité de jour et de lieu, et comme cela est d'une nécessité absolue et indispensable, il lui est beaucoup plus permis sur ces deux articles, que sur celui des embellissements [97].

Il est si malaisé qu'il se rencontre dans l'Histoire, ni dans l'imagination des hommes, quantité de ces événements illustres et dignes de la Tragédie, dont les délibérations et leurs effets puissent arriver en un même lieu, et en un même jour, sans faire un peu de violence à l'ordre commun des choses, que je ne puis croire cette sorte de violence tout à fait condamnable, pourvu qu'elle n'aille pas jusqu'à l'impossible. Il est de beaux Sujets où on ne la peut éviter, et un Auteur scrupuleux se priverait d'une belle occasion de gloire, et le Public de beaucoup de satisfaction, s'il n'osait s'enhardir à les mettre sur le Théâtre, de peur de se voir forcé à les faire aller plus vite que la vraisemblance ne le permet [98]. Je lui donnerais en ce cas un conseil que peut-être il trouverait salutaire, c'est de ne marquer aucun temps préfix • dans son Poème, ni aucun lieu déterminé où il pose ses Acteurs. L'imagination de l'Auditeur aurait plus de liberté de se laisser aller au courant de l'action, si elle n'était point fixée par ces marques : il [a] pourrait ne s'apercevoir pas de cette précipitation, si elles ne l'en faisaient souvenir, et n'y appliquaient son esprit malgré lui. Je me suis toujours repenti d'avoir fait dire au Roi dans *Le Cid*, qu'il voulait que Rodrigue se délassât une heure ou deux après la défaite des Maures, avant que de combattre Don Sanche [99]. Je l'avais fait pour montrer que la Pièce était dans les vingt-quatre heures, et cela n'a servi qu'à avertir les Spectateurs de la contrainte avec laquelle je l'y ai réduite. Si j'avais fait résoudre ce combat, sans en désigner l'heure, peut-être n'y aurait-on pas pris garde.

Je ne pense pas que dans la Comédie le Poète ait cette liberté de presser son action, par la nécessité de la réduire dans l'unité de jour. Aristote veut que toutes les actions qu'il y fait entrer soient vraisemblables, et n'ajoute point ce mot, *ou nécessaires*, comme pour la Tragédie [100]. Aussi la différence est assez grande entre les actions de l'une, et celles de l'autre. Celles de la Comédie partent de personnes communes, et ne consistent qu'en intrigues d'amour, et en fourberies, qui se développent si aisément en un jour, qu'assez souvent chez Plaute et chez Térence, le temps de leur durée excède à peine celui de leur représentation. Mais dans la Tragédie les affaires publiques sont mêlées d'ordinaire avec les intérêts particuliers des personnes illustres qu'on y fait paraître : il y entre des batailles, des prises de Villes, de grands périls, des révolutions d'États, et tout cela va malaisément avec la promptitude que la Règle nous oblige de donner à ce qui se passe sur la Scène.

• « Terme certain et déterminé » (Furetière).
a. marques, et il... [1663-1682].

Si vous me demandez jusques où [a] peut s'étendre cette liberté qu'a le Poète d'aller contre la vérité et contre la vraisemblance, par la considération du besoin qu'il en a, j'aurai de la peine à vous faire une réponse précise. J'ai fait voir qu'il y a des choses sur qui nous n'avons aucun droit ; et pour celles où ce privilège peut avoir lieu, il doit être plus ou moins resserré, selon que les Sujets sont plus ou moins connus [101]. Il m'était beaucoup moins permis dans *Horace*, et dans *Pompée*, dont les Histoires ne sont ignorées de personne, que dans *Rodogune* et dans *Nicomède*, dont peu de gens savaient les noms avant que je les eusse mis sur le Théâtre. La seule mesure qu'on y peut prendre, c'est que tout ce qu'on y ajoute à l'Histoire, et tous les changements qu'on y apporte, ne soient jamais plus incroyables, que ce qu'on en conserve dans le même Poème [102]. C'est ainsi qu'il faut entendre ce vers d'Horace touchant les fictions d'ornement,

> *Ficta voluptatis causa sint proxima veris* [*],

et non pas en porter la signification jusques à [b] celles qui peuvent trouver quelque exemple dans l'Histoire, ou dans la Fable, hors du Sujet qu'on traite. Le même Horace décide la question autant qu'on la peut décider par cet autre Vers, avec lequel je finis ce discours.

> *Dabiturque licentia sumpta pudenter* [**].

Servons-nous-en donc avec retenue, mais sans scrupule, et s'il se peut, ne nous en servons point du tout. Il vaut mieux n'avoir point besoin de grâce, que d'en recevoir.

---

a. jusqu'où [1668-1682].
* *Art poétique*, v. 338 : « Que les fictions créées pour plaire se tiennent le plus près possible de la vérité » (éd. cit., p. 219).
b. jusqu'à [1668-1682].
** *Art poétique*, v. 51 : « On nous accordera toute licence, pour peu qu'on la prenne avec discrétion » (éd. cit., p. 295).

DISCOURS DES TROIS UNITÉS,
D'ACTION, DE JOUR, ET DE LIEU

Les deux Discours précédents, et l'examen de seize Pièces [a] de Théâtre que contiennent mes deux premiers Volumes, m'ont fourni tant d'occasions d'expliquer ma pensée sur ces matières, qu'il m'en resterait peu de chose à dire, si je me défendais absolument de répéter.

Je tiens donc, et je l'ai déjà dit, que l'unité d'action consiste dans la Comédie en l'unité d'intrigue, ou d'obstacle aux desseins des principaux Acteurs, et en l'unité de péril dans la Tragédie, soit que son Héros y succombe, soit qu'il en sorte [1]. Ce n'est pas que je prétende qu'on ne puisse admettre plusieurs périls dans l'une, et plusieurs intrigues ou obstacles dans l'autre, pourvu que de l'un on tombe nécessairement dans l'autre ; car alors la sortie du premier péril ne rend point l'action complète, puisqu'elle en attire un second, et l'éclaircissement d'un intrigue ne met point les Acteurs en repos, puisqu'il les embarrasse dans un nouveau. Ma mémoire ne me fournit point d'exemples anciens de cette multiplicité de périls attachés l'un à l'autre, qui ne détruit point l'unité d'action ; mais j'en ai marqué la duplicité indépendante pour un défaut dans *Horace*, et dans *Théodore*, dont il n'est point besoin que le premier tue sa sœur au sortir de sa victoire, ni que l'autre s'offre au Martyre après avoir échappé [•] la prostitution, et je me trompe fort, si la mort de Polyxène et celle d'Astyanax dans *La Troade* de Sénèque ne font la même irrégularité.

En second lieu, ce mot d'unité d'action ne veut pas dire que la Tragédie n'en doive faire qu'une sur le Théâtre. Celle que le Poète choisit pour son Sujet doit

---

a. des Pièces [1663-1682].
• Évité. L'emploi du verbe « échapper » est fréquemment transitif au XVIIᵉ siècle.

avoir un commencement, un milieu, et une fin, et ces trois parties non seulement sont autant d'actions qui aboutissent à la principale, mais en outre chacune d'elles en peut contenir plusieurs avec la même subordination. Il n'y doit avoir qu'une action complète qui laisse l'esprit de l'Auditeur dans le calme, mais elle ne peut le devenir que par plusieurs autres imparfaites, qui lui servent d'acheminements, et tiennent cet Auditeur dans une agréable suspension [2]. C'est ce qu'il faut pratiquer à la fin de chaque Acte pour rendre l'action continue. Il n'est pas besoin qu'on sache précisément tout ce que font les Acteurs durant les intervalles qui les séparent, ni même qu'ils agissent lorsqu'ils ne paraissent point sur le Théâtre ; mais il est nécessaire que chaque Acte laisse une attente de quelque chose qui se doive faire dans celui qui le suit [3].

Si vous me demandiez ce que fait Cléopâtre dans *Rodogune*, depuis qu'elle a quitté ses deux fils au second Acte, jusqu'à ce qu'elle rejoigne Antiochus au quatrième, je serais bien empêché à vous le dire, et je ne crois pas être obligé à en rendre compte [4] : mais la fin de ce second prépare à voir un effort de l'amitié des deux frères pour régner, et dérober Rodogune à la haine envenimée de leur mère. On en voit l'effet dans le troisième, dont la fin prépare encore à voir un autre effort d'Antiochus pour regagner ces deux ennemies l'une après l'autre, et à ce que fait Séleucus dans le quatrième, qui oblige cette mère dénaturée à résoudre et faire attendre ce qu'elle tâche d'exécuter au cinquième.

Dans *Le Menteur*, tout l'intervalle du troisième au quatrième vraisemblablement se consume à dormir par tous les Acteurs : leur repos n'empêche pas toutefois la continuité d'action entre ces deux Actes, parce que ce troisième n'en a point de complète. Dorante le finit par le dessein de chercher des moyens de regagner l'esprit de Lucrèce, et dès le commencement de l'autre il se présente pour tâcher de parler à quelqu'un de ses gens, et prendre l'occasion de l'entretenir elle-même, si elle se montre.

Quand je dis qu'il n'est pas besoin de rendre compte de ce que font les Acteurs cependant qu'ils n'occupent point la Scène, je n'entends pas dire qu'il ne soit quelquefois fort à propos de le rendre ; mais seulement qu'on n'y est pas obligé, et qu'il n'en faut prendre le soin, que quand ce qui s'est fait derrière le Théâtre sert à l'intelligence de ce qui se doit faire devant les Spectateurs. Ainsi je ne dis rien de ce qu'a fait Cléopâtre depuis le second Acte jusques au quatrième, parce que durant tout ce temps-là elle a pu ne rien faire d'important pour l'action principale que je prépare ; mais je fais connaître dès le premier vers du cinquième, qu'elle a employé tout l'intervalle d'entre ces deux derniers à tuer Séleucus, parce que cette mort fait une partie de l'action. C'est ce qui me donne lieu de remarquer, que le Poète n'est pas tenu d'exposer à la vue toutes les actions particulières qui amènent à la principale. Il doit choisir celles qui lui sont les plus avantageuses à faire voir, soit par la beauté du spectacle, soit par l'éclat et la véhémence des passions qu'elles produisent, soit par quelque autre agrément qui leur soit attaché, et cacher les autres derrière la Scène, pour les faire connaître au Spectateur, ou par une narration, ou par quelque autre adresse de l'Art [5]. Surtout, il doit se souvenir que les unes et les autres doivent avoir une telle liaison ensemble, que les dernières soient produites par celles qui les précèdent, et que toutes aient leur source dans la Protase que doit fermer le premier Acte. Cette Règle que j'ai établie dès le premier Discours [6], bien qu'elle soit nouvelle et contre l'usage des Anciens, a son fondement sur deux Passages d'Aristote. En voici le premier. *Il y a grande différence*, dit-il, *entre les événements qui viennent les uns après les autres, et ceux qui viennent les uns à cause des autres.* Les Maures viennent dans *Le Cid* après la mort du Comte, et non pas à cause de la mort du Comte, et le Pêcheur vient dans *Don Sanche*, après qu'on soupçonne Carlos d'être le Prince d'Aragon, et non pas à cause qu'on l'en soupçonne : ainsi tous les deux sont condamnables. Le second Passage est encore plus formel, et porte en termes exprès, *que tout ce qui se passe dans la Tragédie doit arriver nécessairement ou vraisemblablement de ce qui l'a précédé.*

La liaison des Scènes qui unit toutes les actions particulières de chaque Acte l'une avec l'autre, et dont j'ai parlé en l'examen de *La Suivante* [7], est un grand ornement dans un Poème, et qui sert beaucoup à former une continuité d'action par la continuité de la représentation ; mais enfin ce n'est qu'un ornement, et non pas une Règle. Les Anciens ne s'y sont pas toujours assujettis, bien que la plupart de leurs Actes • ne soient chargés que de deux ou trois Scènes : ce qui la rendait bien plus facile pour eux, que pour nous, qui leur en donnons quelquefois jusqu'à neuf ou dix. Je ne rapporterai que deux exemples du mépris qu'ils en ont fait. L'un est de Sophocle dans l'*Ajax*, dont le Monologue avant que de se tuer n'a aucune liaison avec la Scène qui le précède, ni avec celle qui le suit. L'autre est du troisième Acte de *L'Eunuque* de Térence, où celle d'Antiphon seul n'a aucune communication avec Chrémès et Pythias qui sortent du Théâtre quand il y entre. Les Savants de notre Siècle, qui les ont pris pour modèles dans les Tragédies qu'ils nous ont laissées, ont encore plus négligé cette liaison qu'eux, et il ne faut que jeter l'œil sur celles de Buchanan, de Grotius, et de Heinsius, dont j'ai parlé dans l'examen de *Polyeucte* [8], pour en demeurer d'accord. Nous y avons tellement accoutumé nos Spectateurs, qu'ils ne sauraient plus voir une Scène détachée sans la marquer pour un défaut. L'œil et l'oreille même s'en scandalisent, avant que l'esprit y ait pu faire de réflexion. Le quatrième Acte de *Cinna* demeure au-dessous des autres par ce manquement, et ce qui n'était point une Règle autrefois, l'est devenu maintenant, par l'assiduité de la pratique [9].

J'ai parlé de trois sortes de liaisons dans cet examen de *La Suivante*. J'ai montré aversion pour celles de bruit, indulgence pour celles de vue, estime pour celles de présence et de discours, et dans ces dernières j'ai confondu deux choses qui méritent d'être séparées [10]. Celles qui sont de présence et de discours ensemble ont sans doute toute l'excellence dont elles sont capables, mais il en est de discours sans présence, et de présence sans discours, qui ne sont pas dans le même degré. Un Acteur qui parle à un autre d'un lieu caché sans se montrer fait une liaison de discours sans présence, qui ne laisse pas d'être fort

---

• Les « épisodes » séparés par les chants du chœur, généralement au nombre de quatre, précédés du *prologos* et suivis de l'*exodos*.

bonne, mais cela arrive fort rarement. Un homme qui demeure sur le Théâtre seulement pour entendre ce que diront ceux qu'il y voit entrer, fait une liaison de présence sans discours, qui souvent a mauvaise grâce, et tombe dans une affectation mendiée •, plutôt pour remplir ce nouvel usage qui passe en Précepte, que pour aucun besoin qu'en puisse avoir le Sujet. Ainsi dans le troisième Acte de *Pompée*, Achorée après avoir rendu compte à Charmion de la réception que César a faite au Roi, quand il lui a présenté la tête de ce Héros, demeure sur le Théâtre, où il voit venir l'un et l'autre, seulement pour entendre ce qu'ils diront, et le rapporter à Cléopâtre. [Ammon] [a] fait la même chose au quatrième d'*Andromède*, en faveur de Phinée, qui se retire à la vue du Roi et de toute sa Cour, qu'il voit arriver ••. Ces Personnages qui deviennent muets lient assez mal les Scènes, où ils ont si peu de part, qu'ils n'y sont comptés pour rien. Autre chose est, quand ils se tiennent cachés pour s'instruire de quelque secret d'importance par le moyen de ceux qui parlent, et qui croient n'être entendus de personne ; car alors, l'intérêt qu'ils ont à ce qui se dit, joint à une curiosité raisonnable d'apprendre ce qu'ils ne peuvent savoir d'ailleurs •••, leur donne grande part en l'action malgré leur silence. Mais en ces deux exemples, [Ammon] et Achorée mêlent une présence si froide aux Scènes qu'ils écoutent, qu'à ne rien déguiser, quelque couleur que je leur donne pour leur servir de prétexte, ils ne s'arrêtent que pour les lier avec celles qui les précèdent, tant l'une et l'autre Pièce s'en peut aisément passer [11].

Bien que l'action du Poème Dramatique doive avoir son unité, il y faut considérer deux parties, le nœud, et le dénouement. *Le nœud est composé* selon Aristote *en partie de ce qui s'est passé hors du Théâtre avant le*

• « Forcée, tirée par les cheveux » (Furetière).
a. Toutes les éditions de 1660-1682 impriment ici et plus bas par inadvertance le nom de Timante pour celui d'Ammon. Erreur rectifiée par Thomas Corneille dans l'édition de 1692.
•• *Pompée*, acte III, scènes 1-2 ; *Andromède*, acte IV, scènes 5-6.
••• Par une autre voie.

commencement de l'action qu'on y décrit, et en partie de ce qui s'y passe ; le reste appartient au dénouement. Le changement d'une fortune en l'autre fait la séparation de ces deux parties. Tout ce qui le précède est de la première, et ce changement avec ce qui le suit regarde l'autre [12]. Le nœud dépend entièrement du choix et de l'imagination industrieuse • du Poète, et l'on n'y peut donner de Règle, sinon qu'il y doit ranger toutes choses selon le vraisemblable, ou le nécessaire, dont j'ai parlé dans le second Discours •• ; à quoi j'ajoute un conseil de s'embarrasser le moins qu'il lui est possible de choses arrivées avant l'action qui se représente. Ces narrations importunent d'ordinaire, parce qu'elles ne sont pas attendues, et qu'elles gênent l'esprit de l'Auditeur, qui est obligé de charger sa mémoire de ce qui s'est fait il y a dix ou douze ans [a], pour comprendre ce qu'il voit représenter ; mais celles qui se font des choses qui arrivent et se passent derrière le Théâtre depuis l'action commencée, font toujours un meilleur effet, parce qu'elles sont attendues avec quelque curiosité, et font partie de cette action qui se représente [13]. Une des raisons qui donne tant d'illustres suffrages à *Cinna* pour le mettre au-dessus de ce que j'ai fait, c'est qu'il n'y a aucune narration du passé, celle qu'il fait de sa conspiration à Émilie •••, étant plutôt un ornement qui chatouille l'esprit des Spectateurs, qu'une instruction nécessaire de particularités qu'ils doivent savoir et imprimer dans leur mémoire pour l'intelligence de la suite. Émilie leur fait assez connaître dans les deux premières Scènes qu'il conspirait contre Auguste en sa faveur, et quand Cinna lui dirait tout simplement que les conjurés sont prêts au lendemain, il avancerait autant pour l'action, que par les cent Vers qu'il emploie à lui rendre compte, et de ce qu'il leur a dit, et de la manière dont ils l'ont reçu. Il y a des intrigues qui commencent dès la naissance du Héros, comme celui d'*Héraclius*, mais ces grands efforts d'imagination en

---

• Ingénieuse.
•• P. 118 *sq.*
a. ce qui s'est fait dix ou douze ans auparavant [1664-1682].
••• Acte I, scène 3, v. 157-248.

demandent un extraordinaire à l'attention du Spectateur, et l'empêchent souvent de prendre un plaisir entier aux premières représentations, tant ils le fatiguent [14].

Dans le dénouement je trouve deux choses à éviter, le simple changement de volonté, et la Machine •. Il n'y a pas grand artifice à finir un Poème quand celui qui a fait obstacle aux desseins des premiers Acteurs durant quatre Actes, en désiste •• au cinquième sans aucun événement notable qui l'y oblige. J'en ai parlé au premier Discours, et n'y ajouterai rien ici [15]. La Machine n'a pas plus d'adresse, quand elle ne sert qu'à faire descendre un Dieu pour accommoder toutes choses, sur le point que les Acteurs ne savent plus comment les terminer. C'est ainsi qu'Apollon agit dans l'*Oreste*. Ce Prince et son ami Pylade accusés par Tyndare et Ménélas de la mort de Clytemnestre, et condamnés à leur poursuite, se saisissent d'Hélène et d'Hermione ; ils tuent, ou croient tuer la première, et menacent d'en faire autant de l'autre, si on ne révoque l'Arrêt prononcé contre eux. Pour apaiser ces troubles, Euripide ne cherche point d'autre finesse, que de faire descendre Apollon du Ciel, qui d'autorité absolue ordonne qu'Oreste épouse Hermione, et Pylade Électre, et de peur que la mort d'Hélène n'y servît d'obstacle, n'y ayant pas d'apparence qu'Hermione épousât Oreste qui venait de tuer sa mère, il leur apprend qu'elle n'est pas morte, et qu'il l'a dérobée à leurs coups, et enlevée au Ciel dans l'instant qu'ils pensaient la tuer. Cette sorte de Machine est entièrement hors de propos, n'ayant aucun fondement sur le reste de la Pièce, et fait un dénouement vicieux : mais je trouve un peu de rigueur au sentiment d'Aristote [16], qui met en même rang le char dont Médée se sert pour s'enfuir de Corinthe, après la vengeance qu'elle a prise de Créon. Il me semble que c'en est un assez grand fondement, que de l'avoir faite Magicienne, et d'en avoir rapporté dans le Poème des actions autant au-dessus des forces de la Nature, que celle-là. Après ce

---

• Corneille vise ici le *deus ex machina*, au sens propre : un dieu descend du ciel pour dénouer artificiellement une situation autrement inextricable.
•• Y renonce.

qu'elle a fait pour Jason à Colchos, après qu'elle a rajeuni son père Éson depuis son retour, après qu'elle a attaché des feux invisibles au présent qu'elle a fait à Créuse, ce char volant n'est point hors de la vraisemblance, et ce Poème n'a point besoin d'autre préparation pour cet effet extraordinaire. Sénèque lui en donne une par ce Vers que Médée dit à sa Nourrice,

Tum quoque ipsa corpus hinc mecum aveham,

et moi, par celui-ci qu'elle dit à Égée,

Je vous suivrai demain par un chemin nouveau •.

Ainsi la condamnation d'Euripide, qui ne s'y est servi d'aucune précaution, peut être juste, et ne retomber ni sur Sénèque, ni sur moi, et je n'ai point besoin de contredire Aristote pour me justifier sur cet Article.

De l'Action je passe aux Actes, qui en doivent contenir chacun une portion, mais non pas si égale, qu'on n'en réserve plus pour le dernier que pour les autres, et qu'on n'en puisse moins donner au premier qu'aux autres [17]. On peut même n'y faire autre chose [a] dans ce premier, que peindre les Mœurs des Personnages, et marquer à quel point ils en sont de l'Histoire qu'on va représenter [b], et qui a quelquefois commencé longtemps auparavant. Aristote n'en prescrit point le nombre, Horace le borne à cinq [18], et bien qu'il défende d'y en mettre moins, les Espagnols s'opiniâtrent à l'arrêter à trois, et les Italiens font souvent la même chose. Les Grecs les distinguaient par le chant du Chœur, et comme je trouve lieu de croire qu'en quelques-uns de leurs Poèmes ils le faisaient chanter plus de quatre fois, je ne voudrais pas répondre qu'ils ne les poussassent jamais au-delà de cinq. Cette manière de les distinguer était plus incommode que la nôtre ; car ou l'on prêtait attention à ce que chantait le Chœur, ou l'on n'y en prêtait point. Si l'on y en prêtait, l'esprit de

---

• « Ton corps aussi sera enlevé d'ici avec moi » (Sénèque, *Tragédies*, trad. L. Hermann, Les Belles Lettres, 1924, t. I, p. 172). Chez Corneille, la réplique de Médée à Égée se trouve au v. 1291 (acte IV, scène 5).

a. ne faire autre chose dans ce premier [1668-1682].

b. qu'on va représenter. Aristote... [1664-1682].

l'Auditeur était trop tendu, et n'avait aucun moment pour se délasser. Si l'on n'y en prêtait point, son attention était trop dissipée par la longueur du chant, et lorsqu'un autre Acte commençait, il avait besoin d'un effort d'esprit pour y rappeler [a] ce qu'il avait déjà vu, et en quel point l'action était demeurée. Nos violons n'ont aucune de ces deux incommodités. L'esprit de l'Auditeur se relâche durant qu'ils jouent, et réfléchit même sur ce qu'il a vu, pour le louer ou le blâmer suivant qu'il lui a plu ou déplu, et le peu qu'on les laisse jouer lui en laisse les idées si récentes, que quand les Acteurs reviennent, il n'a point besoin de se faire d'effort pour rappeler et renouer son attention [19].

Le nombre des Scènes dans chaque Acte ne reçoit aucune Règle : mais comme tout l'Acte doit avoir une certaine quantité de Vers qui proportionne sa durée à celle des autres, on y peut mettre plus ou moins de Scènes, selon qu'elles sont plus ou moins longues, pour employer le temps que tout l'Acte ensemble doit consumer. Il faut, s'il se peut, y rendre raison de l'entrée et de la sortie de chaque Acteur [20]. Surtout pour la sortie, je tiens cette Règle indispensable, et il n'y a rien de si mauvaise grâce qu'un Acteur qui se retire du Théâtre, seulement parce qu'il n'a plus de Vers à dire.

Je ne serais pas si rigoureux pour les entrées. L'Auditeur attend l'Acteur, et bien que le Théâtre représente la chambre ou le cabinet de celui qui parle, il ne peut toutefois s'y montrer, qu'il ne vienne de derrière la tapisserie [•] [21], et il n'est pas toujours aisé de rendre raison de ce qu'il vient de faire en ville, avant que de rentrer chez lui, puisque même quelquefois il est vraisemblable qu'il n'en est pas sorti. Je n'ai vu personne se scandaliser de voir Émilie commencer *Cinna*, sans dire pourquoi elle vient dans sa chambre. Elle est présumée y être avant que la Pièce commence, et ce n'est que la nécessité de la représentation qui la fait sortir de derrière le Théâtre, pour y venir. Ainsi je dispenserais volontiers de cette rigueur toutes les premières Scènes de chaque Acte, mais non pas

---

a. un effort de mémoire pour rappeler en son imagination ce qu'il... [1664-1682].
• La toile peinte qui sert de fond à la scène.

les autres, parce qu'un Acteur occupant une fois le Théâtre, aucun n'y doit entrer qui n'ait Sujet de parler à lui, ou du moins qui n'ait lieu de prendre l'occasion quand elle s'offre. Surtout, lorsqu'un Acteur entre deux fois dans un Acte, soit dans la Comédie, soit dans la Tragédie, il doit absolument, ou faire juger qu'il reviendra bientôt, quand il sort la première fois, comme Horace dans le deuxième [a] Acte, et Julie dans le troisième de la même Pièce, ou donner raison, en rentrant, pourquoi il revient si tôt [22].

Aristote veut que la Tragédie bien faite soit belle, et capable de plaire, sans le secours des Comédiens, et hors de la représentation [23]. Pour faciliter ce plaisir au Lecteur, il ne faut non plus gêner son esprit, que celui du Spectateur, parce que l'effort qu'il est obligé de se faire pour la concevoir, et la [b] représenter lui-même dans son esprit, diminue la satisfaction qu'il en doit recevoir. Ainsi je serais d'avis que le Poète prît grand soin de marquer à la marge les menues actions qui ne méritent pas qu'il en charge ses Vers, et qui leur ôteraient même quelque chose de leur dignité, s'il se ravalait à les exprimer [24]. Le Comédien y supplée aisément sur le Théâtre, mais sur le livre on serait assez souvent réduit à deviner, et quelquefois même on pourrait deviner mal, à moins que d'être instruit par là de ces petites choses. J'avoue que ce n'est pas l'usage des Anciens, mais il faut m'avouer aussi que faute de l'avoir pratiqué, ils nous laissent beaucoup d'obscurités dans leurs Poèmes, qu'il n'y a que les Maîtres de l'Art [•] qui puissent développer : encore ne sais-je s'ils en viennent à bout toutes les fois qu'ils se l'imaginent. Si nous nous assujettissions à suivre entièrement leur Méthode, il ne faudrait mettre aucune distinction d'Actes, ni de Scènes, non plus que les Grecs. Ce manque est souvent cause que je ne sais combien il y a d'Actes dans leurs Pièces, ni si à la fin d'un Acte un Acteur se retire pour laisser chanter le Chœur, ou s'il demeure sans action cependant qu'il chante, parce que ni eux, ni leurs inter-

---

a. second [1663-1682].
b. se la [1668-1682].
• Les érudits.

prêtes, n'ont daigné nous en donner un mot d'avis à la marge.

Nous avons encore une autre raison particulière de ne pas négliger ce petit secours, comme ils ont fait. C'est que l'impression met nos Pièces entre les mains des Comédiens des Provinces [a], que nous ne pouvons avertir que par là de ce qu'ils ont à faire, et qui feraient d'étranges contretemps, si nous ne leur aidions [•] par ces Notes. Ils se trouveraient bien embarrassés au cinquième Acte des Pièces qui finissent heureusement, et où nous rassemblons tous les Acteurs sur notre Théâtre, ce que ne faisaient pas les Anciens. Ils diraient souvent à l'un ce qui s'adresse à l'autre, principalement quand il faut que le même Acteur parle à trois ou quatre l'un après l'autre [25]. Quand il y a quelque commandement à faire à l'oreille, comme celui de Cléopâtre à [L]aonice pour lui aller quérir du poison, il faudrait un *A parte* pour l'exprimer en Vers, si l'on se voulait passer de ces avis en marge [26], et l'un me semble beaucoup plus insupportable que les autres, qui nous donnent le vrai et unique moyen de faire, suivant le sentiment d'Aristote, que la Tragédie soit aussi belle à la lecture, qu'à la représentation, en rendant facile à l'imagination du Lecteur tout ce que le Théâtre présente à la vue des Spectateurs.

La Règle de l'unité de jour a son fondement sur ce mot d'Aristote, *que la Tragédie doit renfermer la durée de son action dans un tour du Soleil, ou tâcher de ne le passer pas de beaucoup* [••]. Ces paroles donnent lieu à cette dispute fameuse, si elles doivent être entendues d'un jour naturel de vingt-quatre heures, ou d'un jour artificiel de douze [27]. Ce sont deux opinions dont chacune a des partisans considérables, et pour moi je trouve qu'il y a des Sujets si malaisés à renfermer en si peu de temps, que non seulement je leur accorderais les vingt-quatre

---

a. des Comédiens, qui courent les Provinces, [1663-1682].
• La langue classique admet indifféremment pour le verbe « aider » les constructions transitive et transitive indirecte (*aider à quelqu'un*).
•• *Poétique*, 5, 49 b 12-13, éd. cit., p. 49 : « La tragédie essaie autant que possible de tenir dans une seule révolution du soleil ou de ne guère s'en écarter. »

heures entières, mais je me servirais même de la licence que donne ce Philosophe de les excéder un peu, et les pousserais sans scrupule jusqu'à trente. Nous avons une Maxime en Droit qu'il faut élargir la faveur, et restreindre les rigueurs, *Odia restringenda, favores ampliandi*, et je trouve qu'un Auteur est assez gêné par cette contrainte, qui a forcé quelques-uns de nos Anciens d'aller jusqu'à l'impossible. Euripide dans *Les Suppliantes* fait partir Thésée d'Athènes avec une armée, donner une bataille devant les murs de Thèbes, qui en étaient éloignés de douze ou quinze lieues, et revenir victorieux en l'Acte suivant ; et depuis qu'il est parti, jusqu'à l'arrivée du Messager qui vient faire le récit de sa victoire, Éthra et le Chœur n'ont que trente-six Vers à dire. C'est assez bien employé un temps si court. Eschyle fait revenir Agamemnon de Troie avec une vitesse encore toute autre. Il était demeuré d'accord avec Clytemnestre sa femme, que sitôt que cette Ville serait prise, il le lui ferait savoir par des flambeaux disposés de montagne en montagne, dont le second s'allumerait incontinent à la vue du premier, le troisième à la vue du second, et ainsi du reste, et par ce moyen elle devait apprendre cette grande Nouvelle dès la même nuit. Cependant à peine l'a-t-elle apprise par ces flambeaux allumés, qu'Agamemnon arrive, dont il faut que le Navire, quoique battu d'une tempête si j'ai bonne mémoire, ait été aussi vite, que l'œil à découvrir ces lumières •. *Le Cid* et *Pompée*, où les actions sont un peu précipitées, sont bien éloignés de cette licence, et s'ils forcent la vraisemblance commune en quelque chose, du moins ils ne vont point jusqu'à de telles impossibilités.

Beaucoup déclament contre cette Règle, qu'ils nomment tyrannique, et auraient raison, si elle n'était fondée que sur l'autorité d'Aristote : mais ce qui la doit faire accepter, c'est la raison naturelle qui lui sert d'appui ••. Le Poème Dramatique est une imitation, ou pour en mieux parler, un portrait des actions des hommes, et il est hors de doute que les portraits sont d'autant plus

---

• *Agamemnon*, v. 646-657, Eschyle, *Théâtre complet*, éd. É. Chambry, « GF-Flammarion », p. 148.

•• Voir Présentation, p. 24-25.

excellents, qu'ils ressemblent mieux à l'original. La représentation dure deux heures, et ressemblerait parfaitement, si l'action qu'elle représente n'en demandait pas davantage pour sa réalité. Ainsi ne nous arrêtons point ni aux douze, ni aux vingt-quatre heures ; mais resserrons l'action du Poème dans la moindre durée qu'il nous sera possible, afin que sa représentation ressemble mieux, et soit plus parfaite. Ne donnons, s'il se peut, à l'une que les deux heures que l'autre remplit ; je ne crois pas que *Rodogune* en demande guère davantage, et peut-être qu'elles suffiraient pour *Cinna* [28]. Si nous ne pouvons la renfermer dans ces deux heures, prenons-en quatre, six, dix ; mais ne passons pas de beaucoup les vingt-quatre, de peur de tomber dans le dérèglement, et de réduire tellement le portrait en petit, qu'il n'ait plus ses dimensions proportionnées, et ne soit qu'imperfection [29].

Surtout je voudrais laisser cette durée à l'imagination des Auditeurs, et ne déterminer jamais le temps qu'elle emporte, si le Sujet n'en avait besoin ; principalement quand la vraisemblance y est un peu forcée, comme au *Cid*, parce qu'alors cela ne sert qu'à les avertir de cette précipitation. Lors même que rien n'est violenté dans un Poème par la nécessité d'obéir à cette Règle, qu'est-il besoin de marquer à l'ouverture du Théâtre que le Soleil se lève, qu'il est Midi au troisième Acte, et qu'il se couche à la fin du dernier. C'est une affectation qui ne fait que l'importuner [a]. Il suffit d'établir la possibilité de la chose dans le temps où on la renferme, et qu'il [b] le puisse trouver aisément, s'il y [c] veut prendre garde, sans y appliquer son esprit malgré lui [d]. Dans les actions même qui n'ont point plus de durée que la représentation, cela serait de mauvaise grâce, si l'on marquait d'Acte en Acte qu'il s'est passé une demi-heure de l'un à l'autre.

Je répète ce que j'ai dit ailleurs [•], que quand nous prenons un temps plus long, comme de dix heures, je vou-

---

a. qu'importuner [1668-1682].
b. qu'on [1668-1682].
c. si l'on [1668-1682].
d. l'esprit malgré soi [1668-1682].
• Dans l'Examen de *Mélite* (Document 58).

drais que les huit qu'il faut perdre se consumassent dans les intervalles des Actes, et que chacun d'eux n'eût en son particulier que ce que la représentation en consume, principalement lorsqu'il y a liaison de Scènes perpétuelle, car cette liaison ne souffre point de vide entre deux Scènes. J'estime toutefois que le cinquième par un privilège particulier a quelque droit de presser un peu le temps, en sorte que la part de l'action qu'il représente en tienne davantage qu'il n'en faut pour sa représentation. La raison en est, que le Spectateur est alors dans l'impatience de voir la fin, et que quand elle dépend d'Acteurs qui sont sortis du Théâtre, tout l'entretien qu'on donne à ceux qui y demeurent en attendant de leurs Nouvelles, ne fait que languir, et semble demeurer sans actions [a] [30]. Il est hors de doute que depuis que Phocas est sorti au cinquième d'*Héraclius*, jusqu'à ce qu'Amyntas vienne raconter sa mort, il faut plus de temps pour ce qui se fait derrière le Théâtre, que pour le récit des Vers qu'Héraclius, Martian, et Pulchérie emploient à plaindre leur malheur. Prusias et Flaminius dans celui de *Nicomède* n'ont pas tout le loisir dont ils auraient besoin pour se rejoindre sur la Mer, consulter ensemble, et revenir à la défense de la Reine, et le Cid n'en a pas assez pour se battre contre don Sanche, durant l'entretien de l'Infante avec Léonor et de Chimène avec Elvire. Je l'ai bien vu, et n'ai point fait de scrupule de cette précipitation, dont peut-être on trouverait plusieurs exemples chez les Anciens, mais ma paresse dont j'ai déjà parlé me fera contenter de celui-ci, qui est de Térence dans l'*Andrienne*. Simon y fait entrer Pamphile son fils chez Glycère pour en faire sortir le Vieillard Criton, et s'éclaircir avec lui de la naissance de sa Maîtresse, qui se trouve fille de Chrémès. Pamphile y entre, parle à Criton, le prie de le servir, revient avec lui, et durant cette entrée, cette prière, et cette sortie, Simon et Chrémès qui demeurent sur le Théâtre, ne disent que chacun un Vers, qui ne saurait donner tout au plus à Pamphile que le loisir de demander où est Criton, et non pas de parler à lui, et lui dire les raisons qui le doivent porter

---

a. action [1663-1682].

à découvrir en sa faveur ce qu'il sait de la naissance de cette inconnue.

Quand la fin de l'action dépend d'Acteurs qui n'ont point quitté le Théâtre, et ne font point attendre de leurs Nouvelles, comme dans *Cinna*, et dans *Rodogune*, le cinquième Acte n'a point besoin de ce privilège, parce qu'alors toute l'action est en vue ; ce qui n'arrive pas, quand il s'en passe une partie derrière le Théâtre depuis qu'il est commencé. Les autres Actes ne méritent point la même grâce. S'il ne s'y trouve pas assez de temps pour y faire rentrer un Acteur qui en est sorti, ou pour faire savoir ce qu'il a fait depuis cette sortie, on peut attendre à en rendre compte en l'Acte suivant, et le violon qui les distingue l'un de l'autre en peut consumer autant qu'il en est besoin ; mais dans le cinquième il n'y a point de remise, l'attention est épuisée, et il faut finir.

Je ne puis oublier que bien qu'il nous faille réduire toute l'action Tragique en un jour, cela n'empêche pas que la Tragédie ne fasse connaître par narration, ou par quelque autre manière plus artificieuse, ce qu'a fait son Héros en plusieurs années, puisqu'il y en a dont le nœud consiste en l'obscurité de sa naissance qu'il faut éclaircir, comme *Œdipe* [31]. Je ne répéterai point que moins on se charge d'actions passées, plus on a l'Auditeur propice par le peu de gêne qu'on lui donne, en lui rendant toutes les choses présentes, sans demander aucune réflexion à sa mémoire, que pour ce qu'il a vu : mais je ne puis oublier que c'est un grand ornement pour un Poème que le choix d'un jour illustre, et attendu depuis quelque temps. Il ne s'en présente pas toujours des occasions, et dans mes deux premiers Volumes [a], vous n'en trouverez de cette nature que celui d'*Horace* [b], où deux Peuples devaient décider de leur Empire par une bataille. Ce dernier en a trois, celui de *Rodogune* [c], d'*Andromède*, et de *Don Sanche*. Dans *Rodogune* c'est un jour choisi par deux Souverains, pour l'effet d'un Traité de paix entre leurs Couronnes ennemies, pour une entière réconciliation de

---

a. tout ce que j'ai fait jusqu'ici [1663-1682].
b. que quatre. Celui d'*Horace* [1663-1682].
c. par une bataille, celui de *Rodogune* [1663-1682].

deux rivales par un mariage, et pour l'éclaircissement d'un secret de plus de vingt ans, touchant le droit d'aînesse entre deux Princes gémeaux, dont dépend le Royaume et le succès de leur amour. Celui d'*Andromède* et de *Don Sanche* ne sont pas de moindre considération [32], mais comme je viens de dire [a], les occasions ne s'en offrent pas souvent, et dans le reste de mes Ouvrages je n'ai pu choisir des jours remarquables que par ce que le hasard y fait arriver, et non pas par l'emploi où l'ordre public les ait destinés de longue main.

Quant à l'unité de lieu, je n'en trouve aucun Précepte ni dans Aristote, ni dans Horace. C'est ce qui porte quelques-uns à croire que la Règle ne s'en est établie qu'en conséquence de l'unité de jour [b] [33], et à se persuader ensuite qu'on le [•] peut étendre jusques où un homme peut aller et revenir en vingt-quatre heures. Cette opinion est un peu licencieuse, et si l'on faisait aller un Acteur en poste [••], les deux côtés du Théâtre pourraient représenter Paris et Rouen. Je souhaiterais, pour ne point gêner du tout le Spectateur, que ce qu'on fait représenter devant lui en deux heures se [pût] passer en effet en deux heures, et que ce qu'on lui fait voir sur un Théâtre qui ne change point, pût s'arrêter dans une chambre, ou dans une Salle, suivant le choix qu'on en aurait fait : mais souvent cela est si malaisé, pour ne dire [c], impossible, qu'il faut de nécessité trouver quelque élargissement pour le lieu comme pour le temps. Je l'ai fait voir exact dans *Horace* [•••], dans *Polyeucte*, et dans *Pompée* ; mais il faut pour cela, ou n'introduire qu'une femme comme dans *Polyeucte*, ou que les deux qu'on introduit aient tant d'amitié l'une pour l'autre, et des intérêts si conjoints qu'elles puissent être toujours ensemble, comme dans

---

a. je le viens de dire [1682].
b. l'unité du jour [1682].
• Le lieu.
•• En « chaise de poste », le moyen de transport en commun le plus rapide puisqu'on changeait de chevaux à chaque relais.
c. Même leçon pour l'ensemble des éditions.
••• Voir deuxième *Discours*, p. 122-123. Sur l'unité de lieu, voir la section correspondante du Dossier, p. 275 *sq.*, et notamment l'Avis au lecteur de *La Veuve*.

l'*Horace*, ou qu'il leur puisse arriver • comme dans *Pompée*, où l'empressement de la curiosité naturelle fait sortir de leurs Appartements Cléopâtre au second Acte, et Cornélie au cinquième, pour aller jusque dans la grande Salle du Palais du Roi, au-devant des Nouvelles qu'elles attendent. Il n'en va pas de même dans *Rodogune*. Cléopâtre et elle ont des intérêts trop divers pour expliquer leurs plus secrètes pensées en même lieu. Je pourrais en dire ce que j'ai dit de *Cinna*, où en général tout se passe dans Rome, et en particulier moitié dans le cabinet d'Auguste, et moitié chez Émilie. Suivant cet ordre le premier Acte de cette Tragédie serait dans l'antichambre de Rodogune, le second dans la chambre de Cléopâtre, le troisième dans celle de Rodogune : mais si le quatrième peut commencer chez cette Princesse, il n'y peut achever, et ce que Cléopâtre y dit à ses deux fils l'un après l'autre y serait mal placé. Le cinquième a besoin d'une Salle d'audience, où un grand Peuple puisse être présent. La même chose se rencontre dans *Héraclius*. Le premier Acte serait fort bien dans le cabinet de Phocas, et le second chez Léontine ; mais si le troisième commence chez Pulchérie il n'y peut achever, et il est hors d'apparence que Phocas délibère dans l'Appartement de cette Princesse de la perte de son frère [34].

Nos Anciens, qui faisaient parler leurs Rois en Place publique, donnaient assez aisément l'unité rigoureuse de lieu à leurs Tragédies. Sophocle toutefois ne l'a pas observée dans son *Ajax*, qui sort du Théâtre afin de chercher un lieu écarté pour se tuer, et s'y tue à la vue du Peuple : ce qui fait juger aisément que celui où il se tue n'est pas le même que celui d'où on l'a vu sortir, puisqu'il n'en est sorti que pour en choisir un autre.

Nous ne prenons pas la même liberté de tirer les Rois et les Princesses de leurs Appartements, et comme souvent la différence et l'opposition des intérêts de ceux qui sont logés dans le même Palais, ne souffrent pas qu'ils fassent leurs confidences, et ouvrent leurs secrets en même chambre, il nous faut chercher quelque autre

---

• De se « rencontrer » souvent ensemble.

accommodement pour l'unité de lieu, si nous la voulons conserver dans tous nos Poèmes : autrement il faudrait prononcer contre beaucoup de ceux que nous voyons réussir avec éclat [35].

Je tiens donc qu'il faut chercher cette unité exacte autant qu'il est possible, mais comme elle ne s'accommode pas avec toute sorte de Sujets, j'accorderais très volontiers que ce qu'on ferait passer en une seule Ville aurait l'unité de lieu. Ce n'est pas que je voulusse que le Théâtre représentât cette Ville toute entière, cela serait un peu trop vaste, mais seulement deux ou trois lieux particuliers enfermés dans l'enclos de ses murailles. Ainsi la Scène de *Cinna* ne sort point de Rome, et est tantôt l'Appartement d'Auguste dans son Palais, et tantôt la maison d'Émilie. *Le Menteur* a les Tuileries et la Place royale dans Paris, et *La Suite* fait voir la prison et le logis de Mélisse dans Lyon. *Le Cid* multiplie encore davantage les lieux particuliers sans quitter Séville, et comme la liaison de Scènes n'y est pas gardée, le Théâtre dès le premier Acte est la maison de Chimène, l'Appartement de l'Infante dans le palais du Roi, et la Place publique. Le second y ajoute la chambre du Roi, et sans doute il y a quelque excès dans cette licence [36]. Pour rectifier en quelque façon cette duplicité de lieu, quand elle est inévitable, je voudrais qu'on fît deux choses. L'une, que jamais on n'en changeât[a] dans le même Acte, mais seulement de l'un à l'autre, comme il se fait dans les trois premiers de *Cinna* ; l'autre, que ces deux lieux n'eussent point besoin de diverses décorations, et qu'aucun des deux ne fût jamais nommé, mais seulement le lieu général où tous les deux sont compris, comme Paris, Rome, Lyon, Constantinople, etc. Cela aiderait à tromper l'Auditeur, qui ne voyant rien qui lui marquât la diversité des lieux, ne s'en apercevrait pas, à moins d'une réflexion malicieuse et critique, dont il y en a peu qui soient capables, la plupart s'attachant avec chaleur à l'action qu'ils voient représenter. Le plaisir qu'ils y prennent est cause qu'ils n'en veulent pas chercher le peu de justesse

---

a. On ne changeât [1664-1682].

pour s'en dégoûter, et ils ne le reconnaissent que par force, quand il est trop visible, comme dans *Le Menteur* et *La Suite*, où les différentes décorations font reconnaître cette duplicité de lieu malgré qu'on en ait.

Mais comme les personnes qui ont des intérêts opposés ne peuvent pas vraisemblablement expliquer leurs secrets en même place, et qu'ils sont quelquefois introduits dans le même Acte, avec liaison de Scènes qui emporte nécessairement cette unité, il faut trouver un moyen qui la rende compatible avec cette contradiction qu'y forme la vraisemblance rigoureuse, et voir comment pourra subsister le quatrième Acte de *Rodogune*, et le troisième d'*Héraclius*, où j'ai déjà marqué cette répugnance du côté des deux personnes ennemies qui parlent en l'un et en l'autre. Nos [a] Jurisconsultes admettent des fictions de Droit [•], et je voudrais à leur exemple introduire des fictions de Théâtre, pour établir un lieu Théâtral, qui ne serait, ni l'Appartement de Cléopâtre, ni celui de Rodogune dans la Pièce qui porte ce titre, ni celui de Phocas, de Léontine, ou de Pulchérie dans *Héraclius*, mais une Salle, sur laquelle ouvrent ces divers Appartements, à qui j'attribuerais deux privilèges. L'un que chacun de ceux qui y parleraient fût présumé y parler avec le même secret que s'il était dans sa chambre ; l'autre, qu'au lieu que dans l'ordre commun il est quelquefois de la bienséance que ceux qui occupent le Théâtre aillent trouver ceux qui sont dans leur cabinet pour parler à eux, ceux-ci pussent les venir trouver sur le Théâtre sans choquer cette bienséance, afin de conserver l'unité de lieu, et la liaison des Scènes. Ainsi Rodogune dans le premier Acte vient trouver Laonice qu'elle devrait mander pour parler à elle ; et dans le quatrième, Cléopâtre vient trouver Antiochus au même lieu où il vient de fléchir Rodogune, bien que dans l'exacte vraisemblance ce Prince devrait aller chercher sa mère dans son cabinet, puisqu'elle hait trop cette Princesse pour venir parler à lui dans son Appartement, où la

---

a. Les [1664-1682].
• « Fiction introduite ou autorisée par la loi en faveur de quelqu'un. *C'est par une fiction légale, que l'enfant conçu est, dans certains cas, regardé comme né* » (Acad.).

première Scène fixerait le reste de cet Acte, si l'on n'apportait ce tempérament dont j'ai parlé à la rigoureuse unité de lieu.

Toutes les Pièces de ce Volume [a] en manqueront, si l'on ne veut point admettre cette modération, dont je me contenterai toujours à l'avenir, quand je ne pourrai satisfaire à la dernière rigueur de la Règle. Je n'ai pu y en réduire que trois, *Horace*, *Polyeucte*, et *Pompée*. Si je me donne trop d'indulgence dans les autres, j'en aurai encore davantage pour ceux dont je verrai réussir les ouvrages sur la Scène avec quelque apparence de Régularité. Il est facile aux spéculatifs d'être sévères mais s'ils voulaient donner dix, ou douze Poèmes de cette nature au Public, ils élargiraient peut-être les Règles encore plus que je ne fais, sitôt qu'ils auraient reconnu par l'expérience, quelle contrainte apporte leur exactitude, et combien de belles choses elle bannit de notre Théâtre. Quoi qu'il en soit, voilà mes opinions, ou si vous voulez, mes hérésies, touchant les principaux points de l'Art, et je ne sais point mieux accorder les Règles anciennes avec les agréments Modernes. Je ne doute point qu'il ne soit aisé d'en trouver de meilleurs moyens, et je serai tout prêt de les suivre, lorsqu'on les aura mis en pratique aussi heureusement qu'on y a vu les miens.

Au reste [•], je viens de m'apercevoir qu'en la Page XXXIV du Discours que j'ai mis au devant du second Volume je me suis mépris, et ai cité pour un Sujet de Tragédie de la seconde espèce, comme Œdipe, l'exemple de Thésée, qui manifestement se doit ranger entre ceux de la troisième, tels que l'*Iphigénie in Tauris*. C'est un effet d'un peu de précipitation, qui ne rompt point le raisonnement en ce lieu-là, mais j'ai cru en devoir avertir le Lecteur, afin qu'il ne s'y méprenne pas comme moi.

---

a. Beaucoup de mes pièces [1663-1682].

• L'ensemble du dernier alinéa est retranché dès l'édition de 1663, où le passage fautif du second *Discours* a été amendé. Voir p. 113, var. a.

NOTES ET COMMENTAIRES

Discours de l'utilité
et des parties du poème dramatique

1. Si le premier volume de l'édition collective de 1660 comprenait essentiellement des comédies (voir la Présentation, p. 37), Corneille renvoie ici à l'ensemble de son théâtre. Le titre même de ce premier discours témoigne de l'ambition du propos : en amont de la question des genres, formuler les principes d'une poétique dramatique.

2. *Poétique*, 14, 1453 b 7, éd. cit., p. 81. Pour mieux soumettre la nécessité des règles à la notion de plaisir – et faire triompher celle-ci sur le principe d'une « utilité » du théâtre –, Corneille démembre ici le début du chapitre 14 sans s'intéresser à la distinction qu'élabore Aristote entre le plaisir provoqué par le « spectacle » (la représentation) et le plaisir spécifique à l'architecture de l'action tragique.

3. Voir Document 25.

4. *Poétique*, 9, 1451 b 11-15 : « En ce qui concerne la comédie [...], les poètes construisent leur histoire à l'aide de faits vraisemblables, puis lui donnent pour support des noms pris au hasard » (éd. cit., p. 65).

5. La deuxième « moitié » est constituée par le « nécessaire » (deuxième *Discours*, p. 118 *sq.*). – Corneille distingue la matière tragique, telle qu'elle est fournie au poète par l'Histoire ou la mythologie, de sa mise en intrigue. Seule cette dernière, parce qu'elle est de la responsabilité exclusive du dramaturge, relève pour Corneille de la catégorie du vraisemblable aristotélicien ; en amont du traitement dramatique, le sujet n'est pas en tant que tel assujetti à la vraisemblance (il peut avoir les défauts du *vrai* historique). Cette distinction polémique fait donc retour sur l'un des enjeux de la Querelle du *Cid* (voir la deuxième section du Dossier, p. 224-232) ; c'est aussi la clé de voûte du deuxième *Discours*, et donc une constante de la dramaturgie de Corneille.

6. *Poétique*, 9, 1451 b 21 (éd. cit., p. 65-66), où Aristote fait allusion à une pièce perdue dont le titre même est douteux et dont on ignore tout, mais qui est très souvent alléguée au XVIIᵉ siècle encore comme prototype de la tragédie à sujet « inventé ».

7. Phrase capitale, très exactement déplacée dans cette ouverture d'un discours consacré à la question de « l'utilité » du poème dramatique, que Corneille signale ainsi comme la formule synthétique de sa dramaturgie en ce qu'elle a de plus original. Le « précepte » se trouvait déjà posé dans l'Avis au lecteur d'*Héraclius* (1647), voir Document 31.

8. Sur la liberté d'invention et la « marge de manœuvre » consentie au dramaturge, voir deuxième *Discours*, p. 115 *sq.*

9. Référence à la *Poétique*, 14, 54 a 10-12 : « On voit pourquoi [...] les tragédies concernent un petit nombre de familles : comme ce n'est pas à la connaissance de l'art [*tekhnè*], mais au hasard [*tukhè*] que les poètes doivent d'avoir, en cherchant, trouvé de telles combinaisons pour leurs histoires, ils sont forcés de retomber sur les maisons auxquelles est échu ce genre de violences. » (éd. cit., p. 83).

10. La renaissance du genre tragique au XVIᵉ siècle s'était accompagnée d'une imitation de l'alternance des actes récités et des chœurs qui était l'une des spécificités de la tragédie antique ; après une période (1600-1620) pendant laquelle les chœurs sont supprimés à la représentation, les dramaturges renoncent entièrement à cette forme, s'obligeant ainsi, pour les sujets hérités de l'Antiquité (*Médée* et *Œdipe* pour Corneille), à un redéploiement, mais surtout à une « amplification » de la matière tragique. Voir la fin de l'Examen d'*Œdipe*, et ci-dessous, p. 85.

11. *Poétique*, 4, 48 b 5-9 : « Dès l'enfance les hommes ont, inscrites dans leur nature, à la fois une tendance à représenter [...] et une tendance à trouver du plaisir aux représentations. » (éd. cit., p. 43). Corneille traduit classiquement par « imiter » le grec *mimesthai*. Pour les allusions suivantes, voir Document 15.

12. La cadence mineure est révélatrice de la hiérarchie établie par Corneille entre Aristote, dont il donne ici un centon, et Horace, mais surtout entre le « plaisir » et « l'utilité » (Voir Présentation, p. 41). – *Art poétique*, v. 343 : *Omne tulit punctum qui miscuit utile dulci* : « il a pleinement atteint

son but celui qui a joint l'utile à l'agréable », précepte cité par Corneille dans l'Avis au lecteur de *La Suite du Menteur*, où se trouvaient déjà formulées, en 1645, les deux premières « utilités ». Corneille prend acte de cette association du plaisir et de l'instruction qui est au fondement de la doctrine classique, mais c'est en technicien et non en philosophe moral qu'il traite ici de l'« utilité » du théâtre.

13. Corneille reprend la distinction que fait la logique classique entre la proposition générale (thèse) et son application au cas particulier (hypothèse). Le passage fait écho à un développement de *La Pratique du théâtre* de d'Aubignac, qui loue, dans le théâtre de Corneille, l'adaptation des sentences au « sujet particulier où elles sont appliquées » (Document 75).

14. *Poétique*, 13, 53 a 33-35, où Aristote privilégie les effets du « renversement » du bonheur au malheur sur la valeur (éthique) de la punition des « méchants », en condamnant également les tragédies à « structure double » (« qui fini[ssent] de façon opposée pour les bons et pour les méchants »). Dans les lignes qui suivent, Corneille est moins sévère à l'égard de ce qu'il considère comme une donnée culturelle, sinon anthropologique, à laquelle nombre de ses dénouements se plient pratiquement.

15. Voir deuxième *Discours*, p. 117, sur la nécessité technique plutôt que morale de rendre ou de conserver le « premier acteur » vertueux ; et G. Forestier, *Essai de génétique théâtrale, op. cit.,* p. 215-217.

16. Voir le deuxième *Discours*, consacré exclusivement à la tragédie, à laquelle cette dernière « utilité » est spécifique, ci-dessous, p. 95-104.

17. Voir ci-dessous, p. 71-73, où Corneille réévalue le double critère aristotélicien de distinction des genres dramatiques.

18. *Poétique*, 12, 52 b 16 *sq.* ; Aristote définit ensuite les termes : « Le "prologue" [*prologos*] est la partie de la tragédie formant un tout qui précède l'arrivée du chœur, l'"épisode" [*epeisodion*] est la partie formant un tout qui se situe entre des chants du chœur formant chacun un tout ; la "sortie" [*exodos*] la partie formant un tout qui n'est pas suivie d'un chant du chœur » (éd. cit., p. 75). On ne confondra pas ce sens technique du mot « épisode », rare même chez Aristote avec, d'une part, le sens général de « développement adventice » (usuel dans la *Poétique*) et, d'autre

part, le sens qu'il revêt dans la doctrine classique, et tout particulièrement chez Corneille, d'« action secondaire » (ci-dessous, p. 91).

19. *Ibid.*, 6, 50 a 7-10, voir Document 15. Comme la plupart des théoriciens de son temps, Corneille traduit ainsi *muthos* (histoire) par « Sujet », *èthè* (caractères) par « Mœurs », *dianoia* (pensée) par « Sentiments », *lexis* (expression) par « Diction », *melopoiia* (chant) par « Musique » et *opsis* (spectacle) par « Décoration du Théâtre ».

20. Corneille prolonge l'effort d'Aristote visant à isoler ce qui relève en propre du travail dramaturgique (pour l'essentiel : l'élaboration du sujet et la constitution de l'intrigue) des autres parties constitutives et des « arts » qu'elles impliquent. Parmi ces derniers, il distingue encore, comme Aristote, ceux qui doivent être de la compétence du poète (la morale, la rhétorique et la grammaire) des arts néces-saires à la seule représentation (la musique et la décoration). Pour le spectacle lui-même, Aristote va en effet jusqu'à déléguer explicitement le travail au « fabricant d'acces-soires » (*Ibid.*, 50 b 15, éd. cit., p. 57).

21. *Ibid.*, 5, 49 a 32 : « La comédie [...] est la représentation d'hommes bas [*phauloi*] » (éd. cit., p. 49). Corneille n'hé-site pas à dire son insatisfaction devant la définition aris-totélicienne, qui ne caractérise pas le genre comique par la nature du sujet mais par son seul personnel dramatique. En introduisant, dans la citation, le terme de *fourbe*, il donne à l'adjectif *bas* une acception moins « sociale », dont on peut déduire un type d'action (ruses, stratagèmes et mécomptes).

22. Corneille fonde donc sa définition des genres sur la seule considération de l'intrigue, envisagée selon la nature des intérêts qui animent les personnages et l'émotion du spec-tateur qu'elle suscite. Se trouve ainsi par avance justifiée en droit l'invention du genre (moderne) de la comédie héroïque (ci-dessous, p. 73). Voir H. Baby, « Réflexions sur l'esthétique de la comédie héroïque de Corneille à Molière », *Littératures classiques*, 27, 1996, p. 25-34.

23. Le propos est ici ouvertement polémique : Corneille se démarque fermement de l'esthétique galante, dominante dans les années 1660 et qui est notamment représentée par son propre frère, Thomas Corneille (*Timocrate*, 1657, qui fut le plus grand succès du siècle) et Quinault (*Amalasonte*, 1657).

24. Corneille donna naissance avec *Don Sanche d'Aragon* (1649) au genre de la comédie héroïque, qu'il continuera d'expérimenter avec *Tite et Bérénice* (1670) et *Pulchérie* (1672). Dans l'intervalle, d'autres dramaturges lui emboîtent le pas (Molière avec *Dom Garcie de Navarre* en 1661, sous-titré simplement « comédie », Boyer, Nanteuil, Donneau de Visé).

25. Comme dans l'Examen du *Cid*, Corneille répond à l'abbé d'Aubignac (Document 14) : « l'une des plus grandes fautes qu'on ait remarquée dans *Le Cid*, est que la Pièce n'est pas finie » (éd. cit., p. 140). Le mariage simplement annoncé de Chimène et Rodrigue intéressait la question des bienséances, comme le souligne d'ailleurs Corneille, bien plus que la structure du dénouement.

26. Corneille légitime ainsi discrètement la catégorie de la tragédie à fin heureuse, enterrant du même coup celle de la tragi-comédie dont l'une des spécificités était de partager avec la comédie la résolution du conflit (tragique dans ses enjeux) par un mariage. *Le Cid*, créé comme « tragi-comédie » en 1637, avait été baptisé « tragédie » dès l'édition de 1648. Corneille rejoignait finalement la position de d'Aubignac qui, en 1657 dans *La Pratique du théâtre* (et probablement avant), proposait de regrouper sous la même appellation les tragédies à fin funeste et celles à fin heureuse (voir Document 22).

27. Voir le troisième *Discours*, p. 133.

28. *Poétique*, 13, 53 a 36-39.

29. Ainsi s'achève par exemple l'*Héautontimorouménos* (« le bourreau de soi-même ») de Térence.

30. On ne trouve pas de tels ressorts dans les dénouements des comédies de Corneille, émancipées des modèles de la comédie d'intrigue à l'antique (Térence) ou à l'italienne, auxquels Molière empruntera davantage (on peut songer ici aux dénouements de *L'École des femmes*, du *Bourgeois gentilhomme* ou des *Fourberies de Scapin*).

31. Voir note p. 70.

32. La critique et le ton sont les mêmes dans l'Examen de *Mélite*. Corneille y souligne encore plus nettement deux originalités majeures de ses comédies des années 1630 : un « style naïf qui faisait une peinture de la conversation des honnêtes gens » et la force d'une intrigue qui se passe de

personnage ridicule (« On n'avait jamais vu jusque là que la comédie fît rire sans personnages ridicules »).

33. Corneille résume l'essentiel du chapitre 7 de la *Poétique* : « la tragédie consiste en la représentation d'une action menée jusqu'à son terme, qui forme un tout et a une certaine étendue [...]. Un tout, c'est ce qui a un commencement, un milieu et une fin » (50 b 23-26, éd. cit., p. 59) ; « les histoires doivent avoir une certaine longueur, mais que la mémoire puisse retenir aisément » (51 a 4-5, éd. cit., p. 61).

34. Pour donner à comprendre ce qu'est une action homogène et continue, et avant de définir ses moments constitutifs, Corneille donne deux exemples (l'un effectif, l'autre hypothétique) de discontinuité dans l'action : dans *Horace*, la mort de Camille forme une seconde action, que rien ne laissait prévoir, et qui succède à l'action principale sans entretenir avec elle de lien nécessaire ; quant au deuxième exemple, il laisse entrevoir les effets désastreux d'une action qui se nouerait trop tard et au mépris de ce qui précède. Ces deux « actions momentanées » – isolées et mal « préparées » – révèlent *a contrario* les principes auxquels doit obéir la bonne action dramatique (continuité dans l'enchaînement des faits et prévisibilité des événements, soient le *nécessaire* et le *vraisemblable*). On ne confondra pas l'« action momentanée » ainsi dénoncée avec la « seconde action » ou épisode sur laquelle Corneille revient à la fin de ce même *Discours*, p. 91.

35. En appliquant à l'exemple de *Cinna* la structuration en trois temps, particulièrement elliptique dans la *Poétique* – et sans davantage s'intéresser pour l'instant à la subdivision en cinq actes et à la spécificité des genres –, Corneille démontre de manière magistrale ce que doit être la matrice d'une bonne pièce, qui s'organise autour de l'exposition de la situation initiale (le « commencement »), d'un nœud qui bouscule le cours prévisible des événements (le « milieu ») et d'un dénouement (la « fin »). Voir G. Forestier, *Essai de génétique théâtrale, op. cit.*, p. 134 *sq.*

36. C'est le point de vue de l'abbé d'Aubignac, qui remarque que « la patience des Spectateurs ne va guère plus loin » que quinze à seize cents vers – soit trois cents par acte environ (éd. cit., III, v, p. 216). Si les deux premières comédies de Corneille outrepassent en effet la « règle », les

pièces suivantes tendent à s'y soumettre (1601 pour *La Place royale*, 1628 pour *Médée*).

37. Voir le deuxième *Discours*, p. 118 *sq.*

38. Voir ci-dessus, p. 74, où Corneille admet sans hésitation la tragédie à fin heureuse.

39. *Poétique*, 15, 54 a 16-28. Aristote énumère quatre propriétés des caractères : le caractère doit être *khrèstos* (« de qualité »), *harmotton* (il doit « convenir »), *homoios* (« ressemblant ») et enfin *homalos* (« constant »). Corneille propose ensuite sa propre interprétation de ces quatre termes.

40. Corneille se réfère à deux passages fameux de l'*Art poétique* : « Il vous faut marquer les mœurs de chaque âge et : donner aux caractères [*mores*], changeant avec les années, les traits qui conviennent » (v. 156 *sq.*, éd. cit., p. 210) ; et : « Suivez, en écrivant, la tradition, ou bien composez des caractères qui se tiennent [*aut sibi convenientia finge*]. S'il vous arrive de remettre au théâtre Achille si souvent célébré, qu'il soit infatigable, inexorable, ardent, qu'il nie que les lois soient faites pour lui et n'adjuge rien qu'aux armes. Que Médée soit farouche et indomptable, Ino plaintive, Ixion perfide, Io vagabonde, Oreste sombre » (v. 119-124, éd. cit., p. 208-209).

41. Comme le suggère Corneille, le terme de *khrèstos* ne semble pas renvoyer, dans la *Poétique*, à la « grandeur » comme qualité sociale ou morale des personnages eux-mêmes – ce qui exclurait par exemple les criminels de la tragédie – mais à la qualité du traitement des caractères. Bons ou méchants, ils ne seront pas bons ou méchants à la manière de n'importe qui, et conserveront en tout une forme de grandeur. Corneille dialogue visiblement avec un texte déjà ancien mais qu'il n'a jamais oublié : la Préface de l'*Adone* de Marino par Chapelain (1623) ; avant Corneille, Chapelain avait rapproché la « bonté » de la « convenance » en coupant les deux termes de toute acception moralisante : ces deux critères, selon lui, « se réciproquent, attendu que ce qui convient est bon, et que ce qui est bon est aussi convenable, de manière que les accidents qui seront attribués à une nature mauvaise, quoique mauvais en soi, doivent être dits bons, en tant qu'ils lui conviennent » (*Opuscules critiques*, éd. A. C. Hunter, Droz, 1936, p. 102). Chapelain rapproche de même les deux autres critères, « l'égalité » et la qualité de « semblables », pour aboutir

ainsi à un système à deux termes que Corneille a en tête
mais qu'il ne fait pas complètement sien (ci-dessous n. 50).
Voir aussi R. Bray, *La Formation de la doctrine classique
en France* (1927), Nizet, 1966, p. 223. – Dans ses essais
de traduction de la *Poétique* d'Aristote, Racine comprend
assez rigoureusement cette première « qualité » des caractères, mais il n'évite cependant pas de gloser le passage
pour en donner une interprétation morale (nous souli-
gnons) : « [il faut que les mœurs] soient bonnes. (Un personnage) a des mœurs lorsqu'on peut reconnaître, ou par
ses actions ou par ses discours, l'inclination (et l'habitude)
qu'il a (au vice ou à la vertu). *Ses mœurs (seront) mauvaises si son inclination est mauvaise, et (elles seront)
bonnes si cette inclination est bonne* » (Racine, *Œuvres
complètes*, éd. R. Picard, Gallimard, « Bibliothèque de la
Pléiade », t. II, 1952, p. 923). La « bonté », au sens aristotélicien, concerne l'évidence avec laquelle actions et discours manifestent l'inclination [*hexis proairetike*] du personnage, et non pas au premier chef la « couleur » morale
de cette inclination.

42. Corneille revient sur l'exemplarité du personnage de Cléopâtre dans le deuxième *Discours* (p. 101), où il démontre
son pouvoir cathartique.

43. *Poétique*, 15, 54 b 8-14. La traduction de Corneille est
fidèle au texte d'Aristote tel que nous le lisons aujourd'hui,
à l'exception de la dernière ligne : « Puisque la tragédie est
une représentation d'hommes meilleurs que nous, il faut
imiter les bons portraitistes : rendant la forme propre, ils
peignent des portraits ressemblants, mais en plus beau ; de
même le poète qui représente des hommes coléreux [*orgi-
loi*], apathiques [*rhâithumoi*] ou avec d'autres traits de
caractère de ce genre, doit leur donner, dans ce genre, une
qualité supérieure [*epieikeis poiein*] ; un exemple en
matière de dureté, c'est l'Achille d'Agathon et d'Homère »
(éd. cit., p. 87). Deux contresens expliquent l'essentiel des
difficultés recontrées par Corneille : dans les traductions
latines du XVIᵉ siècle couramment utilisées, *agathon* est
compris non comme le nom du poète grec mais comme
l'adjectif homographe signifiant « bon » ; d'autre part, les
principaux éditeurs de la *Poétique* aux XVIᵉ et XVIIᵉ siècles
lisaient *epikheias* (« équité ») au lieu de *epieikeis* (*poiein*),
(rendre) « d'une qualité supérieure », d'où la question
philologique débattue par Corneille. Il n'en demeure pas
moins que, dans le texte aristotélicien, « la métamorphose

du coléreux et de l'apathique en hommes de bien [*epieikeis*] relève d'une alchimie de mauvais aloi », comme l'ont souligné R. Dupont-Roc et J. Lallot (éd. cit., p. 268) : mieux vaut rapprocher *epieikeis* de *khrèstos* et postuler que « la transformation "en mieux" consiste à donner au caractère une grandeur et une beauté d'ordre purement esthétique. *Epieikès*, dans ce cas, dénoterait la valeur positive poussée à son plus haut degré, sans autre coloration que celle de la supériorité pure ; et cette supériorité, cette grandeur, investirait *même* des caractères coléreux ou apathiques lorsque la représentation dégage leur forme dans toute sa pureté ».

44. Les traducteurs modernes rendent le terme de *rhâithumous* par « apathique ». Corneille est gêné de ne pas pouvoir faire correspondre terme à terme, dans le texte aristotélicien tel qu'il le comprend, les caractères cités et les qualités qu'ils sont censés manifester (colère → dureté ; fainéantise → ? équité). En convoquant différentes autorités et en multipliant les équivalents latins, il s'interroge d'abord sur la valeur de *rhâithumous*, avant de chercher à assouplir le sens du terme qu'il traduit par « équité ». Effort assez vain puisque ce dernier terme, comme on l'a vu (n. 43), ne figure pas dans le texte aristotélicien.

45. Corneille confond l'orthographe des noms de deux traducteurs de la *Poétique* : le mot cité se trouve dans l'édition procurée par Alexandre Paccius ou Alessandro Pazzi (1536), et non dans celle de Jules Pacius (1597).

46. *Poétique*, 15, 54 a 28-29 (et 25, 61 b 19-20).

47. Corneille refuse ici encore une interprétation morale du premier critère aristotélicien (la propriété du *khrèstos*), auquel il donne tout au long de ce passage une acception strictement esthétique, sans faire d'exception théorique pour le « premier acteur » – même s'il prend acte, dans l'alinéa suivant, de la nécessité de susciter chez le spectateur de la sympathie pour le héros. La question, déjà esquissée ci-dessus, p. 69-70, sera développée dans le deuxième *Discours* (p. 117).

48. *Art poétique*, v. 312-315 (éd. cit., p. 218). L'allusion explicite qui suit est tirée d'un autre passage, v. 161-176.

49. Le ton malicieux du passage ne doit pas dissimuler la rigueur de Corneille, très proche ici de la pensée aristotélicienne de l'*èthos* (*Rhétorique*, II) : le « caractère » constitue un complexe de traits de comportement qui entretien-

nent entre eux des solidarités seulement probables et non
pas nécessaires (s'il est plus vraisemblable, en termes de
prédispositions, qu'un vieillard soit avare et un jeune
homme prodigue, rien n'empêche en principe de peindre un
vieillard prodigue – mais il faut alors veiller à « motiver »
ce qui sera perçu par le spectateur comme un écart, éventuellement comique ou burlesque, en regard du comportement *prévisible*). C'est cette solidarité que nomme précisément le deuxième critère aristotélicien, la « convenance »
(*harmotton*). Les « caractères » ne se confondent donc pas
exactement avec des « types » figés dans une nomenclature
stricte, même si un *èthos* régulièrement porté à la scène (le
vieillard avare) tend à se figer en type. Voir troisième *Discours*, p. 139, et Examen de *La Suivante*, Document 62.

50. Si l'on s'en tient au texte aristotélicien, la troisième propriété reste, de l'aveu même des traducteurs, assez « énig-
matique » (éd. cit., p. 263-264) : selon l'interprétation de
R. Dupont-Roc et J. Lalot, sera dit « ressemblant » le
caractère auquel le spectateur pourra s'identifier ; ce troisième critère donne donc la borne du premier : si le personnage a de la « grandeur », il doit *pourtant* nous ressembler. L'interprétation cornélienne a le mérite de distinguer
fermement le troisième critère du deuxième : alors que la
« convenance » intéresse la prévisibilité des comportements
des personnages inventés, la « ressemblance » implique la
fidélité à la tradition (prévisibilité non plus empirique mais
culturelle), mais aussi, dans la perspective rhétorique qui
sera celle du deuxième *Discours*, l'adéquation éthique entre
le spectateur et le personnage principal, tous deux ni parfaitement vertueux ni parfaitement méchants (p. 96-97).
Chapelain interprétait de même cette « ressemblance »
comme fidélité à une tradition culturelle, mais il ne distinguait pas cette troisième qualité des « caractères » de la
quatrième, « l'égalité » : « la ressemblance et l'égalité sont
aussi même chose, [...] comme ainsi soit que l'une veuille
que la personne introduite soit faite semblable à ce que l'on
a su de son inclination, ou par renommée ou par témoignages d'auteurs ; et que l'autre désire, si elle n'a point été
connue d'une habitude plutôt que d'une autre, ou qu'elle
soit toute feinte à plaisir, qu'on la fasse continuer dans toute
la suite du poème de la même habitude qui lui aura été
d'abord attribuée ; et c'eût été aussitôt fait de dire que la
personne introduite soit faite telle dans tout le cours du
poème qu'on l'aura ou prise d'autrui ou forgée de soi-même

en le commençant » (éd. cit., p. 103) ; en d'autres termes, que les traits de caractères soient reçus de la tradition ou inventés par le poète, il importe que le personnage *ressemble continûment* à lui-même.

51. *Poétique*, 15, 54 a 26-28 : « même si celui qui fait l'objet de la représentation est inconstant et suppose un caractère de ce genre, il faut encore que ce caractère soit inconstant de façon constante » (éd. cit., p. 85). On peut songer non seulement à l'exemple de Chimène, mais aussi au personnage d'Alidor dans *La Place royale* (dont Corneille condamne *a posteriori*, dans l'Examen de la pièce, « l'inégalité de mœurs », Document 63).

52. *Ibid.*, 6, 50 a 23-26 : « De plus, sans action il ne saurait y avoir de tragédie, tandis qu'il pourrait y en avoir sans caractères : de fait les tragédies de la plupart des modernes sont dépourvues de caractères » (éd. cit., p. 55).

53. *Ibid.*, 6, 50 a 29-31 : « De plus, si un poète met bout à bout des tirades qui peignent des caractères, parfaitement réussies dans l'expression [*lexis*] et la pensée [*dianoia*], il ne réalisera pas l'effet qui est celui de la tragédie » (éd. cit., p. 55). Il y a bien un paradoxe dans le texte aristotélicien qui, après avoir affirmé (49 b 37) que les personnages doivent nécessairement « avoir des qualités dans l'ordre du caractère », signale au chapitre 6 la possibilité d'une « tragédie sans caractère ». Aristote condamne en réalité un mode de traitement du caractère qui consiste à produire l'*èthos* non dans le cours de l'action (où les choix opérés et des décisions prises par le personnage viennent manifester telle ou telle disposition), mais seulement « en discours » (déclarations du personnage, belles tirades). Corneille ne peut se résoudre à lever ainsi le paradoxe du chapitre 6, dans la mesure où son théâtre fait la part belle aux maximes et aux discours sentencieux : la question du caractère rencontre donc nécessairement celle des maximes, et Corneille se trouve devoir traiter deux problèmes à la fois (sauver Aristote *et* son propre théâtre). 1. Si l'on admet, avec Aristote, que les caractères se manifestent non seulement dans les agissements des personnages mais aussi dans leurs discours, on comprendra la « tragédie sans mœurs » comme celle où l'*èthos* n'est corrélé qu'aux faits représentés (sans tirades générales) ; « tragédie sans mœurs » signifierait alors « tragédie sans maximes » ; 2. S'il ne fallait encore distinguer selon Corneille entre deux types de maximes : les maximes « endogènes » (énoncées par le per-

sonnage en fonction de la situation et, plus fondamentalement, de ce qu'il est) et les maximes « exogènes » (générales, empruntées à la morale et à la politique – et donc
détachables). La distinction reste d'ailleurs toute théorique :
en empruntant ses exemples à une même tragédie (*Rodogune*, acte II, scène 1 pour les maximes endogènes ; et
acte I, scène 5 pour les exogènes), Corneille montre qu'il
est pratiquement impossible de s'en tenir à l'une ou l'autre
catégorie (et de produire une tragédie sans maximes et donc
« sans mœurs »...).

54. Corneille donne le mot « habitude » pour synonyme de
« mœurs », peut-être à la suite d'une erreur de lecture : il
lirait *éthé*, « habitudes », au lieu de *èthè*, « les mœurs » ; si
les deux mots n'ont pas en grec le même radical, la confusion, fréquente, n'induit pas un contresens, l'*èthos* n'étant
que la somme des prédispositions sédimentées par l'habitude.

55. Même reproche déjà dans le bref passage de la *Poétique*
consacrée à la *dianoia* (6, 50 b 6-7) à l'adresse des dramaturges grecs qui font parler leurs personnages en rhé-
teurs. Cet alinéa ôte finalement toute légitimité, aux yeux
de Corneille, à une tragédie qui ne ferait appel qu'à des
sentences exogènes sans les contextualiser.

56. Les prédécesseurs de Corneille sont plus prolixes sur la
question (La Mesnardière dans sa *Poétique*, chap. X, « Le
Langage », où la question des figures et plus largement
celle de l'expression sont traitées en référence aux passions ; d'Aubignac consacre aux figures un chapitre dans
La Pratique du théâtre, IV, VIII). Voir Documents 73 et
74.

57. Rattachée au début du *Discours* au traitement des sujets
issus des tragiques grecs et latins, la question du « retranchement des chœurs » est plus logiquement traitée dans un
développement sur la cinquième partie constitutive de la
tragédie. Corneille y évoque brièvement l'utilisation
moderne de la musique dans les tragédies à machines
(*Andromède*, 1650 et *La Conquête de la Toison d'or*, 1661,
pour ne citer que les siennes propres) : utilisation circons-
tanciée et utilitaire (masquer le bruit « extrapoétique » des
machines). Il manifeste la même méfiance à l'égard du
chant (suspect de nuire à l'intelligibilité du texte) dans
l'alinéa assez technique qu'il consacre au chœur antique et

au *parodos*, ci-dessous, p. 86. Voir également l'Argument d'*Andromède*.

58. *Poétique*, 6, 50 b 20-21, déjà cité p. 71 (n. 20), où Aristote relègue l'*opsis* (« spectacle ») hors du champ de la poétique.

59. *Ibid.*, 12, 52 b 19-22, déjà cité p. 71 (n. 18), puis 22-23. Malgré la disparition des chœurs, Corneille va tenter, dans les alinéas qui suivent, de rabattre la partition aristotélicienne sur la distribution moderne en cinq actes. Si l'on peut faire coïncider grossièrement prologue et premier acte d'une part, exode et cinquième acte d'autre part, l'identification des *épisodes* aux trois actes centraux est, bien évidemment, plus délicate...

60. C'est notamment le cas dans *Les Suppliantes* et *Les Perses* d'Eschyle, mais comme l'a bien vu Corneille, l'entrée du coryphée n'est pas l'entrée du chœur : le coryphée parlant seul est dissocié du chœur, sa réplique parlée constituant bien une forme de prologue antérieure au premier chant du chœur (*parodos*). L'institution d'un authentique prologue, qui rappelle les données antérieures à l'action, est le fait d'Euripide – Corneille y revient ci-dessous, p. 89 –, même si Sophocle fait déjà précéder la première entrée du chœur d'une scène dialoguée entre le personnage principal et un personnage secondaire (dans *Œdipe Roi* ou *Électre* par exemple).

61. Voir les Examens de *La Suivante* et de *Don Sanche* (*Œuvres complètes*, éd. cit., t. I, p. 388 ; et t. II, p. 556-557).

62. Ce développement sur la nécessité de jeter dans le premier acte les « semences » de l'action amène Corneille à anticiper sur l'exposé de l'unité d'action et des interférences entre action principale et épisode, ci-dessous, p. 91.

63. Ainsi d'Aphrodite dans *Hippolyte* ou d'Apollon dans *Alceste*. Pour le deuxième type de prologue, Corneille songe surtout au monologue d'Iphigénie dans *Iphigénie en Tauride* (l'exposition d'*Iphigénie à Aulis* qui fait dialoguer Agamemnon et un vieillard est dramaturgiquement plus efficace, et sera pour l'essentiel retenue par Racine).

64. Le procédé est démodé et jugé sévèrement par les théoriciens en ce qu'il nuit à la vraisemblance ; Corneille y a cependant recours dans *Cinna* en 1640-1641 et s'en justifie ici.

65. Corneille accepte le monologue simple (emporté par la passion, un personnage s'oublie à parler tout haut), mais refuse pour sa part, comme doublement artificiel, le procédé qui consiste à faire surprendre un tel monologue par un deuxième personnage. S'il ne le condamne pas explicitement, c'est peut-être pour n'avoir pas à citer *Cyminde* de l'abbé d'Aubignac (1642) et *L'Aveugle de Smyrne* (1638), des Cinq Auteurs (cercle d'auteurs dramatiques patronné par Richelieu, auquel Corneille a été associé pour *La Comédie des Tuileries*).

66. C'est notamment le cas dans l'*Asinaria* (*La Comédie des ânes*) et *Casina vel sortientes* (*Casina ou les tireurs de sort*), mais dans certaines des comédies de Plaute, le prologue est confié à un personnage appelé à jouer directement un rôle dans l'action (Mercure dans *Amphitryon*) ou même à un couple de personnages (constituant ainsi une authentique scène d'exposition, comme dans *Curculio* (*Charançon*)), ou encore à un personnage bien identifié qui n'intervient dans un monologue qu'après une première scène dialoguée (le Dieu Secours à la scène III de la *Cistellaria*, la *Comédie à la corbeille*).

67. Dans la *Médée* de Corneille. L'Examen de la pièce ajoute : « [les personnages protatiques] sont d'ordinaire assez difficiles à imaginer dans la Tragédie, parce que les événements publics et éclatants dont elle est composée, sont connus de tout le monde, et que s'il est aisé de trouver des gens qui les sachent pour les raconter, il n'est pas aisé d'en trouver qui les ignorent pour les entendre. C'est ce qui m'a fait avoir recours à cette fiction, que Pollux depuis son retour de Colchos avait toujours été en Asie, où il n'avait rien appris de ce qui s'était passé dans la Grèce, que la Mer en sépare » (*Œuvres complètes*, éd. cit., t. I, p. 538). Même procédé dans la tragédie racinienne (*Andromaque* par exemple).

68. Corneille évoque ses deux tragédies à machines : *Andromède*, commandée par Mazarin, a été créée en 1650 au Petit-Bourbon ; et au moment même où paraissent les *Discours*, la première de *La Toison d'or* est imminente (novembre 1660, au château de Neufbourg). Le texte ne peut donc pas figurer dans l'édition collective (la pièce tomberait alors dans le domaine public, privant les comédiens de l'exclusivité), et ne sera imprimé que l'année suivante.

69. Corneille va distinguer les deux sens aristotéliciens de celui qu'il entend donner à la notion d'« épisode », qui joue un rôle capital dans sa poétique de la tragédie. Le terme d'*epeisodion* dans la *Poétique* est en effet ambigu : comme nous l'avons déjà signalé (n. 18, p. 155), l'« épisode » désigne soit la partie de la tragédie située entre deux chants du chœur (52 b 20), soit un développement qui vient s'insérer dans l'action principale sans être rigoureusement nécessaire à son déroulement (55 b 1-24 et 59 a 35).

70. On rapprochera ce passage de la description de la matrice de *Cinna* (ci-dessus, p. 77) : Corneille hiérarchise ici les différentes actions qui prennent place dans les trois actes centraux selon un unique critère, qui est celui de leur nécessité structurelle (sans la trahison de Maxime, il n'y a plus de sujet et, partant, plus de tragédie ; en revanche, l'amour de Maxime pour Émilie est un ornement, soit un « épisode » au sens encore aristotélicien, sans lequel le sujet reste imaginable : une « variante »).

71. Signe que l'intrigue d'*Héraclius* est bien plus complexe que celle de *Cinna*, et que Corneille n'a pas trop de toutes les scènes des trois actes centraux pour assurer le développement de l'action.

72. Corneille retient donc définitivement le deuxième sens de l'*epeisodion* aristotélicien comme première catégorie de l'« épisode » moderne ; il introduit aussitôt une deuxième catégorie dont il est clair qu'elle est à ses yeux un élément essentiel de l'élaboration d'une tragédie : c'est la seconde action, prise en charge, le plus souvent, par un couple de « seconds amants », action épisodique destinée à interférer avec l'action principale. Concrètement, cela signifie que les projets (« intérêts ») des uns ne peuvent aboutir qu'au détriment des projets des autres. L'intrigue d'une tragédie pour Corneille, c'est donc ce qui permet de mettre en relation les deux projets, et l'unité d'action s'entend comme unification des deux actions.

73. *Poétique*, 9, 51 b 35-37 : « j'appelle "histoire à épisodes" celle où les épisodes s'enchaînent sans vraisemblance ni nécessité. Les mauvais poètes composent ce genre d'œuvres parce qu'ils sont ce qu'ils sont, les bons à cause des acteurs ; en effet, comme ils composent des pièces de concours, ils étirent souvent l'histoire au mépris de sa capacité et ainsi ils sont forcés de distordre la suite des faits » (éd. cit., p. 67). L'épisode de l'Infante dans *Le Cid* a été

sévèrement jugé lors de la querelle (Document 10) : Corneille reconnaît nettement que l'amour de l'Infante pour
Rodrigue est un mauvais épisode, au sens où il n'entre
jamais en concurrence avec l'amour de Chimène et
Rodrigue et ne sert pas vraiment le déroulement de l'action.
Et il nous laisse seulement à décider s'il y eut là maladresse
de sa part ou concession à la Beauchâteau, qui créa le rôle...

74. Le terme de « catastrophe » ne coïncide pas exactement
avec l'acception moderne de « dénouement » et désigne ici,
comme chez les théoriciens contemporains de Corneille,
l'événement qui produit le dénouement. Voir l'abbé
d'Aubignac, très proche de Corneille sur la doctrine de la
catastrophe, Documents 47-49.

75. Corneille vise sans doute l'abbé d'Aubignac en proposant
ainsi une véritable « pratique du théâtre » (voir Présentation, p. 40 et p. 26-27).

Discours de la tragédie, et des moyens de la traiter, selon le vraisemblable ou le nécessaire

1. *Poétique*, 6, 49 b 24 *sq.* (Document 15). Après avoir évoqué
dans le précédent *Discours* les trois premières « utilités »
qu'admet le poème dramatique moderne (sentences, peinture des vices et vertus, triomphe de la vertu sur le vice ou
« force de l'exemple »), Corneille en vient à la question de
la catharsis sur laquelle le texte de la *Poétique* est particulièrement elliptique (voir éd. cit., p. 188 *sq.*). Rappelons
d'abord l'interprétation qui prévaut aujourd'hui de la
catharsis aristotélicienne : la tragédie n'a pas pour fin de
« corriger » les vices ; elle suscite par la représentation
d'actions humaines ces passions spécifiques que sont la
crainte et la pitié, mais sous une forme épurée qui s'accompagne d'un plaisir esthétique. Corneille traduit rigoureusement « purgation de *semblables* passions » (ces passions
que sont la pitié et la crainte) et non pas simplement « purgation des passions » (soit de *toutes* les passions
humaines) ; Corneille n'était pas le premier à restreindre
ainsi le champ d'application de la catharsis en regard de
l'interprétation moralisante qui prévalait depuis la Renaissance et qui restait animée par un « imaginaire médical » :
le poète Jean-François Sarasin avait formulé la même
remarque dès 1639, dans son *Discours de la tragédie ou*

*Remarques sur l'*Amour tyrannique *de M. de Scudéry,* *Œuvres* de J.-F. Sarasin, éd. P. Festugière, Champion, 1926, t. II, p. 4-6), sans en tirer toutefois toutes les conséquences. Car l'essentiel est bien pour Corneille d'éradiquer toute interprétation moralisante ; mais, si cette première traduction manifeste une réelle intelligence du texte aristotélicien, elle ne sera jamais exploitée dans la suite du *Discours*. On peut supposer que l'idée d'une transformation des émotions tragiques en plaisir esthétique allait de soi pour Corneille, qui plaçait explicitement le plaisir au centre de son système dès l'ouverture du premier *Discours*.

2. Aristote, *Politique*, VIII, 7, 1341 b 35 *sq.* : « Quant à ce que nous entendons par *katharsis*, nous en parlons pour l'instant en général, mais nous en retraiterons plus clairement dans notre traité sur la poétique. » (trad. P. Pellegrin, « GF-Flammarion », 1990, p. 542). Ce renvoi peut laisser supposer qu'un traitement systématique de la question figurait dans la partie de la *Poétique* qui ne nous est pas parvenue. Le passage de la *Politique* traite seulement de la catharsis musicale (l'effet de certaines musiques sur l'âme des auditeurs).

3. Corneille isole cette définition de la pitié et de la crainte d'un long passage du chapitre 13 de la *Poétique* où Aristote distingue les différentes catégories de « renversement » (passage du bonheur au malheur ou du malheur au bonheur) en fonction du statut éthique du personnage principal. *Poétique*, 13, 52 b 30 – 53 a 12 : « C'est un point acquis que la structure de la tragédie la plus belle doit être complexe et non pas simple, et que cette tragédie doit représenter des faits qui éveillent la frayeur et la pitié (c'est le propre de ce genre de représentation). Il est donc évident, tout d'abord, qu'on ne doit pas voir des justes passer du bonheur au malheur – cela n'éveille pas la frayeur ni la pitié, mais la répulsion [*miaron*] – ; ni des méchants passer du malheur au bonheur – c'est ce qu'il y a là de plus étranger au tragique [*atragôidotaton*], puisque aucune des conditions requises n'est remplie : on n'éveille ni le sens de l'humain [*philanthrôpon*], ni la pitié, ni la frayeur – ; il ne faut pas non plus qu'un homme foncièrement méchant tombe du bonheur dans le malheur : ce genre de structure pourrait bien éveiller le sens de l'humain, mais certainement pas la frayeur ni la pitié ; car l'une – la pitié – s'adresse à l'homme qui n'a pas mérité son malheur, l'autre – la frayeur – au malheur d'un semblable [*homoion*], si bien que

ce cas ne pourra éveiller ni la pitié ni la frayeur. Reste donc le cas intermédiaire [*ho metaxu*]. C'est celui d'un homme qui, sans atteindre à l'excellence dans l'ordre de la vertu et de la justice, doit, non au vice et à la méchanceté, mais à quelque faute [*hamartia*] de tomber dans le malheur – un homme parmi ceux qui jouissent d'un grand renom et d'un grand bonheur, tels Œdipe, Thyeste et les membres illustres de familles de ce genre » (éd. cit., p. 77). Démembrée, cette citation offre à Corneille une trame pour le début de ce *Discours* (p. 95 à 105).

4. Comme la plupart des commentateurs des XVIe et XVIIe siècles, Corneille entre dans une explication à la fois logique et psychologique du processus cathartique, étrangère dans son principe même à la *Poétique* aristotélicienne. Le caractère abrupt du passage témoigne peut-être de la désinvolture et de l'embarras du dramaturge, pressé d'en venir à un examen pratique de l'efficacité dramatique des différentes catégories de renversement que le passage du chapitre 13 expose (et dont les définitions de la frayeur et de la pitié sont *seulement* dérivées). La vérification « sur pièces » du processus cathartique ainsi défini (voir notamment l'analyse du *Cid*, p. 99) amène ensuite Corneille à mettre en doute la vertu cathartique des pièces qu'Aristote cite en exemple, puis le principe même d'une catharsis tragique.

5. Voir Présentation, p. 27-28. Il était usuel chez les théoriciens italiens de la seconde moitié du XVIe siècle de procéder ainsi à un catalogue des interprétations de la catharsis avant d'en proposer une nouvelle.

6. On peut s'étonner à la fois de l'interprétation de P. Beni et de la place que Corneille accorde à sa réfutation : le débat sur le sens à donner à « nos semblables » dans le texte aristotélicien s'explique assez largement par la prégnance de la conception, héritée de la Renaissance, de la tragédie comme « miroir du Prince », soit un discours politique et moral destiné à édifier les Grands. Corneille répond en deux temps : les rois sont des hommes (et des spectateurs) comme les autres ; la tragédie peut en théorie mettre en scène les malheurs d'hommes du commun, pour peu que ces infortunes soient « extraordinaires ».

7. Cette réflexion sur le public est propre à Corneille, qui justifie ainsi d'avance la définition du personnage tragique, tout en mettant un point final à la discussion sur les « sem-

blables » (voir premier *Discours*, p. 81-82) : ni parfaitement vertueux ni complètement méchant, le spectateur est éthiquement *semblable* au personnage tragique idéal tel qu'Aristote le définit.

8. Au sortir du théâtre et dans la mémoire du spectateur, le sentiment de colère contre le persécutant prévaut finalement sur la pitié pour le persécuté ; la tragédie manque ainsi son effet propre. C'est le défaut d'un sujet comme celui d'*Iphigénie à Aulis* (« à moins que d'être bien ménagé », voir ci-dessous, p. 175, n. 28 ; p. 178, n. 35 et n. 36) : l'horreur que suscite dans l'esprit du spectateur le dessein d'Agamemnon prend le pas sur la pitié qu'inspire la jeune fille promise au sacrifice.

9. La deuxième partie de la phrase (depuis « mais il ne peut pas même nous toucher... ») est introduite par Corneille, sans doute pour gloser l'expression « on n'éveille [pas] le sens de l'humain [*philanthrôpon*] » comprise au sens de *sympathie*. C'est l'occasion aussi de mettre à nouveau l'accent sur l'attachement privilégié du public au « premier acteur ».

10. L'avantage du nombre : Laïos était accompagné de deux serviteurs. L'incompréhension de la « faute » imputable à Œdipe explique les choix opérés par Corneille dans sa propre récriture (1659) : pour légitimer le châtiment, il fallait mettre en avant la dimension politique d'un crime qui est aussi un régicide, en d'autres termes : lier tragédie de l'identité et tragédie de l'usurpation. Corneille revient à deux reprises dans ce même *Discours* sur la problématique leçon morale que l'on peut tirer du destin d'Œdipe (p. 103) et sur le type de pitié que suscite ce sujet (p. 110).

11. La suggestion de Corneille qui vise à ôter à *hamarthèma* son sens moral est philologiquement recevable. Le mot dérive du verbe *hamartano*, dont le sens n'est pas en effet immédiatement moral : il signifie d'abord « manquer le but, la cible » (voir *Iliade*, V, 287, éd. E. Lasserre, « GF-Flammarion », p. 93), mais aussi « se tromper de chemin », et par suite « s'éloigner de la vérité, se méprendre ». Voir S. Saïd, *La Faute tragique*, Paris, Maspéro, 1978.

12. Nouvelle allusion à la pièce de Sénèque (voir premier *Discours*, p. 69). L'« inceste » de Thyeste n'a pas le caractère monstrueux de celui d'Œdipe : il s'agit de sa relation adultère avec Érope, femme de son frère Atrée. Dans les pages

qui suivent, Corneille traque avec une honnête application
– et une indépendance d'esprit que nul ne s'était publique-
ment permise avant lui – la leçon morale des sujets antiques
privilégiés par Aristote, en épousant donc une interprétation
moralisante de la catharsis comme purgation de toutes les
passions. L'accumulation des exemples, loin de justifier
cette interprétation extensive, conduit au scepticime sur le
principe même de la catharsis.

13. Corneille s'autorise du succès du *Cid* pour asseoir son interprétation de la catharsis dont on voit bien ici qu'elle dissocie fermement la crainte de la pitié : parce que les deux
protagonistes sont *nos semblables* (ni méchants, ni parfaits,
ils sont comme nous sujets aux passions), et qu'on les voit
passer du bonheur au malheur par le seul jeu des passions,
on éprouvera nécessairement pour eux de la compassion
(les larmes en sont, dans le temps de la représentation, le
signe visible) ; on peut postuler que cette pitié doit logiquement induire, par retour du spectateur sur lui-même au
sortir de la représentation, un sentiment de crainte (crainte
de « tomber » dans un malheur « pareil » à celui survenu à
deux personnages qui nous ressemblent) et en conséquence
le désir d'éviter à l'avenir de s'abandonner à la passion
qu'on a vu causer un tel malheur (en quoi le spectacle
« purge » ladite passion). Il reste que ce mouvement de
retour sur soi du spectateur est renvoyé au « secret » de la
conscience de chacun, si bien que l'effet cathartique de la
crainte demeure en pratique invérifiable. Corneille ne songe
ici qu'aux sentiments éprouvés par le spectateur, pendant
et après la représentation à l'égard des personnages principaux ; plus loin, il envisagera le cas des personnages
secondaires qui, de leur côté, peuvent bien susciter, dans le
temps de la représentation, un sentiment de crainte, mais
cet effet demeure précisément secondaire (p. 102).

14. Platon, *République*, X, 606 a, b (éd. R. Baccou, « GF-Flammarion », 1966, p. 371). C'est en réalité pour deux raisons,
l'une ontologique et l'autre morale, que les poètes tragiques
se trouvent bannis de la Cité : comme l'ensemble des poètes
dramatiques, ils ont recours à l'imitation (simulacre dégradé
d'une réalité qui est déjà un simulacre du monde des
Idées) ; et loin de corriger les passions, ils nous font admi-
rer des héros en proie aux passions les plus condamnables.

15. Voir premier *Discours*, p. 69-70.

16. On a vu que pour Corneille, même *Œdipe* ne remplit pas les conditions requises ; sans doute conscient de cette inadéquation entre le principe de la catharsis et l'archétype de la tragédie pour Aristote, Robortello n'allait pas, cependant, jusqu'à élever *Œdipe* au rang de contre-exemple.

17. Le « fruit » qui peut naître de ces tragédies ne tient pas à la purgation d'une quelconque passion mauvaise mais au pur plaisir du pathétique et à l'exemplarité d'un dénouement qui assure le triomphe de la vertu.

18. Le passage a de quoi surprendre, si l'on se souvient de l'incompréhension manifestée par Corneille à l'égard de la vertu cathartique des sujets antiques d'*Œdipe* et de *Thyeste*, dont on voit mal « quelle passion ils nous donnent à purger », attendu que les deux protagonistes ne sont coupables d'aucune faute consciente ni d'aucun dessein criminel. Mais s'agissant de sa *Cléopâtre*, qui agit en connaissance de cause, le dramaturge peut prolonger l'effort du premier *Discours* (p. 78-79). Personnage tragique exemplaire, Cléopâtre suscite trois types d'émotions chez le spectateur : « en même temps qu'on déteste ses actions, on admire la source dont elles partent » (c'est la « grandeur », *khrèstos*, du personnage) ; enfin, le spectateur (ou, plus rigoureusement, les spectatrices en tant qu'elles sont mères ou futures mères !) éprouve de la crainte « à proportion » de la méchanceté dont il est lui-même capable (en quoi Cléopâtre, dans ses excès, est *homoios*, soit notre semblable).

19. Cet « accommodement » avec Aristote sur un point essentiel est en réalité un acte d'émancipation assez radical : en dissociant la pitié et la crainte, Corneille réduit la catharsis au mouvement, en pratique invérifiable, de retour sur soi du spectateur dont la crainte est le seul ressort. Un nouveau renvoi au *Cid* vient expliciter deux corollaires : la pitié est désormais pensée comme émotion seulement esthétique, la crainte comme ressort moral ; la pitié qualifie la relation (de sympathie) du spectateur au(x) « premier(s) acteur(s) », quand la crainte intéresse le rapport (d'exemplarité) qui s'instaure entre le public et le personnage secondaire du « méchant » (l'opposant, généralement châtié au dénouement). Les exemples suivants (*Rodogune*, *Nicomède* et *Héraclius*) révèlent en outre que l'émotion pathétique et le ressort moral de la crainte peuvent coexister dans une même pièce, mais qu'elles sont distribuées sur différents personnages. Le théâtre de Corneille, du moins dans la lecture qu'en donne ici le dramaturge, ne compte pas de person-

nage principal qui susciterait tout à la fois et tout du long crainte et pitié. Le contexte (développement sur la dernière « utilité » de la tragédie) ne permet pas à Corneille d'envisager la crainte « esthétique » (celle que peut éprouver le spectateur face à un personnage présenté comme vertueux qui se trouve engagé dans un péril de mort) pourtant essentielle à sa dramaturgie, même si l'ensemble des effets « tragiques » se trouvera finalement plus loin rassemblé sous le terme unique de pitié.

20. En résumé, le héros cornélien suscite d'autant mieux la pitié qu'il est innocent (voir G. Forestier, *Essai de génétique théâtrale*, *op. cit.*, chap. IV, p. 215 *sq.* et chap. V, p. 271 *sq.*). Pour cette raison, il ne peut éveiller la crainte « purgative » (au sens d'un retour sur soi du spectateur face à une faute dont il serait lui-même, et toute proportion gardée, capable) ; s'il y a crainte, c'est toujours face au personnage secondaire, lequel peut éventuellement, comme dans l'exemple d'Auguste, susciter la pitié. Le traitement du personnage dans *Cinna* illustre en effet cette concurrence d'effets : Auguste est l'objet de deux représentations antithétiques (le personnage suscite la crainte dès lors qu'il donne à méditer le sort possible de ceux dont la conduite est dictée par le goût du pouvoir ; il éveille la pitié dans la mesure où le « tyran » s'est amendé et où il risque d'être victime de son image passée – et on éprouvera crainte et pitié « mêlées », si l'on voit en lui, à un plus haut degré de généralité, l'exemple d'un homme rattrapé par son passé).

21. C'est précisément ce qu'Aristote ne dit jamais, et ce sur quoi Corneille se sépare de lui en feignant ici de s'autoriser de la *Poétique* dans un raisonnement spécieux (faire dire par Aristote, en italiques, quelque chose qu'il ne dit jamais, en reconnaissant qu'en effet il ne le dit pas, pour s'autoriser ensuite à poser la thèse *a contrario* comme si celle-ci était nécessairement aristotélicienne).

22. Aux yeux du seul Corneille, et conformément à la doctrine qu'il vient d'exposer. Les réflexions qui suivent ne sont que des concessions destinées à appuyer le bien-fondé de sa position (comment accepter de croire vraiment que la leçon du mythe réside dans une mise en garde contre les effets pernicieux de la « curiosité de savoir l'avenir » ? Cette leçon est en outre doublement marginale : rattachée à des personnages secondaires, elle porte sur la préhistoire du sujet).

23. Pitié parce que Placide ne peut épouser celle qu'il aime, et crainte parce que, par l'excès de son amour, il condamne indirectement Théodore à la mort. Quant à Rodrigue, Corneille a déjà fait valoir le pathétique d'un personnage décidément « à plaindre », tout en restant sceptique sur l'aptitude du rôle à « purger en nous ce trop d'amour qui cause [son] infortune » (p. 99).

24. Pitié pour Antiochus, crainte de commettre (*mutatis mutandis*) des actes aussi criminels que ceux que Cléopâtre envisage de commettre.

25. Constamment menacé, Polyeucte est absolument innocent.

26. Sans la pitié, la crainte risque de se confondre avec un sentiment d'horreur, que Corneille comme Aristote a condamné (le *miaron*, p. 98) – et ce quelle que soit la forme que revêt la crainte (la faute que nous pouvons craindre de commettre en nous abandonnant à une passion coupable, du simple « orgueil envieux » de Don Gormas à la folle « avidité » de Cléopâtre).

27. Au terme de ce développement, la question de la catharsis se trouve définitivement circonscrite et à vrai dire repoussée aux marges du système cornélien. On doit admettre désormais que l'émotion *esthétique* spécifiquement tragique réside dans la seule pitié, l'effet moral produit par la crainte demeurant secondaire. Corneille peut donc s'attacher exclusivement, dans la suite du *Discours*, aux différents ressorts du pathétique.

28. Les principes établis auparavant permettent très logiquement à Corneille de réintégrer deux catégories de « renversement » écartées par Aristote, qu'on ne peut bien comprendre qu'en suppléant aux « raisons » sur lesquelles le dramaturge ne donne guère de détails et que des exemples viennent ensuite expliciter : dans le cas d'un innocent, si « l'infortune » est finalement évitée au dénouement, la pitié suscitée par ce « premier acteur » peut prendre le pas sur l'« indignation » excitée par les agissements d'un personnage secondaire qui restent ainsi à l'état de projet (c'est le sujet d'*Iphigénie* « bien ménagé », ou plutôt celui de *Nicomède*) ; dans le cas où le persécuté périt finalement, la pitié peut toutefois s'imposer sur la crainte si le persécutant est plus faible que véritablement méchant (Félix dans *Polyeucte*) ; le cas d'un méchant qui mérite son malheur suscite efficacement la crainte, à condition toute-

fois qu'il soit, par quelque côté, semblable à nous. Ce dernier cas ne saurait constituer pour Corneille l'armature d'un
authentique sujet tragique : ce type de renversement ne peut
intéresser que le destin d'un « second acteur ». Les
exemples empruntés par Corneille à son propre théâtre lui
permettent d'illustrer la possibilité de combiner les deux
catégories de renversements pour créer des catégories
modernes de sujets.

29. Corneille ne s'intéresse plus aux « premiers acteurs » (les
persécutés), dont il faut admettre qu'ils suscitent toujours
(et exclusivement, à la réserve peut-être de Rodrigue et de
Placide) la pitié, et promeut deux catégories de sujets selon
que le(s) personnage(s) secondaire(s) (les persécutants) sont
aptes à susciter l'indignation et la crainte seules (Cléopâtre,
Phocas) ou crainte et pitié ensemble (Félix, Prusias,
Valens).

30. C'est ici la première condition du « sublime » cornélien,
introduit implicitement par l'adverbe « merveilleusement »
(voir ci-dessous, n. 31). – *Poétique*, 14, 53 b 14-21 :
« Voyons donc parmi les événements lesquels sont
effrayants et lesquels pitoyables. Les actions ainsi qualifiées
doivent nécessairement être celles de personnes entre lesquelles existe une relation d'alliance, d'hostilité ou de neutralité. S'il y a hostilité réciproque, ce que l'un fait ou veut
faire à l'autre, ne suscite aucune pitié, si ce n'est par la
violence même ; pas davantage s'il y a neutralité ; mais le
surgissement de violences au cœur des alliances – comme
un meurtre ou un autre acte de ce genre accompli ou projeté
par le frère contre le frère, par le fils contre le père, par la
mère contre le fils ou le fils contre la mère –, voilà ce qu'il
faut rechercher » (éd. cit., p. 81). Corneille glose avec pré-
cision les raisons de l'inefficacité pathétique des deux premiers types d'action et, citant visiblement de mémoire, il
modifie les exemples de violences « entre proches » ; alors
qu'Aristote songe sans doute à des sujets comme ceux des
Sept contre Thèbes, *Œdipe*, *Médée* et *Electre*, Corneille renvoie pour les deux dernières catégories à son propre théâtre
(sa *Médée* et *Horace*) et pour la première sans doute à la
Mariane de Tristan (déjà citée dans le premier *Discours*,
p. 92). Voir Avis au lecteur d'*Héraclius* (1647), où le passage d'Aristote est traduit différemment (Document 31), et
G. Forestier, *Essai de génétique théâtrale*, *op. cit.*, p. 110-
111.

31. L'introduction du terme de « sublime » signale que Corneille est bien en train de fonder une nouvelle échelle de valeur esthétique (qui remet en question le principe même de la tripartition des styles et des genres), au sommet de laquelle il place la violence d'un conflit extraordinaire transmuée en « ravissement » (voir G. Forestier, *Essai de génétique théâtrale*, *op. cit.*, p. 274 *sq.*) ; c'est ce même terme qui autorise ensuite le renversement de la hiérarchie aristotélicienne de sujets (p. 108). La traduction par Boileau du *Traité du sublime* du pseudo-Longin (1674) placera la notion au cœur des débats littéraires pour tout le dernier tiers du siècle et le début du siècle suivant.

32. Comprenons que Corneille nous donne à choisir entre les qualificatifs de « sublime » (pour celles qui réunissent toutes les conditions : pitié et crainte suscitées par le moyen d'un premier acteur, surgissement de la violence au sein des alliances) ou de « parfaite » (pour celles qui remplissent l'une au moins de ces conditions) pour chacune de ses tragédies ; encore est-on prié, dans le second cas, d'en bien examiner les vers et les ornements extrapoétiques.

33. *Poétique*, 14, 53 b 27-54 a 9 : Document 16. Si certains exemples allégués par Aristote sont aisément identifiables, nombre d'entre eux proviennent de pièces perdues. Parmi elles, un *Ulysse blessé* de Sophocle (?) et *Chresphonte* d'Euripide.

34. La promotion, au nom d'exemples modernes, de la combinaison écartée par Aristote s'accompagne d'une recomposition de la hiérarchie des autres catégories (et du canon des pièces grecques). La première selon Aristote (celle où la reconnaissance empêche le meurtre) est reléguée au quatrième rang, parce qu'elle ne produit pas véritablement la pitié (le pire est évité suffisamment tôt pour ne susciter chez le spectateur que soulagement). Il apparaît ensuite que ce jeu de quilles est surtout destiné à confronter, sur le plan du pathétique, la combinaison moderne ou cornélienne (connaître, entreprendre et n'achever pas) et celle qui, aux yeux d'Aristote, faisait la force d'*Œdipe* (reconnaissance après coup). On soulignera cependant deux difficultés : l'une chez Corneille lui-même qui passe complètement sous silence la « troisième espèce » aristotélicienne (Médée tuant ses propres enfants), peut-être parce que de tels sujets ne sont tout simplement plus recevables au XVIIᵉ siècle, certainement parce que sont désormais écartés les « premiers acteurs » qui susciteraient indignation et nulle pitié (Médée

n'est pas Cléopâtre) ; l'autre dans le texte de la *Poétique*
qui rattache ici le sujet d'*Œdipe* à la « deuxième espèce »
alors qu'il fait partout ailleurs de la pièce de Sophocle
l'archétype de la tragédie (voir notre tableau, Document 17).

35. On peut se demander pourquoi Corneille se refuse à convoquer le sujet d'*Iphigénie en Tauride* comme archétype de
cette catégorie au profit d'un sujet pour lequel il ne donne
pas d'exemple. On peut toutefois songer, avec G. Forestier
(*Esthétique de l'identité dans le théâtre français*, Genève,
Droz, 1988, p. 53, 143 et 371), au *Jugement équitable de
Charles le Hardi, dernier duc de Bourgogne*, tragédie
d'André Mareschal représentée en 1643, dans laquelle un
père (le personnage éponyme) reconnaît, sous les traits d'un
grand criminel qu'il s'apprête à mettre à mort, son propre
fils. L'exemple correspond cependant imparfaitement au
schéma défini par Corneille, dans la mesure où la reconnaissance n'évite pas l'accomplissement de l'acte violent
(le fils est tué) et où le fils n'est, de toute façon, pas digne
de commisération. On peut également penser que Corneille
anticipe sur le développement qu'il consacre à *La Mort de
Crispe* de Ghirardelli (un père tue son fils et le reconnaît
après coup).

36. On voit mieux maintenant ce que Corneille reproche au
modèle de l'*Œdipe* de Sophocle et à celui d'*Iphigénie en
Tauride* : dans les deux cas, la scène de la reconnaissance
condense, à la fin de la pièce, l'essentiel du pathétique. Le
dramaturge se montre ici plus soucieux que le poéticien de
la *durée* dramatique et de la nécessité de produire un
« pathétique continu » (G. Forestier, *Essai de génétique
théâtrale, op. cit.*, p. 333-334) pour maintenir l'attention du
public dans une « agréable suspension ». En introduisant,
dans son propre *Œdipe*, le personnage épisodique de Dircé,
Corneille se donne l'occasion de confronter le pathétique
aristotélicien de l'agnition et le pathétique continu spécifique à sa dramaturgie qui passe ici par les réinterprétations
successives de l'oracle réclamant un sacrifice, chacun des
protagonistes (Dircé, Thésée et *in fine* Œdipe) occupant tour
à tour la place de la victime expiatoire. On notera toutefois
que le parallèle implicite entre Dircé d'un côté, Chimène
et Antiochus de l'autre, tient du coup de force (mais l'occasion était trop belle) : si le personnage épisodique est bien
dans *Œdipe* le vecteur du pathétique « cornélien », il ne
relève pas du schéma qui a la préférence de Corneille pour

la tragédie (« ceux qui connaissent, entreprennent, et n'achèvent pas » en dépit qu'ils en aient) mais bien davantage de la configuration de la comédie héroïque (premier *Discours*, p. 73). Voir B. Louvat et M. Escola, « Le complexe de Dircé. Le statut de l'épisode dans la tragédie classique », *XVIIe Siècle*, 220, 1998, p. 453-470.

37. Ghirardelli (1623-1653), auteur de deux tragédies, un *Othon* (1652) et *Il Constantino* (1653) que Corneille nomme *La Mort de Crispe*. C'est ici la seule fois que Corneille mentionne explicitement le nom d'un auteur moderne et il importe de bien voir pourquoi. Le sujet de Crispe, pendant chrétien de celui d'*Hippolyte*, et souvent porté à la scène (ci-dessous, n. 38), peut être ainsi résumé : Fauste, épouse de l'empereur Constantin, tente de séduire Crispe, le fils de ce dernier ; Crispe ayant refusé ses avances avec horreur, elle l'accuse auprès de son époux ; après avoir envoyé son fils à la mort, Constantin fait assassiner son épouse (voir P. Bénichou, *L'Écrivain et ses travaux*, J. Corti, 1967, p. 291 *sq.*). Corneille propose ici une analyse critique de la pièce de Ghirardelli qui, en même temps qu'elle manifeste la préférence du dramaturge français pour le traitement traditionnel du sujet (le travestissement d'identité est une innovation du seul Ghirardelli, dont la pièce constitue une sorte d'hapax dans les différentes versions du sujet), confine à la récriture ; or, récrire *La Mort de Chrispe*, c'est démontrer, sur un texte sans « autorité », l'infériorité du schéma aristotélicien auquel l'Italien avait conformé le sujet. Face à la configuration d'un père qui « veut perdre son fils sans le connaître » (qu'il le reconnaisse suffisamment tôt pour l'épargner, ou que l'agnition ait lieu après coup), Corneille projette son propre schéma (l'affrontement « à visage découvert ») : une mère poursuit ses enfants (une maîtresse son amant) en connaissance de cause et en est « empêché[e] par quelque puissance supérieure ou quelque changement de fortune ».

38. Bernardino Stefonio (1560-1620), membre de la Compagnie de Jésus et auteur d'un *Crispus* publié en 1609 (et représenté en 1597). Cette tragédie écrite en latin fut la première d'une longue série d'adaptations, parmi lesquelles *L'Innocent malheureux ou la Mort de Crispe* de Grenaille (1639) et *La Mort de Chrispe* de Tristan L'Hermite (1645).

39. Cette double question sur l'*inventio*, qui occupe la fin de la première partie du *Discours* jusqu'à l'examen du vraisemblable et du nécessaire (p. 119), est commandée par le

chapitre 14 de la *Poétique*, mais aussi logiquement amenée par la promotion du principe d'un affrontement « à visage découvert » (si le pathétique moderne doit être continu et s'il faut préserver l'innocence du premier acteur, il est évident qu'il faut aménager bien des sujets reçus).

40. Au tout début du premier *Discours* (p. 64), où se trouvait déjà cité le chapitre 14 de la *Poétique* dont Corneille contamine ici deux passages : la fin du chapitre (« comme ce n'est pas à la connaissance de l'art [*tekhnè*], mais au hasard [*tukhè*] que les poètes doivent d'avoir, en cherchant, trouvé de telles combinaisons pour leurs histoires, ils sont forcés de retomber sur les maisons auxquelles est échu ce genre de violences », éd. cit., p. 83) et le passage consacré au traitement des « histoires traditionnelles » [*pareilèmmenoi muthoi*] ou « transmises » [*paradedomenoi*] (53 b 25-26) : « Sans doute n'est-il pas loisible de défaire les histoires traditionnelles – disons, par exemple, Clytemnestre mourant de la main d'Oreste, ou Ériphyle de la main d'Alcméon –, mais les histoires transmises aussi, le poète doit chercher le moyen de les traiter bien » (éd. cit., p. 83). Les deux exemples sont convoqués plus loin (p. 115). En outre, dans la proposition qu'il présente comme une traduction, Corneille a visiblement en tête certaines propositions qui figurent dans d'autres chapitres et où Aristote *semble* admettre la possibilité d'inventer des sujets. Ainsi aux chapitres 9 (51 b 21 : « il ne faut pas vouloir à tout prix s'en tenir aux histoires traditionnelles qui forment le sujet de nos tragédies », éd. cit., p. 67) et 17 (55 a 34 *sq.* : « Que les sujets soient déjà formés ou que le poète les forme lui-même, il faut esquisser d'abord un schéma général... », éd. cit., p. 93).

41. La réduction du nombre des « espèces de tragédies » de quatre (p. 107) à trois s'explique, au paragraphe suivant, par le rapprochement des deux catégories reposant sur un affrontement « à visage découvert » : 1. on connaît, on entreprend et on achève l'action criminelle (sujet de *Médée*) ; 2. on connaît, on entreprend et on est empêché d'achever (sujet du *Cid*). Voir Document 17.

42. Puisqu'il faut admettre, selon Corneille, qu'Aristote donne aux poètes la liberté d'inventer certains sujets...

43. De telles entreprises, parce qu'elles sont contre nature, ont un caractère tellement extraordinaire qu'elles ont besoin de la caution de l'Histoire ou de la Fable : c'est donc en tant

qu'ils ont eu lieu que les événements représentés seront vrai-semblables (voir ci-dessous, p. 124-125). Si l'action princi-pale de ce type de sujet ne peut pas être inventée, le poète a néanmoins toute liberté quant à la façon d'« acheminer » cette action vers son dénouement (connu) par des « épi-sodes » (action secondaire et motivations des personnages principaux), comme Corneille le précise très vite (p. 115-116).

44. L'exemple d'*Œdipe* et peut-être celui de *Venceslas* de Rotrou (1647) – où Ladislas, fils du roi Venceslas, recon-naît son frère Alexandre après l'avoir tué –, sont envisagés par Corneille comme relevant de la « vraisemblance », mais d'une vraisemblance « extraordinaire » (quoique rare, le fait n'a, en soi, rien d'impossible). En droit, rien n'interdit donc au poète d'inventer de telles matrices ; en pratique, cette liberté est bornée par la capacité du public à adhérer à des sujets extraordinaires qui n'auraient pas la caution de l'Histoire ou du mythe.

45. Corneille commet ici une erreur que la fin du troisième *Discours* vient corriger dès 1660 : l'exemple de Thésée ne relève pas de la « seconde espèce », mais bien de la troi-sième (*Iphigénie en Tauride*). La « précipitation » qu'il confesse (p. 152) n'est sans doute pas la seule raison de cette confusion. Le dramaturge en quête d'exemples mytho-logiques associe un peu rapidement deux figures qu'il a *effectivement* rapprochées dans son propre *Œdipe*, en intro-duisant Thésée pour former avec Dircé le couple des per-sonnages épisodiques... Dès 1663, l'allusion à Thésée est supprimée, et le passage transporté à sa place (p. 115, et var. b).

46. L'« autorité » d'un sujet emprunté à la mythologie vient cautionner l'invention locale d'épisodes, pourvu qu'ils soient « de même trempe », c'est-à-dire qu'ils relèvent eux aussi du merveilleux (inversement, les sujets historiques ne tolèrent pas d'épisodes merveilleux). Ainsi en va-t-il de l'oracle de Vénus placé au premier acte d'*Andromède* (1650) pour brouiller la prévisibilité de l'action (voir l'Argument et l'Examen de la pièce). Le sujet de Phaéton figure également dans les *Métamorphoses* d'Ovide (Livre II) ; Corneille songe peut-être à une tragédie à machines représentée au Marais, sans grand succès, lors de la saison théâtrale 1637-1638, *La Chute de Phaéton* de Jean-Baptiste L'Hermite (1610 ?-1667), frère de Tristan, et très lié aux milieux théâtraux et à la famille Béjart (il tint un rôle, avec

sa femme et sa fille, dans la reprise d'*Andromède* par la troupe de Molière en 1652-1654).

47. *Poétique*, 15, 54 a 37 – 54 b 8 (Document 46).

48. L'exemple vient démontrer, non sans humour, que ce principe d'homogénéité entre action principale et épisodes merveilleux, loin de relever de données simplement culturelles (l'intervention du merveilleux chrétien n'étant pas plus tolérable dans une pièce historique, eût-elle un sujet chrétien, que ne l'est le merveilleux païen), est devenu une nécessité proprement poétique. Elle se comprend d'autant mieux pour le dénouement, qui doit être tiré de l'intrigue elle-même (voir premier *Discours*, p. 73-75 et troisième *Discours*, p. 139).

49. Seuls les exemples d'épisodes merveilleux inadaptés se trouvent enveloppés sous le terme de « digression » : pour clore l'examen de la seconde espèce de tragédie, Corneille oppose ici encore à la possibilité théorique d'inventer de tels sujets (sur le modèle d'*Œdipe*) cette limite pratique, pour lui absolue, que constitue le « texte du spectateur », soit l'ensemble des déterminations qui conditionnent l'horizon d'attente du public. De fait, le théâtre du XVIIᵉ siècle semble ne pas offrir d'exemples de sujets de ce type qui soient purement inventés.

50. Vraisemblable psychologique fondé sur la croyance, générale à l'âge classique, en la « voix du sang » : placé face à celui qu'il doit faire périr, le persécutant se trouve physiquement troublé et du même coup empêché d'agir, et c'est ce trouble qui le met sur la voie de la reconnaissance des liens de parenté.

51. C'est ici que prend place, à partir de l'édition de 1663, l'exemple de Thésée (cf. p. 113, et n. 45). Pour Corneille, seuls semblent dignes de mémoire deux types d'événements : les affrontements à visage découvert entre proches (que le meurtre soit ou non accompli) ; les cas où la reconnaissance a lieu après coup. La troisième espèce se trouve *de facto* doublement dévaluée : avant la reconnaissance, l'affrontement est ordinaire, comme lorsqu'un ennemi veut tuer un ennemi ; et quand elle a lieu, la reconnaissance empêche que la violence ne devienne effective.

52. Avant Racine, Corneille élève logiquement les « larmes » au rang de véritable *criterium* esthétique, après avoir hiérarchisé les sujets tragiques en fonction du sublime, et subs-

titué au couple traditionnel de la crainte et de la pitié le seul pathétique. Et il souligne une dernière fois l'infériorité, en termes de pathétique, du schéma auquel la hiérarchie aristotélicienne accordait la première place (voir Documents 16 et 17). Cette « agréable suspension », degré zéro du pathétique, s'accompagne de la « trépidation intérieure » déjà évoquée (p. 109), qui porte le spectateur à craindre que le persécuté périsse avant d'être reconnu.

53. *Poétique*, 14, 53 b 25. C'est ici un fragment issu du démembrement que Corneille a fait subir au passage. Voir ci-dessus, p. 111-112 et n. 40.

54. Corneille déplace de façon magistrale les termes classiques du débat entre fidélité et invention : au lieu de trancher ce débat de manière théorique, il l'ente sur une réflexion strictement rhétorique. Entre ce que le spectateur peut savoir et ce qu'il peut accepter de croire, il y a du *jeu*, et c'est précisément ce jeu qui définit l'espace de l'écriture dramatique. Inventer les circonstances que l'Histoire n'a pas retenues, c'est motiver en profondeur (comme l'exemple de *Cinna* viendra l'illustrer, p. 123-124) l'action principale attestée par l'Histoire, qui crédibilise en retour les épisodes inventés.

55. L'exemple des deux *Électre* vient souligner, non sans audace, que l'invention des « circonstances » n'est pas propre aux seuls modernes (et à la tragédie historique) mais qu'elle forme l'essentiel de la création dramatique, pensée comme art de produire des « variantes ». Tout sujet (défini par l'action principale, c'est-à-dire essentiellement par son dénouement) est susceptible de plusieurs traitements (en fonction du biais par lequel le dramaturge choisit de rejoindre ce dénouement) qui sont autant de « variantes » de ce sujet, au sens que P. Bénichou a donné à ce terme (« Tradition et variantes en tragédie », *L'Écrivain et ses travaux, op. cit.*, p. 167-170).

56. *Art poétique*, v. 183 *sq.* (188 pour la citation en italiques) : « Il est bien des choses qu'on écartera des yeux [*multaque tolles ex oculis*] pour en confier ensuite le récit à l'éloquence d'un témoin. Que Médée n'égorge pas ses enfants devant le public, que l'abominable Atrée ne fasse pas cuire devant tous des chairs humaines, qu'on ne voie point Procné se changeant en oiseau ou Cadmus en serpent. *Tout ce que vous me montrez de cette sorte ne m'inspire qu'incrédulité et révolte* » (éd. cit., p. 212, nos italiques). Procné

et Cadmus figurent respectivement aux livres VI (667 *sq.*) et IV (569 *sq.*) des *Métamorphoses* d'Ovide (éd. cit., p. 174 et 126 *sq.*) ; Sophocle avait porté le premier à la scène dans son *Térée*, Euripide le second dans une pièce intitulée *Cadmus*, toutes deux perdues.

57. Voir l'Avis au lecteur et l'Examen de *Rodogune* (Documents 33 et 34), ainsi que les Avis et Examens d'*Héraclius* (Documents 31 et 32) et de *Nicomède* (Document 35).

58. Le traitement du sujet de *Nicomède* est commandé par deux exigences, l'une externe (les bienséances), l'autre interne (la constance du caractère du personnage, présenté dès le début comme « trop vertueux » pour être jamais criminel, voir premier *Discours*, p. 83).

59. Toujours *Poétique*, 14, 53 b 25 (pour la troisième fois).

60. Corneille amende désormais le dénouement de Sophocle avec la même liberté que celui d'un moderne (voir ci-dessus, sur *La Mort de Crispe* de Ghirardelli, p. 110-111). La récriture proposée ne laisse pas de faire songer à celle que formulait l'abbé d'Aubignac à propos du dénouement de l'*Horace* de Corneille (voir Document 29) ; mais on relira l'Examen de cette même pièce, en forme de réponse du berger à la bergère, où Corneille conteste la possibilité même d'un rapprochement entre la mort de Camille et celle de Clytemnestre (Document 45).

61. *Poétique*, 9, 51 a 36-38 : « Le rôle du poète est de dire non pas ce qui a eu lieu réellement, mais ce qui pourrait avoir lieu dans l'ordre du vraisemblable ou du nécessaire » (éd. cit., p. 65). Document 25.

62. Comme pour le couple formé par la crainte et la pitié (ci-dessus, p. 102-103), Corneille opère une dissociation entre le vraisemblable et le nécessaire (ce dernier toujours mentionné avec le premier chez Aristote), distinction à laquelle il donnera un peu plus bas un fondement philologique.

63. *Poétique*, 25, 60 b 9 *sq.*, pour la série des citations ; chapitre difficile que Corneille amende considérablement (Document 28). Le chapitre 25 n'est convoqué que pour révéler qu'Aristote admet (au moins implicitement) la possibilité théorique de s'écarter de la vraisemblance dans les deux cas suivants : lorsqu'on préfère le vrai (l'événement tel qu'il s'est effectivement passé) ou ce que dit l'opinion commune (les croyances partagées par le public).

64. La position de Corneille n'a pas changé sur le fond depuis la Querelle du *Cid*, même si la version de 1660 et plus encore l'Examen de la pièce manifestent des concessions aux « bienséances » rappelées en 1637 par Scudéry (Document 6). Voir aussi le tout début du premier *Discours* (p. 64) et l'Avis au lecteur d'*Héraclius*, où Corneille va jusqu'à affirmer que « le sujet d'une belle tragédie doit n'être pas vraisemblable » (Document 31).

65. Si l'on admet la possibilité de s'écarter de la vraisemblance pour satisfaire aux croyances (ainsi du merveilleux), à plus forte raison peut-on s'en affranchir au nom de la vérité historique. Corneille fait donc du vraisemblable une condition suffisante mais non nécessaire (si l'on ose dire) du succès auprès du public (« notre gloire ») : possibilité théorique qui n'enlève rien à l'efficacité pratique de la vraisemblance qui assure l'adhésion du public à la fiction.

66. Pour justifier la distinction de fond qu'il cherche à établir entre vraisemblable et nécessaire, Corneille surinterprète la conjonction disjonctive « ou » dont la valeur en langue est effectivement soit inclusive (*tarif réduit sur présentation d'une carte d'étudiant ou d'une carte vermeil*), soit exclusive (*fromage ou dessert*). Certes, comme le savait Corneille, « la relation exprimée par *ou* devient exclusive et asymétrique dans les énoncés dont le deuxième terme coordonné s'interprète comme une conséquence liée à la non-réalisation du premier. *Obéis, ou il t'en cuira* » (M. Riegel *et alii*, *Grammaire méthodique du français*, PUF, 1994, p. 526) ; mais on n'a pas vraiment à décider du statut inclusif ou exclusif de la conjonction dans le texte d'Aristote, qui offre toujours la « forme quasi figée *kata to eikos è to anankaion* qui fait figure d'expression presque technique » dans l'ensemble de la *Poétique* (éd. cit., p. 211). Vraisemblable et nécessaire sont en fait toujours associés parce que le premier représente une forme atténuée de la nécessité (*to eikos*, selon *Rhétorique*, I, 1357 a 34, c'est « ce qui se produit le plus fréquemment », ce à quoi on peut raisonnablement s'attendre – sans exclure tout à fait que cela ne se produise pas, en quoi ce qui se produit contre le vraisemblable peut encore être vraisemblable selon le célèbre paradoxe du chapitre 18 de la *Poétique*, que Corneille rappelle plus loin, p. 128).

67. Corneille distingue donc le plan de la *mimèsis* (les coordonnées de la fiction, indépendamment de l'intrigue : espace, temps et, accessoirement, nombre de personnages)

et celui du *muthos* (l'enchaînement des faits, la syntaxe de l'action). Le rapport entre vraisemblable et nécessaire s'entend différemment selon que l'on se situe sur l'un ou l'autre plan ; en conséquence, on aura deux extensions pour chacun des termes (unifiées dans les définitions synthétiques proposées par Corneille en italiques, p. 125 pour le vraisemblable, p. 129 pour le nécessaire). Sur le plan de la *mimèsis*, le nécessaire est pensé par défaut comme ce à quoi le dramaturge est tenu de se plier (les contraintes techniques de la représentation obligent parfois à s'émanciper de la stricte vraisemblance, entendue comme l'ensemble des conditions dans lesquelles il est « normal » qu'un événement se produise) ; sur le plan du *muthos* on doit préférer en revanche le nécessaire au vraisemblable : la liaison, « la manière dont une action est produite par une autre » est dite seulement « vraisemblable » quand un événement est la condition suffisante mais non nécessaire d'un autre (elle aurait pu avoir une tout autre conséquence), et « nécessaire » quand le rapport des deux est de stricte causalité (tel événement ne pouvait avoir d'autre conséquence). L'enchaînement nécessaire acquiert ainsi une dimension inexorable qui assure la crédibilité globale de la fiction en authentifiant les inventions locales du dramaturge (les « acheminements »).

68. Corneille profite de l'occasion pour souligner la difficile conciliation entre l'impératif de vraisemblance et le strict respect de l'unité de lieu, dont il n'a de cesse de dénoncer le caractère artificiel (voir troisième *Discours*, p. 148-151, et Document 56).

69. Réduire la tragédie au roman, c'est imaginer l'action débarrassée des contraintes spécifiquement théâtrales que sont la durée de la représentation (à la fois continue et fractionnable en cinq segments d'égale durée) et le lieu scénique (unique). Cette « réduction » ne permet pas exactement de distinguer circonstances vraisemblables et circonstances nécessaires de l'action, mais aide à apercevoir les cas où il faut, pour répondre aux contraintes dramatiques, délaisser la vraisemblance au profit du « nécessaire ». On soulignera ici l'originalité de la position de Corneille, qui rattache les règles du théâtre à ce que l'on nomme aujourd'hui la « convention » – et manifeste, dans le troisième *Discours*, un certain scepticisme à l'égard du fondement rationnel des règles.

70. Corneille n'affirme pas pour autant que le roman de son temps est tout entier régi par la vraisemblance. Il n'envisage ici que le cadre général de l'action et non l'enchaînement des actions (le rôle du hasard, etc.) ; il est d'autre part assez conscient du fait que le contrat de lecture romanesque est fondamentalement différent des conventions qu'un spectateur de théâtre est prêt à accepter (c'est même le sens général de tout ce paragraphe).

71. Au vrai, Corneille aurait pu se passer du terme de « nécessaire » dans cette réflexion sur les données extérieures de la fiction, où il n'est question que des assouplissements à apporter à la vraisemblance pour s'adapter aux contraintes de lieu et de temps (ce « nécessaire »-là mériterait mieux le nom de « vraisemblable élargi » ou théâtral, ou mieux encore de « convention », concept auquel la doctrine classique, telle qu'élaborée par Chapelain et radicalisée par d'Aubignac, ne pouvait faire aucune place). La distinction des deux termes sera en revanche capitale dans l'exposé sur la syntaxe de l'action.

72. « Pour le lieu, bien que l'unité y soit exacte, elle n'est pas sans quelque contrainte. Il est constant qu'Horace et Curiace n'ont point de raison de se séparer du reste de la famille pour commencer le second Acte, et c'est une adresse de Théâtre de n'en donner aucune, quand on n'en peut donner de bonnes. L'attachement de l'Auditeur à l'action présente souvent ne lui permet pas de descendre à l'examen sévère de cette justesse, et ce n'est pas un crime que de s'en prévaloir pour l'éblouir, quand il est malaisé de le satisfaire » (Examen d'*Horace*, *Œuvres complètes*, éd. cit., t. I, p. 841).

73. Sur le plan du *muthos*, le nécessaire ne vient pas se substituer au vraisemblable : il n'est qu'un degré superlatif du vraisemblable, qui tire toute sa force de son caractère inaltérable (il est impossible d'imaginer l'action autrement qu'elle n'est : puisqu'il est amoureux et qu'il veut épouser Émilie, laquelle fait de la perte d'Auguste la condition de ce mariage, Cinna doit nécessairement – en fonction de la logique la mieux attestée du comportement amoureux – conspirer contre Auguste), alors que la liaison seulement vraisemblable est toujours susceptible de variantes (il aurait pu en aller autrement : Cinna aurait pu réagir différemment à la bonté d'Auguste).

74. La catégorie du vraisemblable qualifiant une action ramène au développement sur la liberté du poète dans l'invention des « acheminements ». Sont ainsi « vraisemblables » les événements secondaires inventés par le dramaturge, en regard des événements « vrais » (empruntés à l'Histoire) de l'action principale. On se trouve ici continuellement à la jonction d'une réflexion sur l'*inventio* et d'un exposé sur la *dispositio*.

75. La liaison peut donc être nécessaire entre deux actions seulement vraisemblables (c'est-à-dire inventées). En d'autres termes, l'établissement des liaisons entre les actions se fonde sur le principe de la motivation (qui consiste à inscrire la succession de deux événements dans un rapport de causalité : le spectateur est amené à croire que c'est parce que Cinna convoite la main d'Émilie et qu'il ne saurait renoncer à la conspiration contre Auguste sans l'accord de celle-ci que le personnage, troublé par la bonté d'Auguste, vient la consulter – geste seulement vraisemblable, mais que les données de l'action et les lois de la psychologie font apparaître comme un effet nécessaire). Le principe de motivation compose la succession des événements pour produire une cohérence (toute fictionnelle) qui se donne comme *analogon* du réel ; et compte tenu, parfois, des incertitudes de l'Histoire, comme plus « vraie » que le vrai historique lui-même.

76. Aux lecteurs qui croyaient en avoir fini avec le vraisemblable et le nécessaire, Corneille rappelle incidemment que tout le développement précédent n'était qu'un « éclaircissement de [la] préférence mutuelle du vraisemblable au nécessaire, et du nécessaire au vraisemblable » (p. 120) : on ne pourra considérer les deux termes comme définis qu'à l'issue de ce second développement destiné à mettre au jour les catégories, ou mieux les subdivisions du vraisemblable et du nécessaire.

77. Outre les événements hérités de l'Histoire (vrais et donc intangibles) et les événements vraisemblables (inventés pour combler les lacunes de la trame historique et qui doivent être isomorphes aux premiers), Corneille envisage un cas de figure assez fréquent dans son théâtre (*Héraclius*, *Nicomède*, *Rodogune* notamment), sur lequel il se savait attendu : celui des événements qui « corrigent » l'Histoire pour satisfaire aux exigences techniques internes (production du pathétique, respect des bienséances et constitution du premier acteur qui doit demeurer sans tache) qui per-

mettent d'élaborer une tragédie. Ces événements qui « falsifient » l'Histoire ne peuvent être crédibles que s'ils sont
donnés ou présentés comme des effets ou des causes
« nécessaires » d'un événement vrai ou vraisemblable. Dans
Nicomède (voir l'Examen, Document 35, et ci-dessous,
p. 128-129) : la « falsification » porte essentiellement sur le
dénouement ; Corneille ayant voulu « ôte[r] de [s]a scène
l'horreur d'une catastrophe si barbare, [n'a] donné ni au
père [Prusias] ni au fils [Nicomède] aucun dessein de parricide » (il « épargne » ainsi le premier acteur, et respecte
la constance d'un personnage présenté dès le début comme
« vertueux ») ; il a cependant gardé l'idée d'une conspiration contre Nicomède, mais a fait en sorte qu'elle soit prise
en charge par la belle-mère du héros, Arsinoé : action vraisemblable qui va donner à cette falsification l'apparence du
nécessaire, car il est vraisemblable qu'une femme souhaite
« avancer » son propre fils aux dépens de son beau-fils et
qu'un homme, fût-il roi, soit suffisamment amoureux de sa
deuxième épouse (et donc suffisamment faible) pour entrer
dans un tel dessein.

78. *Poétique*, 9, 51 b 17-19, puis 15-17 (Document 25).

79. L'idéal étant qu'on ne parvienne plus à distinguer, dans le
tissu de l'action, les événements hérités de l'Histoire et
ceux qui sont seulement vraisemblables, les uns et les autres
pris dans la même chaîne de causes et d'effets apparaissant
comme isomorphes.

80. Corneille livre ici seulement *sa* définition du vraisemblable
(qui prend, avec les italiques, la même autorité qu'un extrait
d'Aristote), en faisant intervenir un nouveau terme (attendu
par un lecteur de l'âge classique mais auquel on fait bien
peu de place dans l'ensemble des *Discours*), la *bienséance* :
est vraisemblable un fait admissible aux yeux du spectateur,
en fonction de son expérience du monde et de son code
éthique, c'est-à-dire un fait qui ne peut se prévaloir de
l'autorité de l'Histoire mais qui ne tranche pas pour autant
sur les événements strictement historiques que peut reconnaître ce même spectateur. L'événement vraisemblable est
en outre défini par défaut comme seulement « possible » :
il n'est ni avéré ni impossible en contexte. – La distinction
entre « vraisemblable général » (ou vraisemblable *éthique*)
et « vraisemblable particulier » (ce qu'on apprend de l'Histoire ou *vrai*) s'inspire du passage fameux du chapitre 9 de
la *Poétique* (Document 25) où Aristote établit la différence
entre la poésie et la chronique historique. Cette division se

trouve dans les *Sentiments de l'Académie sur* Le Cid, et
Chapelain la donne comme convenue ; loin de la définir
précisément, il l'utilise pour affirmer que le sujet du *Cid*
ne relève ni de l'une ni de l'autre vraisemblance (voir
Document 11). – L'origine de cette distinction entre « vraisemblable ordinaire » et « vraisemblable extraordinaire »
est moins nette, mais pourrait bien venir assez indirectement de Castelvetro : selon P. Pasquier (*La Mimèsis dans
l'esthétique théâtrale*, Klincksieck, 1995, p. 43-44), le principe même d'une distinction entre plusieurs espèces de vraisemblable remonte bien à Castelvetro qui, au quatrième
livre de la *Poetica d'Aristotele vulgarizzata e sposta*
(1570), combine en effet les concepts de « possible » et de
« crédible » pour former quatre catégories de « vraisemblable » : le possible crédible, le possible non crédible,
l'impossible crédible et l'impossible non crédible ; seules
la première et la troisième catégories lui semblent pouvoir
convenir à la « *mimèsis* dramatique ». Mais si l'on peut
facilement rapporter le « possible crédible » au vraisemblable ordinaire et « l'impossible crédible » au vraisemblable extraordinaire – quoique Corneille s'attache à distinguer plus loin « l'impossible croyable » du « vraisemblable
extraordinaire » –, on ne voit pas, cependant, que Corneille
ait emprunté au théoricien italien la division en « vraisemblable particulier » et « vraisemblable général » et, par
conséquent, que la quadripartition qu'il propose s'inspire
véritablement de Castelvetro. On peut penser que la nomenclature a été produite ici *ad hoc*, pour donner une assise à
cette dialectique du vrai et du vraisemblable, unifiée par la
catégorie rhétorique du *croyable*, qui seule retient Corneille.

81. Corneille songe-t-il déjà au sujet de *Sertorius*, créé en
1662 ? Du point de vue des lois générales de l'éthique (pro-
babilités de comportement définies par l'*èthos*), on pourrait
admettre que deux chefs d'armée ennemis se réconcilient
au lendemain d'une bataille (l'*èthos* du général d'armée
comprenant vraisemblablement, mais non nécessairement,
le « trait » de la générosité, c'est-à-dire de la grandeur
d'âme) ; mais en se donnant pour héros un personnage historique, le dramaturge s'oblige à suivre moins cette vraisemblance éthique générale que la vraisemblance particulière liée à ce que le spectateur peut savoir d'un tel
personnage. Sa liberté d'invention en est réduite d'autant
(et tout dépend alors du degré de célébrité de l'événement

historique qui forme le sujet de la tragédie : il y a moins de précautions à prendre avec Héraclius qu'avec Pompée).

82. Cette culture commune minimale (qui comprend, comme les exemples de Corneille le montrent avec humour, des rudiments de géographie autant que d'Histoire, mais aussi bien des connaissances mythologiques ou littéraires – et beaucoup moins sûrement un savoir médical ou astrologique, voir ci-dessous, p. 127, où Corneille s'interroge sur les compétences requises pour la création dramatique) définit pratiquement ce qu'on peut appeler « le texte du spectateur » et, par la négative, l'espace consenti à la liberté d'invention du dramaturge. La vraisemblance, selon Corneille, n'est pas d'essence normative mais rhétorique et elle engage autant l'habileté du dramaturge que les références *immédiates* du spectateur.

83. Aucune chronique, aussi soucieuse soit-elle d'exactitude historique, ne saurait rendre compte d'une vie comme totalité continue ; elle comporte nécessairement des lacunes, des ellipses qu'un dramaturge peut mettre à profit (voir p. 115-116).

84. Corneille ne souligne pas la dimension « allégorique » de l'œuvre : dans une telle fiction « à clés », les personnages et les actions « entièrement inventés » dissimulent des personnes et des événements historiques. L'exemple illustre seulement l'absolue liberté de la fiction narrative, pour laquelle le « monde réel » n'est qu'une mappemonde, et révèle *a contrario* les contraintes qui pèsent sur le poème dramatique, *a fortiori* sur la tragédie historique (il est exclu que tous les personnages soient inventés).

85. *Poétique*, 25, 60 b 19-20, puis 24-25 et 26-27 (Document 28 et notre commentaire, p. 248).

86. La distinction entre ces deux *degrés* de vraisemblable que sont l'« ordinaire » et l'« extraordinaire » est pensée en termes de fréquence statistique (vraisemblable *statistique vs* vraisemblable *d'exception*). On ne confondra pas le vraisemblable extraordinaire avec le merveilleux, dans la mesure où l'« extraordinaire » reste de l'ordre du « possible » (rare, il est en théorie empiriquement vérifiable) ; et on ne l'identifiera pas non plus avec « ces événement singuliers » que l'Histoire rend crédibles, c'est-à-dire avec ce qui constitue le *vrai*.

87. *Poétique*, 18, 56 a 21-23, et 24-25 pour la citation suivante : « Avec les coups de théâtre et les actions simples, les

auteurs cherchent à atteindre leur but par l'effet de surprise
[*thaumaston*], car c'est cela qui est tragique et qui éveille
le sens de l'humain. Cela se produit lorsqu'un héros, habile
mais méchant, comme Sisyphe, est trompé, ou lorsqu'un
héros, courageux mais injuste, est vaincu. Comme le dit
Agathon, cela est vraisemblable ; car il est vraisemblable
que beaucoup de choses se produisent aussi contre la vraisemblable » (éd. cit., p. 99). Corneille retient surtout la fin
du passage, dans un chapitre de la *Poétique* où Aristote
s'intéresse à l'effet de surprise, c'est-à-dire à l'enchaînement inattendu qui substitue à une vraisemblance ordinaire
une vraisemblance extraordinaire. Il est moins vraisemblable que le faible triomphe du fort (l'inverse est statisti-
quement plus fréquent), mais cette victoire « rentre » dans
la vraisemblance extraordinaire dès lors que la vraisemblance éthique (le courage et la pugnacité qui forment le
fonds de l'*èthos* du héros) prend le pas sur la vraisemblance
empirique ; en outre, cet effet de surprise satisfait notre sens
de la justice et vient nourrir notre sympathie pour le premier
acteur. On remarquera que le seul exemple emprunté à son
propre théâtre que Corneille peut donner d'un tel « vraisemblable extraordinaire » est tiré du *Cid*, mais le dramaturge
souligne aussitôt que la victoire de Rodrigue sur le Comte,
pour extraordinaire qu'elle paraisse, n'en est pas moins un
événement historique (vrai). On ne cachera pas qu'une des
difficultés du passage tient à la très grande proximité, dans
la nomenclature cornélienne, du « vraisemblable extraordinaire » et du « vrai », proximité que l'exemple tiré du *Cid*
souligne assez bien.

88. Quand il ne nomme pas les liaisons de cause à effet (les
phénomènes de motivation), le nécessaire embrasse tout ce
que le poète se permet pour construire son action, tout ce
qui est pratiquement *nécessaire* à son déroulement et à la
production de ses effets propres (une définition synthétique,
unifiant les deux plans, sera ultimement proposée, p. 129).
Étant donné la définition qu'il vient de proposer du vraisemblable (« une chose *manifestement* possible... », p. 125),
Corneille ne peut l'accorder avec la lettre de ce chapitre
d'Aristote. Il lui substitue donc celui de « croyable », et le
range sous la catégorie du « nécessaire ». Sur le fond, cet
abandon du terme de « vraisemblable extraordinaire » vient
signifier que l'essentiel est ailleurs : le *thaumaston* (l'effet
de surprise) cornélien, c'est le renouvellement continu du
pathétique, qui ne passe pas forcément par des « enchaî-

nements inattendus » au sens aristotélicien. Pour la suite du texte, où Corneille met en relation le « vraisemblable extraordinaire » avec l'« impossible croyable », et pour rendre plus lisible le défilé des catégories, on s'efforcera d'inscrire les termes principaux sur trois plans différents : « nécessaire » qualifie généralement l'événement inattendu du point de vue de son inscription dans la syntaxe des faits (poétique) ; « croyable » ou « vraisemblable » qualifie toujours ce même événement en fonction de l'horizon d'attente du spectateur (rhétorique) ; « impossible » ou « extraordinaire » le statut ontologique de cet événement.

89. *Poétique*, 24, 60 a 26 : « Il faut préférer ce qui est impossible mais vraisemblable [*eikota*] à ce qui est possible mais non persuasif [*pithana*] » (éd. cit., p. 127) et 25, 61 b 11 : « Du point de vue de la poésie un impossible persuasif est préférable au non-persuasif, fût-il possible » (éd. cit., p. 133). Corneille anticipe une objection d'un (bon) connaisseur d'Aristote : au moment où le dramaturge vient d'exclure le « vraisemblable extraordinaire », le privilège accordé par Aristote à l'« impossible croyable » – catégorie typiquement aristotélicienne qu'on est bien tenté d'assimiler, dans un premier temps, au « vraisemblable extraordinaire » cornélien –, ne ruine-t-il pas la définition cornélienne du vraisemblable (« une chose possible qui n'est ni *manifestement* vraie ni *manifestement* fausse ») ? Mais l'assimilation doit être refusée, car alors c'est la définition cornélienne du vraisemblable qui apparaîtrait comme trop restreinte (l'*impossible* ne saurait être *manifeste*). Or le dramaturge ne peut renoncer à cette définition : le vraisemblable manifeste, c'est aussi ce qui cimente tous les événements de la fiction (quelle que soit leur nature, ils doivent être tous également vraisemblables). Corneille va donc plutôt montrer que l'« impossible croyable » est autre chose, chez Aristote même, que l'événement surprenant, et en donner une définition qu'il pourra reverser au bénéfice de la catégorie problématique des événements « falsifiés ».

90. Il y a des choses qui sont impossibles en elles-mêmes, qui peuvent passer pour possibles dès lors qu'elles interviennent *en contexte*, et qui, prises dans le système des faits, peuvent même apparaître comme nécessaires. Tel est précisément le traitement à donner aux événements où le poète prend la liberté de falsifier l'Histoire.

91. Le fait qu'un événement n'ait pas eu véritablement lieu (qu'il soit faux, en toute rigueur, en regard de l'Histoire)

n'empêche pas qu'on puisse le penser idéalement comme possible : confronté à l'événement historique « réel », il apparaît comme faux, mais « détaché » de l'Histoire et inscrit dans une chaîne d'événements vrais ou vraisemblables régis par des relations nécessaires de cause à effet, il acquiert une suffisante vraisemblance. Bref, la distinction entre les « vraisemblances » particulière et générale, ordinaire et extraordinaire, aura servi de cadre à l'affirmation de *la* vraisemblance comme principe de légitimation de l'invention (jusqu'à la falsification de l'Histoire) et du nécessaire comme principe de la *dispositio* (l'action dramatique pensée idéalement comme enchaînement nécessaire d'événements vraisemblables).

92. Voir l'Avis au lecteur de la pièce (Document 35). De même pour *Héraclius* (Document 32).

93. Ce qui intéresse finalement Corneille, et ce pourquoi il privilégie la catégorie de l'impossible croyable, c'est donc une confrontation directe de la fiction et de l'Histoire, entre l'autorité de l'Histoire et la force d'une construction plus satisfaisante, parce que plus cohérente, que l'Histoire – comme l'indiquait déjà Chapelain dans la Préface de l'*Adone*, dans une perspective il est vrai moralisante avec laquelle Corneille a rompu. Une telle conception des rapports entre poésie et Histoire sera violemment critiquée par Racine dans la Préface polémique de *Britannicus*, même si la dramaturgie racinienne procède à l'identique pour aménager l'Histoire et les sujets reçus (Document 36).

94. Pour résumer, le « nécessaire » a quitté le terrain strictement logique qui était celui du terme dans la *Poétique*. Corneille en donne deux définitions, selon qu'il s'applique au travail du dramaturge ou aux actions des personnages (« acteurs ») : nécessité pratique dans un cas commandée par les exigences théâtrales (celles, internes, de la structure dramatique, et celles, externes, des règles et des bienséances) ; dans l'autre, lien de cause à effet dans les décisions et gestes des personnages (ensemble des motivations qui « habillent », c'est-à-dire dissimulent, la fonction exacte de ces décisions et gestes dans le déroulement de la fiction). Ce sont bien en réalité les deux faces d'un même phénomène : sauf à dénoncer l'arbitraire de la fiction (et à rompre avec la vraisemblance), le poète est dans la nécessité de conduire l'action vers son terme attendu en se pliant aux contraintes du genre et, pour ce faire, de donner à ses personnages des raisons nécessaires d'agir.

95. Corneille a donné plus haut un exemple de ces « embellissements » destinés à atténuer l'horreur d'un événement connu du spectateur en récrivant le dénouement d'*Électre* : pour conserver l'idée de la vengeance et supprimer le matricide, il eût fallu que Clytemnestre fût mortellement blessée par un coup qu'Oreste eût destiné au seul Égisthe. S'agissant du théâtre de Corneille, on songera éventuellement au dénouement de *Nicomède*, où le renoncement du personnage à la vengeance attendue et vraisemblable, ainsi que la conversion d'Arsinoé sortent peut-être de la vraisemblance générale pour atteindre au sublime (Document 35).

96. Qui est la limite théorique (asymptotique dans le théâtre de Corneille) au-delà de laquelle commence le règne de l'invraisemblance – d'autant moins acceptable que le poète ne pourra pas ici se défendre au nom du « nécessaire ».

97. Nouvelle dénonciation du caractère arbitraire des unités de temps et de lieu en regard de l'impératif interne de la vraisemblance. Mais Corneille attaque moins les « unités » en elles-mêmes (« il est constant qu'il y a des Préceptes puisqu'il y a un Art », premier *Discours*, p. 63), que le fondement rationnel que Chapelain puis d'Aubignac ont cru pouvoir leur donner. – Le paragraphe suivant anticipe sur le dernier *Discours*.

98. Plutôt que de renoncer à un beau sujet qui s'accommoderait mal des unités de lieu et de temps dont on ne peut plus s'affranchir en 1660, on n'hésitera pas à heurter la vraisemblance ordinaire pour la réduire à ces unités (à précipiter, par exemple, le cours des événements). Latitude que, à cette date, le dramaturge ne se réserve plus qu'en droit, pour mieux marquer la différence de son système avec celui de d'Aubignac : étant donné le savoir-faire acquis par Corneille dans le tissage des faits vrais et des événements vraisemblables, la question de la durée effective de l'action historique ne se pose plus guère...

99. Acte IV, scène 5, v. 1459 : « Du moins, une heure, ou deux, je veux qu'il se délasse. » (*Œuvres complètes*, éd. cit., t. II, p. 87). L'édition de 1648 aussi bien que les suivantes (dont celle de 1660) laissent toutefois ce vers inchangé. Corneille ne s'est donc pas exactement « repenti » mais il a peut-être plaisir, au contraire, à afficher encore, près de vingt-cinq ans après la Querelle du *Cid*, l'arbitraire de la règle.

100. *Poétique*, 9, 51 b 12 (Document 25). Les sujets de comédie étant entièrement inventés, le dramaturge n'a aucune excuse (aucune « nécessité ») pour ne pas respecter les unités.

101. Voir ci-dessus, n. 82 (sur le « texte du spectateur »).

102. Le principe essentiel est donc, encore une fois, celui d'une homogénéité ou isomorphie entre actions inventées et faits avérés, de telle façon que l'invention en devienne indiscernable.

Discours des trois unités,
d'action, de jour, et de lieu

1. Voir premier *Discours*, p. 74-75. Cette définition et la phrase suivante qui vient la compléter révèlent que Corneille entend donner au concept d'unité un caractère dynamique et souple : le terme est à entendre non comme unicité mais comme unification (et le passage au pluriel dans la deuxième phrase est révélateur de cette conception intégratrice) : unification dans la fiction d'un ensemble de faits, d'actes et d'événements ordonnés autour d'un obstacle dans la comédie, d'un péril dans la tragédie. La voie est cependant étroite : s'il est possible, théoriquement, de multiplier les périls pourvu qu'ils soient « attachés » *nécessairement* l'un à l'autre, un défaut dans l'enchaînement (et, pratiquement, la succession de deux situations dont l'une n'est pas la *conséquence* directe de l'autre) fait verser la pièce dans la « duplicité d'action ». Les Examens d'*Horace* et de *Théodore* affichent cette « duplicité indépendante » comme fautive (Document 45).

2. La division aristotélicienne de l'action en trois « moments » (Voir premier *Discours*, p. 77) est reversée au compte de la théorie cornélienne de l'unité d'action : ce qu'il faut bien voir maintenant, c'est que ces trois moments sont autant d'actions (au pluriel) dont l'inachèvement constitue le moteur de l'action (au singulier). Le terme d'« acheminements », dont le deuxième *Discours* a montré qu'il était au centre du travail d'invention (p. 116), est ici associé à l'élaboration de la dynamique de l'intrigue, préoccupation majeure dans le travail de *dispositio*. Corneille ne dissocie pas, par ailleurs, cette poétique de l'action de considérations

rhétoriques sur les attentes et l'état d'esprit du spectateur, lesquelles anticipent à certains égards sur les théories modernes de la lecture et de la réception (W. Iser, U. Eco, M. Charles) : l'insatisfaction du spectateur, qui est à la source de son désir de « voir la suite », est la traduction rhétorique (l'effet) de l'inachèvement foncier de l'action jusqu'au dénouement.

3. Corneille revisite la question de la division en actes, en montrant que la composition d'une pièce de théâtre obéit à une véritable économie de l'insatisfaction dont les quatre intervalles d'actes constituent des temps forts. Corneille a eu soin, comme l'a montré J. Scherer (*La Dramaturgie classique en France*, Nizet, s.d. [1950], p. 206 *sq.*) « de terminer les quatre premiers actes de ses pièces par des scènes posant des questions importantes pour l'action ». Il formule ainsi la série des questions qui articulent les actes dans *Cinna* : Auguste connaît-il la conspiration ? Cinna et Maxime vont-ils se séparer ? Cinna va-t-il persévérer dans la lutte contre Auguste ? Jusqu'où le remords entraînera-t-il Maxime ?

4. Le ton malicieux du passage ne saurait dissimuler la position radicale du dramaturge quant au statut des intervalles d'acte : s'il admet que l'action continue dans l'intervalle, il considère que tout ce qui n'est pas représenté ou rapporté sur la scène sous forme de récit n'a tout simplement aucune existence. Une telle position, essentielle à l'esthétique classique et que Corneille expose longuement, est à l'opposé de la position romantique, qui perçoit la *mimèsis* classique comme dérobade devant la complexité du vrai (voir Hugo, préface de *Cromwell*, Document 4).

5. Corneille n'évoque pas une des raisons qui dictent au poète le partage entre les actions à représenter sur la scène et celles qu'il doit « cacher derrière la scène » : les bienséances et l'impératif horatien (déjà évoqué dans le deuxième *Discours*, p. 116) du *multa tolles ex oculis*. Il était en fait d'emblée exclu de représenter le meurtre de Séleucus sur scène. Nouvel exemple de la préférence du dramaturge pour les principes pratiques et « intrinsèques » au détriment des règles externes.

6. Voir p. 86. Les deux passages d'Aristote convoqués comme autorités sont contigus dans le chapitre 10 de la *Poétique* (52 a 18-21) : « tout [...] doit découler de l'agencement systématique de l'histoire, c'est-à-dire survenir comme conséquence des événements antérieurs, et se produire par néces-

sité ou selon la vraisemblance ; car il est très différent de dire " ceci se produit à cause de cela " et " ceci se produit après cela " » (éd. cit., p. 69). L'exigence d'un enchaînement fondé sur une causalité logique exclut le recours au hasard, comme l'illustrent les deux exemples condamnés par Corneille. Voir l'Examen de *Don Sanche*, *Œuvres complètes*, éd. cit., t. II, p. 556-557.

7. Dans l'Épître dédicatoire de *La Suivante*, en 1637, Corneille parlait de la liaison des scènes dans les mêmes termes : « La liaison même des scènes [...] n'est qu'un embellissement, et non pas un précepte. » D'Aubignac, au nom du principe de « l'illusion mimétique » que Corneille n'envisage jamais comme un fondement rationnel, faisait de la liaison des scènes un « précepte » impératif. Voir la section VI du Dossier, Documents 50 à 53 et ci-dessous, n. 9 et 10.

8. Cet Examen rappelle que Buchanan, humaniste écossais (1506-1582) qui enseigna au collège de Guyenne à Bordeaux, Grotius, humaniste hollandais (1583-1645) et Heinsius (1582-1655), également hollandais et auteur d'un commentaire de la *Poétique* d'Aristote (*De tragœdiæ constitutione liber*, 1611) avaient tous trois donné des tragédies religieuses en latin. Il n'est pas question, dans l'Examen, de la liaison des scènes mais de la légitimité d'un théâtre religieux.

9. Le principe de la liaison des scènes s'est logiquement imposé dans les années 1640, en même temps que l'unité de lieu dont il est solidaire : la scène ne pouvant représenter qu'un lieu unique, il faut nécessairement lier les scènes, sauf à laisser la scène vide (ce qui est la définition de l'intervalle d'actes) – et l'on peut même penser que l'interdiction de la scène vide est, pour Corneille, le vrai fondement de l'unicité de lieu comme de la liaison des scènes. Corneille a lié les scènes dans *Horace*, mais dans *Cinna*, comme auparavant dans *La Place royale*, il sacrifie la liaison à la vraisemblance (il est amené, dans les deux cas, à rompre l'unité de lieu pour sauver la vraisemblance de telle scène). Il s'oppose ici à Chapelain qui, dès 1630, c'est-à-dire à un moment où les dramaturges n'hésitaient guère à rompre la liaison des scènes pour multiplier les lieux de l'action, avait affirmé la nécessité rationnelle de l'unité de lieu. Voir Documents 50-52.

10. On distingue couramment trois types de liaison : la liaison de *présence*, qui est la liaison proprement dite (un person-

nage au moins reste en scène pour accueillir celui qui entre), la liaison de *vue* et la liaison de *bruit* qu'elles soient « de recherche » (le personnage qui entre sur la scène voit ou entend celui qui en sort) ou de « fuite » (un personnage quitte la scène parce qu'il voit ou entend celui qui va entrer). La liaison de vue est généralement considérée comme supérieure (moins artificielle en ce que le « contact » des deux scènes est plus évident pour le spectateur) que celle de bruit. Le passage de l'Examen de *La Suivante* (Document 52) est un commentaire de d'Aubignac (Document 53). Corneille distingue ensuite deux types de liaison qu'il confondait encore dans l'Examen de *La Suivante*, pour sauvegarder la possibilité théorique d'une « présence sans discours » (présence silencieuse d'un personnage resté sur la scène), et même d'un « discours sans présence » (prononcé hors du champ visuel du spectateur et du destinataire), deux formes de liaisons parfois inévitables mais dont il admet lui-même l'inélégance.

11. Les deux conditions d'une « présence sans discours » réussie sont, semble-t-il, difficiles à réunir : il faudrait qu'il y soit énoncé quelque « secret d'importance » (nécessaire à la suite de l'action et d'un intérêt vital pour le personnage) et que le personnage muet manifeste son intérêt avec « chaleur » dans un aparté.

12. *Poétique*, 18, 55 b 24-29 : « Toute tragédie se compose d'un nouement [*desis*] et d'un dénouement [*lusis*] ; le nouement comprend les événements extérieurs à l'histoire et souvent une partie des événements intérieurs. J'appelle nouement ce qui va du début jusqu'à la partie qui précède immédiatement le renversement [*métabasis*] qui conduit au bonheur ou au malheur, dénouement ce qui va du début de ce renversement jusqu'à la fin. » (éd. cit., p. 97).

13. Partie essentielle du texte théâtral, le récit vient rapporter sur la scène des événements qui ont eu lieu hors scène, qu'ils soient antérieurs ou concomitants à la durée de l'action. Dès lors qu'elle est soumise aux unités de lieu et de temps, l'action représentée ne peut pas se dispenser de telles échappées. Ces deux catégories de récits sont bien distinguées par l'abbé d'Aubignac (Document 77) comme par Corneille qui s'est déjà exprimé sur les récits d'exposition ou « narrations protatiques » (premier *Discours*, p. 89) dont il a souligné le caractère nécessairement artificiel. Voir également l'Examen de *Médée* (Document 79).

14. « Le poème est si embarrassé, qu'il demande une merveil-
    leuse attention. J'ai vu de fort bons esprits, et des personnes
    des plus qualifiées de la cour, se plaindre de ce que sa
    représentation fatiguait autant l'esprit, qu'une étude
    sérieuse. Elle n'a pas laissé de plaire, mais je crois qu'il l'a
    fallu voir plus d'une fois, pour en remporter une entière
    intelligence » (Examen d'*Héraclius*, *Œuvres complètes*, éd.
    cit., t. II, p. 361-362).

15. Le principe a été énoncé au premier *Discours*, p. 75, pour
    la comédie, mais il était déjà clair qu'il doit s'étendre à
    tous les poèmes dramatiques.

16. *Poétique*, 15, 54 a 37 – 54 b 4 : « Il est donc évident que
    le dénouement de chaque histoire doit aussi résulter de
    l'histoire elle-même, et non d'un recours à la machine
    [*mèkhanè*] comme dans *Médée* [...] : la machine ne doit être
    utilisée que pour les événements extérieurs à la pièce, ceux
    qui sont arrivés précédemment et dont l'homme ne peut
    avoir connaissance, ou ceux qui arriveront plus tard et qui
    exigent une prédiction annoncée par quelqu'un. » (éd. cit.,
    p. 86-87). Pour Corneille, le « char de Médée » rentre dans
    la vraisemblance particulière *via* l'*èthos* du personnage, qui
    est une magicienne... Corneille songe surtout à défendre sa
    propre *Médée*, en même temps que celle de Sénèque.

17. Même position chez l'abbé d'Aubignac (éd. cit., III, VII,
    p. 228) : « [Il faut] diviser [les] Actes [de la Tragédie] en
    telle façon qu'ils ne soient point fort inégaux, s'il est pos-
    sible, et que les derniers aient toujours quelque chose de
    plus que les premiers, soit par la nécessité des événements,
    ou par la grandeur des passions, soit par la rareté des spec-
    tacles. » A l'âge classique, la tendance est à l'égalisation,
    en réaction contre l'inégalité des actes dans la tragédie
    humaniste et certaines tragi-comédies des années 1630.

18. *Art poétique*, v. 189-190 (éd. cit., p. 212) : *Neve minor neu
    sit quinto productior actu /fabula, quæ posci volt et spec-
    tanda reponi.* (« Une longueur de cinq actes, ni plus ni
    moins, c'est la mesure d'une pièce qui veut être réclamée
    et remise sur le théâtre »). D'Aubignac justifie le nombre
    canonique par la nécessité d'offrir des intervalles de repos
    au spectateur, mais il est assez conscient du poids de la
    convention dans cette « division du poème en cinq par-
    ties » : « soit par accoutumance, ou par une juste proportion
    à la faiblesse de l'homme, [...] nous ne pouvons approuver
    une Pièce de Théâtre s'il y a plus ou moins de cinq Actes ;

parce que nous étant imaginé ce Poème d'une certaine grandeur et d'une certaine durée, les Actes nous paraissent trop longs, s'il y en a moins ; et trop courts, s'il y en a davantage. [...] Je conseillerai donc au Poète de suivre en cela ce que plusieurs ont pratiqué, et que nous voyons être le moins incommode aux Spectateurs, c'est-à-dire de faire cinq Actes, et chacun d'eux de trois cents vers ou un peu plus, en sorte que son ouvrage soit environ de quinze à seize cents vers, ayant toujours remarqué que la patience des Spectateurs ne va guère plus loin [...]. » (éd. cit., III, v, p. 216). Au demeurant, la longueur des actes est conditionnée par une « nécessité » toute pratique : l'éclairage artificiel des salles fermées imposait que l'on renouvelât les bougies de suif toutes les trente minutes environ.

19. La musique instrumentale (les violons) est tolérable, en ce qu'elle ne détourne pas durablement l'attention du spectateur ; mais il est fondamental pour Corneille que les intervalles entre les actes ne soient pas « remplis » par un autre spectacle, dût-il, comme les chœurs antiques, avoir quelque rapport avec l'action de la pièce. L'entracte est un moment de rupture de l'illusion mimétique, nécessaire au réglage de la durée dramatique, puisqu'il permet d'écouler le surplus d'heures résultant de la différence entre temps de l'action (maximum de vingt-quatre heures) et temps de la représentation (maximum de quatre heures), voir ci-dessous, p. 145-146, et Chapelain, *Lettre sur les vingt-quatre heures* (Document 57). L'intervalle d'actes est donc ce temps supplémentaire pendant lequel la scène reste vide, et où le dramaturge inscrira les actions qui ne peuvent avoir lieu sur la scène (soit que les bienséances s'y opposent, soit que l'unité de lieu l'interdise, soit encore que cette action requière un personnel dramatique trop nombreux). Au début de l'acte suivant, le spectateur aura besoin d'une attention renouvelée (c'est la fonction de la pause musicale) pour intégrer les données nouvelles de l'action.

20. Les « règles » que détaille Corneille, ici et dans l'alinéa suivant, sont étroitement solidaires du principe essentiel de la liaison des scènes, sans laquelle l'unité de lieu elle-même ne se comprend pas (ci-dessus, n. 9).

21. La suite du passage n'a de sens que si l'on songe aux problèmes posés en début d'acte par l'absence de rideau de scène dont l'usage ne s'était pas encore généralisé. Introduit en 1643 lors de la création de *Mirame* des Cinq Auteurs, pour dissimuler avant le spectacle un dispositif scénique

particulièrement éclatant, et utilisé pour la première fois dans un théâtre public en 1647, le rideau de scène demeure suffisamment rare (hors les pièces à machines) pour que Corneille n'en tienne pas compte dans sa réflexion sur le premier acte de *Cinna* (créé en 1641). L'utilisation du rideau entre les actes est encore plus exceptionnelle. Et l'absence de rideau rendait plus contraignante encore la permanence « physique » d'une scène unique, que le principe de l'unité de lieu permettait finalement de tolérer mieux, comme le souligne J. Scherer (« l'exigence d'illusion scénique qui mène à l'unité de lieu est une conséquence de l'absence de rideau », *La Dramatique classique en France*, *op. cit.*, p. 175).

22. Les entrées et les sorties des acteurs doivent donc être motivées. Mais il ne faut pas, dit l'abbé d'Aubignac (éd. cit., IV, I, p. 275 *sq.*), « tomber dans l'inconvénient de quelques Modernes, qui le font si grossièrement que cela paraît trop affecté : il faut que le Spectateur découvre presque insensiblement la raison qui amène l'Acteur sur la Scène ; il faut lui faire sentir, et non pas lui faire toucher du doigt ; et se souvenir toujours que tout art qui se découvre trop, perd la grâce de l'art. » Mais le théoricien interdit la réapparition d'un personnage dans un même acte : sans inconvénients dans la comédie et la pastorale, ou pour les simples confidents, un tel retour nuit à la « gravité » du personnage tragique, et tout particulièrement aux héroïnes (« j'ai toujours trouvé dur et choquant de voir une personne de condition aller et venir si promptement, et agir avec apparence de précipitation »).

Horace est la première pièce où Corneille a cherché à lier toutes les scènes de chaque acte. Les deux exemples proposés aident à comprendre la fonction exacte de ces enchaînements : il s'agit d'habiller de façon vraisemblable des allées et venues nécessaires au déroulement de l'action (lorsqu'un personnage sort de scène pour aller aux nouvelles) ou à la distribution du pathétique (lorsque deux personnages doivent être laissés seuls pour s'abandonner à leur douleur). À la scène 4 de l'acte II, Horace laisse Curiace et Camille seuls pour une scène d'adieu avant le combat, et les quitte sur ces mots : « Je ne vous laisserai qu'un moment avec elle, / Puis nous irons ensemble où l'honneur nous appelle » ; à l'acte III, Julie quitte la scène 3 pour aller aux nouvelles, ce qui laisse présager un prompt retour (scène 6) : « Adieu, je vais savoir comme enfin tout se passe. » Il y a cependant, dans la distribution des actes d'*Horace*, quelque chose d'artificiel à donner en deux temps le récit du combat, puisque les informations rapportées par Julie à l'acte III (elle laisse prévoir la victoire d'Albe et le déshonneur d'Horace) se révéleront incomplètes à l'acte IV (où Valère rapporte les exploits du héros). On peut songer que la fin de la phrase (« donner raison, en rentrant, pourquoi il revient si tôt ») est en relation avec ce défaut de structure : il n'est pas tellement vraisemblable que Julie n'ait pas attendu la véritable issue du combat, même si Corneille a pris la précaution de motiver cet empressement (III, 6, v. 1008, voir Examen : « [...] l'impatience d'une femme, qui suit brusquement sa première idée, et présume le combat achevé, parce qu'elle a vu deux des Horaces par terre, et le troisième en fuite. Un homme, qui doit être plus posé et plus judicieux, n'eût pas été propre à donner cette fausse alarme », *Œuvres complètes*, éd. cit., t. I, p. 842.)

23. *Poétique*, 26, 52 a 10-15 (éd. cit., p. 137-139) et 14, 53 b 4-7 : « Il faut en effet qu'indépendamment du spectacle l'histoire soit ainsi constituée qu'en en apprenant les faits qui se produisent on frissonne et on soit pris de pitié devant ce qui se passe : c'est ce qu'on ressentirait en écoutant l'histoire d'Œdipe. » (éd. cit., p. 81). La Mesnardière amalgame les deux passages : « J'estime avec Aristote qu'un Ouvrage est imparfait, lorsque par la seule lecture faite dans un cabinet, il n'excite pas les Passions dans l'Esprit des Auditeurs et qu'il ne les agite point jusques à les faire trembler, ou à leur arracher des larmes. » (*La Poétique* (1639), éd. cit. p. 12).

24. Corneille marque ainsi sa préférence pour les didascalies externes (les didascalies au sens moderne) sur les didascalies internes (tout ce qui dans une réplique renvoie à une action ou un élément du décor, que le spectateur – mais non le lecteur – a sous les yeux) : inquiétude concrète d'un dramaturge qui sait que publiées, ses pièces ne lui appartiennent plus et qui cherche à prévenir tous les contresens possibles à la représentation. D'Aubignac (éd. cit., I, VIII, p. 54 *sq.*) adopte la position inverse, au nom d'une autonomie du texte théâtral où l'effacement absolu de l'auteur doit permettre aux personnages d'apparaître comme des doubles des personnes qu'ils représentent : « le Poème Dramatique [est fait aussi pour être lu] par des gens qui sans rien voir, ont présentes à l'imagination *par la force des vers*

les personnes et les actions qui y sont introduites, *comme si* toutes les choses se faisaient véritablement de la même façon qu'elles sont écrites. [...] Ceux qui [le] lisent n'en peuvent avoir aucune connaissance sinon autant que les vers la leur peuvent donner, si bien que toutes les pensées du Poète, soit pour les décorations du Théâtre, soit pour les mouvements de ses personnages, habillements et gestes nécessaires à l'intelligence du sujet, doivent être exprimés par les vers qu'il fait réciter ».

25. Le procédé est considéré comme une beauté supplémentaire au dénouement des tragédies. Voir la scène 3 de l'acte V d'*Horace* (scène de délibération) où le Vieil Horace s'adresse successivement *au Roi*, *à Sabine*, à nouveau *au Roi*, *à Valère*, encore *au Roi* et finalement à son fils *Horace* ; et dans *Nicomède*, la scène 9 et dernière de l'acte V, qui réunit Prusias, Nicomède, Arsinoé, Laodice, Flaminius, Attale, Cléone : la fin de cette scène suppose un réglage précis de la « destination » des répliques (Arsinoé *à Nicomède*, Nicomède *à Flaminius*, etc.), d'autant que la tragédie classique n'admet pour adresses effectives que les apostrophes de « Seigneur » et « Madame ». Cf. l'Examen de *Nicomède*, ci-dessous, n. 30, p. 206.

26. *Rodogune*, V, 3, *Œuvres complètes*, éd. cit., t. II, p. 256 (une très longue didascalie règle à la fois la position respective des personnages et le jeu de scène *a parte* entre Cléopâtre et Laonice qui doit être évident pour le spectateur mais discret pour les autres personnages). Dans les Examens de *La Veuve* et *Le Menteur* Corneille confesse cependant son « aversion » pour les *a parte* (*Œuvres complètes*, éd. cit., t. I, p. 217, et t. II, p. 7) : « Je les ai faits les plus courts que j'ai pu, et je me les suis permis rarement sans laisser deux acteurs ensemble, qui s'entretiennent tout bas, cependant que d'autres disent ce que ceux-là ne doivent pas écouter. »

27. Voir la section « Unité de temps » du Dossier (p. 277 *sq.*) et la *Lettre sur les vingt-quatre heures* de Chapelain (Document 57), dont la thèse (la correspondance entre durée de l'action et temps de la représentation comme fondement de l'illusion mimétique), novatrice en 1630, est en 1660 devenue canonique. Si Corneille traite avec humour de l'emploi du temps de Thésée dans *Les Suppliantes* d'Euripide, c'est qu'on lui avait reproché d'avoir, dans *Le Cid*, forcé la vraisemblance temporelle (Document 8), comme il le rappelle plus loin.

28. Voir Examen de *Rodogune*, *Œuvres complètes*, éd. cit., t. II, p. 200 : « L'action y est une, grande, complète, sa durée ne va point, ou fort peu, au-delà de celle de la représentation, le jour en est le plus illustre qu'on puisse imaginer. » Les précautions prises par Corneille lorsqu'il évoque *Cinna* (« peut-être ») s'expliquent par un scrupule sur la vraisemblance d'un revirement aussi rapide d'Auguste.

29. L'idée d'un rapport « proportionnel » entre durée de l'action et durée de la représentation figurait déjà dans un des textes essentiels des années 1630 : le *Discours à Cliton*, texte longtemps resté anonyme mais aujourd'hui attribué à un dramaturge « irrégulier », Durval. Pour l'auteur du *Discours à Cliton* (1637), c'est le critère qui règle, en définitive, le traitement du temps et de l'espace (et qui autorise, lorsque les sujets sont « remplis d'effets et d'incidents », à sortir de la règle des vingt-quatre heures (distinction entre poèmes simples, *i.e.* dans la règle, et poèmes composés, *i.e.* « hors de la règle ») : « la représentation n'étant que l'ombre de l'histoire, il n'est pas requis que cette ombre soit égale au corps, moyennant qu'elle y soit proportionnée, et qu'elle paraisse [telle]. Et tout de même que ceux qui voient un grand homme en plein midi ne le jugent pas contrefait pour voir son ombre plus petite que sa personne, une histoire ne sera point mutilée pour être représentée en peu de lieu, et en peu de temps, pourvu que le temps et le lieu soient proportionnés à tout le corps du sujet, et puisse être discerné par les auditeurs » (*Discours à Cliton*, [in] *Temps de préfaces. Le débat théâtral en France de Hardy à la Querelle du* Cid, éd. G. Dotoli, Klincksieck, 1996, p. 279).

30. Le principe de coïncidence entre durée de l'action et temps de la représentation peut donc être mal dans le cinquième acte. Si l'on « presse le temps », le segment temporel *représenté* dans l'acte sera supérieur à la fraction de durée matériellement nécessaire à la *représentation* de cet acte, ce qui peut se faire théoriquement de deux façons : soit en situant hors scène des actions qui seront ensuite rapportées sous la forme de récits (principe de condensation), soit en s'autorisant des ruptures de liaison. Les exemples fournis par Corneille n'envisagent explicitement que le premier cas de figure : c'est que, lorsqu'il est amené à ménager des ruptures de liaison au cinquième acte (comme dans *Le Cid*), c'est pour des raisons structurelles (liées notamment à l'épisode) et non pour écouler artifi-

ciellement une durée supplémentaire, comme ce pouvait être le cas dans certaines tragi-comédies des années 1630.

Le cinquième acte de *Nicomède* pouvait passer pour l'exemple même du dénouement « qui va trop vite » (Examen) : à la fin de l'acte IV, Nicomède a été livré à Rome ; on apprend, au début de l'acte V, que le peuple s'est soulevé et réclame celui qu'il considère comme son vrai roi ; à la scène 5, Prusias et Flaminius projettent de fuir pour échapper à la vindicte, et Attale quitte la scène en faisant croire aux autres personnages qu'il veut « amuser la fierté » du « peuple mutin », en réalité pour sauver Nicomède. Absent à la scène 6, il reparaît à la scène 7, suivi à la scène 8 du roi et de l'ambassadeur romain, qui ont renoncé à leur projet pour défendre Arsinoé. La libération de Nicomède et le projet de fuite puis son échec se déroulent en moins de temps qu'il n'en faut aux personnages restés sur scène pour échanger cent vingt vers. Dans l'Examen, Corneille souligne que le retour de Prusias et de Flaminius forme en outre une entorse à « l'égalité de mœurs » des deux personnages, et fait en outre état d'une première version de ce dénouement ; les changements introduits dans le texte final sont révélateurs des contraintes que le goût du public fait peser sur l'invention des dénouements : « D'abord j'avais fini la pièce sans les faire revenir, et m'étais contenté de faire témoigner par Nicomède à sa belle-mère, grand déplaisir de ce que la fuite du roi ne lui permettait pas de lui rendre ses obéissances. Cela ne démentait point l'effet historique, puisqu'il laissait sa mort en incertitude ; mais le goût des spectateurs, que nous avons accoutumé à voir rassembler tous nos personnages à la conclusion de cette sorte de poèmes, fut cause de ce changement, où je me résolus pour leur donner plus de satisfaction, bien qu'avec moins de régularité » (*Œuvres complètes*, éd. cit., t. II, p. 644). Or la fin de l'action ne dépend pas toujours (Voir, ci-dessous, p. 147) de personnages qui n'ont pas à quitter la scène : c'est notamment le cas dans les pièces dont le dénouement obéit à une structure judiciaire (*Horace*).

31. Nouveau développement sur les narrations (Voir ci-dessus, p. 138) dont la place s'explique ici, dans un passage sur les dénouements, par la nécessité d'évoquer à nouveau (Voir deuxième *Discours*, p. 110) le procédé de l'agnition ou reconnaissance finale (*Œdipe* et *Héraclius*).

32. Dans *Andromède*, le « jour illustre » est celui qui doit décider, pour la sixième et dernière fois, de l'identité de la jeune fille qui sera exposée au monstre marin ; pour *Don Sanche*, le jour choisi est celui « qui doit de [la Reine de Castille] assurer l'Hyménée » (I, 1, v. 10).

33. Corneille prend manifestement plaisir à donner, par hypothèse, à la règle de l'unité de lieu une autre origine que le fondement rationnel établi par Chapelain et radicalisé par d'Aubignac.

34. La bienséance, qui interdit d'évoquer, dans l'appartement même de Pulchérie, le projet de tuer le frère de cette dernière (Héraclius), impose logiquement une rupture de l'unité de lieu (que, dans le texte même de la pièce, le dramaturge a l'habileté de ne pas souligner).

35. Il s'agit donc d'accorder pratiquement la règle de l'unité de lieu avec les exigences de la bienséance et l'impératif de la vraisemblance, comme Corneille a pris soin de le souligner dans nombre d'Examens où il récusait déjà le raisonnement d'un Chapelain ou d'un d'Aubignac : dans la mesure où l'action tragique est fondée sur un conflit, il y a en effet quelque gageure à faire parler et agir en un même lieu des personnages présentés comme ennemis. Voir Dossier, section VI.

36. Liberté que le principe de la liaison des scènes exclut catégoriquement : le changement de lieu au sein d'un même acte n'est plus possible, mais il demeure possible de mettre à profit l'intervalle entre deux actes sur le plan de l'espace comme sur le plan de la durée. Corneille légitime ainsi la duplicité de lieu dans *Cinna* que favorise la relative indétermination des deux espaces scéniques, mais aussi sans doute le principe du changement de décor à chaque acte dans les tragédies à machines (qui peuvent respecter par ailleurs toutes les autres règles, et en particulier celle de la liaison des scènes). C'est cette conscience des possibilités qu'offre l'indétermination du lieu scénique qui conduit Corneille à promouvoir cette « fiction de théâtre » (p. 151) d'un lieu qui n'a son répondant dans aucune architecture, dessiné selon les seules exigences de l'action, et qui ne trouve son existence que dans le temps de la représentation, par les personnages qui le traversent et le crédit que le spectateur accorde à la représentation (voir J. Morel, « Corneille metteur en scène », [in] *Pierre Corneille*. Actes du Colloque de Rouen (1984), A. Niderst éd., PUF, 1985, p. 689-698 ;

repris dans *Agréables mensonges. Essais sur le théâtre
français du XVIIe siècle*, Klincksieck, 1994, p. 154-163).
Les deux seuls caractères (positifs) conventionnellement
déterminés que Corneille accorde à ce lieu fictif sont eux-
mêmes dictés par les « nécessités » dramaturgiques qu'il
vient d'exposer : que ce lieu puisse être tour à tour considéré comme un espace privé et un espace public, et accueillir indifféremment des personnages de différentes qualités.
Moyennant quoi, la scène théâtrale se trouve être une *zone
de franchise*, qui n'est plus, en tant que telle, directement
soumise à la vraisemblance et aux bienséances. C'est sur
ce point tardif que Corneille, qui s'est scrupuleusement
interdit jusqu'ici tout raisonnement spéculatif et normatif,
se sépare radicalement de la poétique idéaliste de l'abbé
d'Aubignac (Document 54).

LES *DISCOURS* RÉDUITS EN PRINCIPES

Sont donnés ici la plupart des « principes » énoncés par Corneille, dans l'ordre et sous la forme où ils figurent dans les *Discours*. Si le relevé ne prétend pas à l'exhaustivité, il révèle pourtant des redites : à la différence d'un d'Aubignac, Corneille n'a visiblement pas cherché à déduire une architecture de principes à partir d'axiomes fondamentaux ; mais la plupart de ces énoncés articulent clairement les principes poétiques à une réflexion rhétorique : le dramaturge ne peut composer qu'à partir de ce qu'il suppose de l'attitude du spectateur dans le cours même d'une représentation. Nos notes ainsi que l'analyse proposée dans la section « Trois *Discours* et cinq questions de poétique », (p. 37-54) ont tenté de mettre l'accent sur les plus fondamentaux d'entre eux : ceux qui commandent en définitive la dramaturgie cornélienne et une bonne part de ce que nous nommons le « théâtre classique ». Cette « table des principes » se veut donc seulement un aide-mémoire.

Premier Discours

1. Que la poésie dramatique a pour but le seul plaisir des spectateurs (p. 63 et 65).

2. Que les grands sujets doivent toujours aller au-delà du vraisemblable (p. 64).

3. Qu'il faut user sobrement des sentences et instructions morales, et les mettre rarement en discours généraux (p. 66).

4. Que la naïve peinture des vices et des vertus ne manque jamais de faire son effet quand elle est bien achevée (p. 68).

5. Que l'intérêt que l'on prend pour les vertueux oblige de finir le poème dramatique par la punition des mauvaises actions et la récompense des bonnes (p. 69-70).

6. Qu'il n'y a que le sujet dont la bonne constitution dépend proprement de l'art poétique (p. 71).

7. Que la dignité de la tragédie demande quelque grand intérêt d'État, ou quelque passion plus noble et plus mâle que l'amour (p. 72).

8. Que s'il ne se rencontre point de péril de vie dans une tragédie, celle-ci n'a pas le droit de prendre un nom plus relevé que celui de comédie héroïque (p. 73).

9. Que la tragédie veut pour son sujet une action illustre, extraordinaire, sérieuse, quand la comédie s'arrête à une action commune et enjouée (p. 73).

10. Qu'il ne doit y avoir qu'une action complète et achevée (p. 74).

11. Qu'il faut exclure les actions momentanées qui n'ont point une juste grandeur (p. 77).

12. Que la « bonté » des caractères n'est pas autre chose que le caractère brillant et élevé d'une habitude vertueuse ou criminelle, selon qu'elle est propre et convenable à la personne qu'on introduit (p. 78).

13. Qu'il faut intéresser l'auditoire pour les premiers acteurs (p. 81-82).

14. Qu'il faut toujours peindre les personnes que l'histoire ou la fable nous fait connaître telles que nous les y trouvons (p. 82).

15. Qu'il faut s'obliger à conserver jusqu'à la fin à nos personnages les mœurs que nous leur avons données au commencement (p. 83).

16. Que le premier acte doit contenir les semences de tout ce qui doit arriver, en sorte qu'il n'entre aucun acteur dans les actes suivants qui ne soit connu par ce premier, ou du moins appelé par quelqu'un qui y aura été introduit (p. 86).

17. Que les épisodes doivent avoir leur fondement dans le premier acte, et être attachées à l'action principale, et particulièrement les personnages épisodiques doivent s'embarrasser si bien avec les premiers, qu'un seul intrique brouille les uns et les autres (p. 91).

18. Qu'il faut réserver au cinquième acte toute la catastrophe, et même la reculer vers la fin, autant qu'il est possible (p. 92).

Deuxième Discours

19. Que la pitié d'un malheur où nous voyons tomber nos semblables nous porte à la crainte d'un pareil pour nous, cette crainte au désir de l'éviter, et ce désir à rectifier et même déraciner en nous la passion qui plonge dans ce malheur les personnes que nous plaignons (p. 96).

20. Que la perfection de la tragédie consiste bien à exciter de la pitié et crainte par le moyen d'un premier acteur, mais que cela n'est pas d'une nécessité si absolue qu'on ne puisse se servir de divers personnages pour faire naître ces deux sentiments (p. 103).

21. Que les circonstances ou moyens de parvenir à l'action demeurent au pouvoir du poète (p. 115).

22. Que nous ne sommes point obligés de nous écarter de la vérité pour donner une meilleur forme aux actions de la tragédie par les ornements de la vraisemblance, que l'opinion commune suffit pour nous justifier quand nous n'avons pas pour nous la vérité, et que nous pourrions faire quelque chose de mieux que ce que nous faisons, si nous recherchions les beautés de cette vraisemblance (p. 120).

23. Qu'il y a des occasions où il faut préférer le vraisemblable au nécessaire, et d'autres où il faut préférer le nécessaire au vraisemblable (p. 120).

24. Que le vraisemblable est une chose manifestement possible dans la bienséance, et qui n'est ni manifestement vraie ni manifestement fausse (p. 124-125).

25. Que le nécessaire n'est autre chose que le besoin du poète pour arriver à son but ou pour y faire arriver ses acteurs (p. 129).

26. Que le poète peut bien choquer la vraisemblance particulière par quelque altération de l'Histoire, mais non pas se dispenser de la générale, que rarement, et pour des choses qui soient de la dernière beauté. Mais qu'il ne doit jamais les pousser au-delà de la vraisemblance extraordinaire, parce que ces ornements qu'il ajoute de son invention ne sont pas d'une nécessité si absolue, et qu'il fait mieux de s'en passer tout à fait que d'en parer son poème contre toute sorte de vraisemblance (p. 130).

27. Que tout ce qu'on ajoute à l'Histoire et tous les changements qu'on y apporte ne soient jamais plus incroyables que ceux qu'on en conserve dans le même poème (p. 132).

Troisième Discours

28. Que l'unité d'action consiste, dans la comédie, en l'unité d'intrigue, ou d'obstacle aux desseins des principaux acteurs, et en l'unité de péril dans la tragédie, soit que son héros y succombe soit qu'il en sorte (p. 133).

29. Qu'il ne doit y avoir qu'une action complète, mais qu'elle ne peut le devenir que par plusieurs autres imparfaites, qui lui servent d'acheminements, et tiennent l'auditeur dans une agréable suspension (p. 134).

30. Que le poète n'est pas obligé d'exposer à la vue toutes les actions particulières qui amènent à la principale, mais seulement celles qui lui sont le plus avantageuses à faire voir (p. 135).

31. Que les actions particulières comme les actions principales doivent avoir une telle liaison ensemble, que les dernières soient produites par celles qui les précèdent, et que toutes aient leur source dans la protase que doit fermer le premier acte (p. 135).

32. Que chaque acte doit contenir une portion de l'action, mais non pas si égale qu'on n'en réserve plus pour le dernier que pour les autres, et qu'on n'en puisse moins donner au premier qu'aux autres (p. 140).

33. Qu'il faut toujours rendre raison de la sortie d'un acteur, et si possible de chaque entrée (p. 141).

34. Qu'il ne faut s'arrêter ni aux douze, ni aux vingt-quatre heures, mais resserrer l'action du poème dans la moindre durée qu'il est possible, afin que sa représentation ressemble mieux (p. 145).

35. Qu'il faut si possible laisser cette durée à l'imagination des auditeurs, et ne déterminer jamais le temps qu'elle emporte (p. 145).

36. Que le cinquième acte a quelque droit de presser un peu le temps, en sorte que la part de l'action qu'il représente en tienne davantage qu'il n'en faut pour sa représentation (p. 146).

37. Que c'est un grand ornement pour un poème que le choix d'un jour illustre et attendu depuis quelque temps (p. 147).

38. Qu'il faut chercher l'unité de lieu exacte autant qu'il est possible, mais qu'il faut considérer que ce qu'on ferait passer en une ville aurait l'unité de lieu (p. 150).

DOSSIER

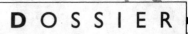

Les fondements de la doctrine classique

    I. Le statut de la fiction théâtrale
   II. Corneille et les règles :
       la Querelle du *Cid*
   III. Les genres dramatiques

La fabrique du poème dramatique

   IV. Fidélité et invention
    V. L'unification dynamique
      de l'action
   VI. La liaison des scènes :
      les unités de temps et de lieu
  VII. Les caractères

Plaire et instruire : rhétorique dramatique

 VIII. Les formes de la « diction »
   IX. Les effets du poème dramatique

LES FONDEMENTS
DE LA DOCTRINE CLASSIQUE

I. LE STATUT DE LA FICTION THÉÂTRALE

Les principes qui constituent ce que l'on a appelé après coup la « doctrine classique » ne s'imposent qu'avec la réforme du statut de la fiction, et tout particulièrement de la fiction théâtrale : à la suite d'Aristote, les théoriciens de la période classique la définissent comme une « imitation » qui doit être en tous points conforme à la chose qu'elle imite. Au cœur de cette réforme du statut de la fiction théâtrale, la vraisemblance s'affirme comme le principe essentiel auquel s'ordonneront toutes les questions attenant à la représentation, qu'elles touchent à la peinture des caractères ou aux circonstances de temps et de lieu dans lesquelles s'inscrit l'action représentée sur le théâtre.

« Persuader et émouvoir par la vive représentation des choses » : Chapelain, *Lettre sur la règle des vingt-quatre heures* (1630)

Dans une lettre adressée au poète Godeau qui défend, aux côtés des « irréguliers », la liberté du dramaturge à l'égard des règles des Anciens ainsi que la nécessité d'adapter les circonstances de la représentation aux circonstances de l'histoire représentée et donc, s'il est besoin, de s'émanciper de la règle d'unité de temps, Jean Chapelain fonde non plus en droit mais en raison la règle des vingt-quatre heures : réduire l'écart entre la durée de l'action et celle de la représentation, c'est faciliter l'illusion mimétique qui seule garantit la crédibilité du spectacle (le spectateur peut avoir l'impression d'assister à une action en temps réel). La comparaison de la scène théâtrale avec le tableau, qui ne représente qu'une action, qu'un lieu et qu'un moment lui permet d'affirmer non seulement le bien-fondé de la règle des vingt-quatre heures mais aussi, et plus largement, le statut de la fiction théâtrale comme imitation qui doit s'imposer aux spectateurs avec les couleurs du vrai.

DOCUMENT 1 – Je pose donc pour fondement que l'imitation en tous poèmes doit être si parfaite qu'il ne paraisse aucune différence entre la chose imitée et celle qui imite, car le principal effet de celle-ci consiste à proposer à l'esprit, pour le purger de ses passions déréglées, les objets comme vrais et comme présents ; chose qui, régnant par tous les genres de la poésie, semble particulièrement encore regarder la scénique en laquelle on ne cache la personne du poète que pour mieux surprendre l'imagination du spectateur et pour le mieux conduire sans obstacle à la créance que l'on veut qu'il prenne en ce qui lui est représenté. [...] Cela supposé de la sorte, et considérant le spectateur dans l'assiette [1] où l'on le demande pour profiter du spectacle, c'est-à-dire présent à l'action du théâtre comme à une véritable action, j'estime que les anciens qui se sont astreints à la règle des vingt-quatre heures ont cru que s'ils portaient le cours de leur représentation au-delà du jour naturel ils rendraient leur ouvrage non vraisemblable au respect de ceux qui le regarderaient, lesquels pour disposition que pût avoir leur imaginative [2] à croire autant de temps écoulé durant leur séjour à la scène que le poète leur en demanderait, ayant leurs yeux et leurs discours [3] témoins et observateurs exacts du contraire, ou même, quelque probable que fût la pièce d'ailleurs [4], s'apercevraient par là de sa fausseté et ne lui pourraient plus ajouter de foi ni de créance, sur quoi se fonde tout le fruit que la poésie pût produire en nous. Et la force de ce raisonnement consiste, si je ne me trompe, en ce que pour les poèmes narratifs l'imaginative suit, sans contredit, les mouvements que le poète lui veut donner [...] ; mais que pour les représentatifs l'œil, qui est un organe fini, leur sert de juge, auquel on ne peut n'en faire voir que selon son étendue et qui détermine le jugement de l'homme à certaines espèces de choses selon qu'il les a remarquées dans son opération. Et pour me servir de votre propre comparaison dans

---

1. L'état d'esprit.
2. Quoique leur imagination soit disposée à croire.
3. Entendement, jugement.
4. Par ailleurs.

un sens opposé, il en est de ceci précisément comme des tableaux réguliers dans lesquels jamais un bon desseigneur [1] n'emploiera qu'une action principale, et s'il en reçoit d'autres dans les enfonçures ou dans les éloignements, il le fera bien pour ce qu'elles auront de nécessaire dépendance de la première, mais ce sera plus encore par la seule raison de l'œil qui ne saurait bien voir qu'une chose d'un regard et duquel l'action est limitée à certain espace ; d'où procéderait, si l'on n'accommodait point la peinture à la portée de l'œil humain qui en doit être le juge, qu'au lieu de persuader et d'émouvoir par la vive représentation des choses et d'obliger l'œil surpris à se tromper lui-même pour son profit, on lui donnerait visée pour éclaircir l'imagination de la fausseté des objets présentés et l'on frustrerait l'art de sa fin qui va à toucher le spectateur par l'opinion de la vérité. Et cette maxime a lieu ne plus ne moins [2] en ce point-ci qu'en toutes les autres qui semblent au vulgaire constituer uniquement l'essence de cette faculté ; en sorte qu'un pan de tableau ne serait pas moins faux pour être supposé représenter deux temps ou deux lieux différents, et ne ferait pas moins par là connaître à l'œil la fausseté de la chose représentée que si les proportions des corps particuliers y étaient mal entendues [...] [3].

« Faire tout comme s'il n'y avait point de spectateurs » : *La Pratique du théâtre* de l'abbé d'Aubignac (1657)

Avec l'abbé d'Aubignac, la vraisemblance est explicitement placée au centre du dispositif dramatique, et la composition d'une pièce de théâtre est définie comme art de la dissimulation et de la motivation : le poète devra en effet déguiser les nécessités qui incombent à son art (faire entrer des acteurs sur la scène, raconter les événements passés, produire le pathétique) et qui relèvent, en tant que telles, de « l'action comme représentée », en trouvant des « couleurs » ou des raisons qui donnent à « l'action [considérée] comme véritable » la cohérence du vrai. Aussi le système défini par d'Aubignac peut-il aboutir à la formulation du paradoxe suivant : parce que le poème

1. Dessinateur ou peintre.
2. S'applique ni plus ni moins.
3. Chapelain, *Lettre sur la règle des vingt-quatre heures* (1630), *Opuscules critiques*, éd. cit., p. 115-118.

dramatique doit apparaître au spectateur comme une image absolument fidèle du vrai, le théâtre doit postuler la disparition de ce même spectateur.

DOCUMENT 2 – Quand [le poète] considère en sa Tragédie l'Histoire véritable ou qu'il suppose être véritable, il n'a soin que de garder la vraisemblance des choses, et d'en composer les Actions, les Discours, et les Incidents, comme s'ils étaient véritablement arrivés. Il accorde les pensées avec les personnes, les temps avec les lieux, les suites avec les principes. Enfin il s'attache tellement à la Nature des choses, qu'il n'en veut contredire ni l'état, ni l'ordre, ni les effets, ni les convenances ; et en un mot il n'a point d'autre guide que la vraisemblance, et rejette tout ce qui n'en porte point les caractères. Il fait tout comme s'il n'y avait point de Spectateurs, c'est-à-dire tous les personnages doivent agir et parler comme s'ils étaient véritablement Roi, et non pas comme étant Bellerose, ou Mondory [1], comme s'ils étaient dans le Palais d'Horace à Rome, et non pas dans l'Hôtel de Bourgogne à Paris ; et comme si personne ne les voyait et ne les entendait que ceux qui sont sur le Théâtre agissants et comme dans le lieu représenté.

[...] Je sais bien que le Poète ne travaille point sur l'Action comme véritable, sinon en tant qu'elle peut être représentée ; d'où l'on pourrait conclure qu'il y a quelque mélange de ces deux considérations, mais voici comme il les doit démêler. Il examine tout ce qu'il veut et doit faire connaître aux Spectateurs par l'oreille et par les yeux, et se résout de le leur faire réciter, ou de le leur faire voir ; parce qu'il doit avoir soin d'eux, en considérant l'Action comme représentée : mais il ne doit pas faire ces Récits, ni ces Spectacles seulement à cause que les Spectateurs en doivent avoir la connaissance. Comment donc ? Il faut qu'il cherche dans l'Action considérée comme véritable, un motif et une raison apparente, que l'on nomme couleur, pour faire que ces Récits et ces Spectacles soient vraisemblablement arrivés de la sorte. Et j'ose dire que le plus grand Art du Théâtre consiste à trouver toutes ces couleurs. Il faut qu'un Personnage vienne parler sur le Théâtre, parce qu'il faut que le Spectateur connaisse ses desseins et ses passions. Il faut faire une Narration des choses passées ; parce que le Spectateur, en les ignorant, ne comprendrait rien au reste. Il faut faire voir un Spectacle, parce qu'il touchera les Assistants de douleur ou d'admira-

---

1. Acteurs célèbres de l'Hôtel de Bourgogne.

tion. C'est travailler sur l'Action en tant que représentée, et cela est du devoir du Poète ; même est-ce sa principale intention. Mais il la doit cacher sous quelque couleur qui dépende de l'Action comme véritable. Si bien que le Personnage qui doit parler viendra sur le Théâtre ; parce qu'il cherche quelqu'un, ou pour se trouver à quelque assignation. La Narration des choses passées se fera ; parce qu'elle servira pour prendre conseil sur les présentes, ou pour obtenir un secours nécessaire. On fera voir un Spectacle ; parce qu'il doit exciter quelqu'un à la vengeance, et cela est travailler sur l'Action, en tant que véritable, sans avoir égard aux Spectateurs, à cause que vraisemblablement tout cela pouvait arriver ainsi à ne prendre les choses qu'en elles-mêmes [1].

« La nature ne fait rien que l'art ne puisse imiter » : Le *Discours à Cliton* (1637)

Publié à l'occasion de la Querelle du *Cid*, mais rédigé pour l'essentiel avant 1637, le *Discours à Cliton* se donne à lire comme une véritable poétique baroque qui propose, aux côtés du modèle émergent et bientôt dominant de la doctrine classique, un système où se trouvent redéfinis les termes clefs du débat qui oppose, dans les années 1630, les réguliers et les irréguliers. Loin d'adapter la chose qu'il imite aux règles du théâtre, le poète doit plier ces mêmes règles à la vérité de l'histoire imitée, et ce au nom de la vraisemblance même, définie par l'auteur comme fidélité absolue au vrai et à la nature. Une telle poétique peut se donner les moyens de sa mise en œuvre dramaturgique : elle met à profit, pour la représentation de l'espace, la tradition du décor à compartiments qui autorise plusieurs espaces de jeu ; l'exploitation des intervalles de scènes et d'actes permet de représenter des actions éloignées dans le temps (la scène restant vide d'acteurs, le spectateur peut admettre qu'il s'écoule un intervalle de temps dont l'extension est à la discrétion du poète) ; enfin la dramaturgie baroque dispose, avec la division en journées, d'un moyen efficace pour représenter une action longue et diversifiée.

---

1. D'Aubignac, éd. cit., I, VI (« Des Spectateurs et comment le Poète les doit considérer »), p. 38-40.

DOCUMENT 3 – L'objet de la Poésie Dramatique est d'imiter toute action, tout lieu et tout temps, de façon qu'il n'arrive rien au monde par quelque cause que ce soit, il ne s'y fait rien par aucun espace de temps, et il n'est point de pays de si grande étendue, ou si éloigné que le Théâtre ne puisse représenter. Ceux qui ne veulent qu'une action, un temps précis de vingt-quatre heures, et une Scène en un seul lieu, n'embrassent qu'une petite partie de l'objet de leur art, et ne sont pas meilleurs Poètes que ceux-là sont philosophes, qui de l'université [1] des choses divines et humaines ne savent faire qu'un argument, ne connaissent qu'un corps naturel, et ne peuvent définir qu'une vertu morale. Par l'unité d'action, ils n'accommodent le Théâtre qu'à une sorte d'histoires, au lieu d'accommoder toutes sortes d'histoires au théâtre, par l'espace de vingt-quatre heures ils restreignent la puissance de l'imagination et de la mémoire au lieu de l'étendre, et font les auditeurs d'un petit Esprit et par la Scène qu'ils assignent en un seul lieu, ils ôtent tous les cas fortuits qui sont en la nature et imposent une nécessité aux choses, de se rencontrer ici ou là, en quoi ils détruisent la vraisemblance, règle fondamentale de la Poésie. Voilà une longue suite d'actions, qui se font en divers pays, avec un long espace de temps. Pourquoi, puisqu'elles arrivent ainsi, et ainsi naturellement ne seront-elles représentées en la même sorte ? La nature ne fait rien que l'Art ne puisse imiter. Toute action et tout effet possible et naturel peut être imité par l'Art de Poésie. La difficulté est de bien imiter et de bien prendre les mesures et proportions des choses représentées à celles qu'on représente. [...] Le Théâtre ne diffère en rien d'une table d'attente [2], tout le Ciel est sa perspective, la terre et la mer en sont les confins, et ce qu'on fait en Orient et en Occident y peut être représenté. Par exemple, il se tient aujourd'hui à même heure et en même temps à Paris et à Constantinople un Conseil de guerre. C'est à savoir, le Roi de France délibère d'aller mettre le siège devant quelque ville du grand Seigneur, et le Grand Seigneur se prépare au contraire. Si des intelligences qui peuvent être de part et d'autre il doit réussir [3] quelque belle action, pour en représenter le commencement, le progrès et la fin, et la bien imiter comme naturellement elle aura réussi, il faudra pratiquer dessus le Théâtre la ville de Paris et de

---

1. L'universalité.
2. « Pièce de marbre ou cadre destiné à recevoir des inscriptions [...] qu'on doit remplir en achevant un ouvrage » (Fur.).
3. Résulter.

Constantinople, et il ne sera pas inconvénient [1] de faire sortir des Turcs d'un côté et des Français de l'autre. Il est vrai que ces Turcs et ces Français ne se parleront pas, mais dans une Scène et puis dans une autre, ceux-ci et ceux-là s'entreparleront de leurs affaires, et exécuteront les choses qui arriveront en deux divers lieux. Que si l'armée du Roi de France en ce voyage exécute quelque belle chose incidemment, tout cela peut être imité et représenté, et comme les lieux seront discernés par les diverses faces du Théâtre, les temps le pourront être par les Scènes et par les Actes raisonnablement et proportionnément, c'est-à-dire, en égard à la naturelle distance des pays, et au temps légitime qui s'est passé aux événements et circonstances de la vraie histoire. Et si un tel sujet est rempli de tant de beaux effets qu'ils ne puissent être compris dans une pièce d'un jour, sans violenter l'imagination et la mémoire des Auditeurs, et confondre la disposition intérieure et extérieure du Poème, qui doivent être réellement distinctes, on le devra traiter en autant de journées qu'il en faudra pour éviter cette violence et confusion [2].

La critique romantique des unités : Hugo, Préface de *Cromwell* (1827)

Radicalement imperméables à l'art classique, les romantiques font feu sur le principe de la vraisemblance (opposé à celui du « réel ») et sur les unités de temps et de lieu (l'unité d'action étant « la seule vraie et fondée ») dont la formulation est étroitement solidaire, on l'a vu, de l'application de la vraisemblance à toutes les parties de la représentation. La célèbre préface de *Cromwell* livre quelques-unes des formulations les plus virulentes de cette critique, Hugo reprochant à la dramaturgie classique assujettie aux unités de temps et de lieu de ne représenter que « les coudes de l'action ».

---

1. Inconvenant, malséant.
2. [Anonyme], *Discours à Cliton sur les Observations du Cid, avec un traité de la disposition du Poème dramatique, et de la prétendue Règle de vingt-quatre heures* (1637), [in] G. Dotoli, *Temps de préfaces. Le débat théâtral en France de Hardy à la Querelle du Cid*, *op. cit.*, p. 280 et 289. Le texte est aujourd'hui majoritairement attribué à J.-G. Durval, qui recourt, dans la préface de son *Agarite* (1636), à la même distinction que celle adoptée dans le *Discours* entre poèmes simples et poèmes composés (qui ne respectent pas les règles). Voir Document 40.

Dossier

DOCUMENT 4 – Ce qu'il y a d'étrange, c'est que les routiniers [1] prétendent appuyer leur règle des deux unités sur la vraisemblance, tandis que c'est précisément le réel qui la tue. Quoi de plus invraisemblable et de plus absurde en effet que ce vestibule, ce péristyle, cette antichambre, lieu banal où nos tragédies ont la complaisance de venir se dérouler, où arrivent, on ne sait comment, les conspirateurs pour déclamer contre le tyran, le tyran pour déclamer contre les conspirateurs [...]. Où a-t-on vu vestibule ou péristyle de cette sorte ? Quoi de plus contraire, nous ne dirons pas à la vérité, [...] mais à la vraisemblance ? Il résulte de là que tout ce qui est trop caractéristique, trop intime, trop local, pour se passer dans l'antichambre ou dans le carrefour, c'est-à-dire tout le drame, se passe dans la coulisse. Nous ne voyons en quelque sorte sur le théâtre que les coudes de l'action ; ses mains sont ailleurs. Au lieu de scènes, nous avons des récits ; au lieu de tableaux, des descriptions. De graves personnages placés, comme le chœur antique, entre le drame et nous, viennent nous raconter ce qui se fait dans le temple, dans le palais, dans la place publique, de façon que souventes fois nous sommes tentés de leur crier : « Vraiment ! mais conduisez-nous donc là-bas ! On s'y doit bien amuser, cela doit être beau à voir ! »

[...] On commence à comprendre de nos jours que la localité exacte est un des premiers éléments de la réalité. Les personnages parlants ou agissants ne sont pas les seuls qui gravent dans l'esprit du spectateur la fidèle empreinte des faits. Le lieu où telle catastrophe s'est passée en devient un témoin terrible et inséparable ; et l'absence de cette sorte de personnage muet décompléterait dans le drame les plus grandes scènes de l'histoire.

[...] L'unité de temps n'est pas plus solide que l'unité de lieu. L'action, encadrée de force dans les vingt-quatre heures, est aussi ridicule qu'encadrée dans le vestibule. Toute action a sa durée propre comme son lieu particulier. Verser la même dose de temps à tous les événements ! appliquer la même mesure sur tout ! On rirait d'un cordonnier qui voudrait mettre le même soulier à tous les pieds. Croiser l'unité de temps à l'unité de lieu comme les barreaux d'une cage, et y faire pédantesquement entrer, de par Aristote tous ces faits, tous ces peuples, toutes ces figures que la providence déroule à si grandes masses dans la réalité ! c'est mutiler hommes et

---

1. Les défenseurs des règles classiques.

choses, c'est faire grimacer l'histoire. Disons mieux : tout cela mourra dans l'opération ; et c'est ainsi que les mutilateurs dogmatiques arrivent à leur résultat ordinaire : ce qui était vivant dans la chronique est mort dans la tragédie. Voilà pourquoi, bien souvent, la cage des unités ne renferme qu'un squelette.

[...] Il suffirait enfin, pour démontrer l'absurdité de la règle des deux unités, d'une dernière raison, prise dans les entrailles de l'art. C'est l'existence de la troisième unité, l'unité d'action, la seule admise de tous parce qu'elle résulte d'un fait : l'œil ni l'esprit humain ne sauraient saisir plus d'un ensemble à la fois. Celle-là est aussi nécessaire que les deux autres sont inutiles. C'est elle qui marque le point de vue du drame ; or, par cela même, elle exclut les deux autres. Il ne peut pas plus y avoir trois unités dans le drame que trois horizons dans un tableau. Du reste, gardons-nous de confondre l'unité avec la simplicité d'action. L'unité d'ensemble ne répudie en aucune façon les actions secondaires sur lesquelles doit s'appuyer l'action principale. Il faut seulement que ces parties, savamment subordonnées au tout, gravitent sans cesse vers l'action centrale, et se groupent autour d'elle aux différents étages ou plutôt sur les divers plans du drame. L'unité d'ensemble est la loi de perspective du théâtre [1].

En 1660, le principe de la vraisemblance est définitivement acquis, et avec lui les règles auxquelles il préside, soit les trois unités d'action, de temps et de lieu, mais également la règle de la liaison des scènes. Corneille, qui a vécu de près le débat entre réguliers et irréguliers, très exactement contemporain de ses débuts au théâtre et dont le point d'aboutissement fut la Querelle du *Cid*, n'admet pourtant pas sans broncher l'arsenal des règles de la dramaturgie classique : le sujet de la tragédie n'a pas, dit-il, à se soumettre scrupuleusement à la vraisemblance, puisqu'il est, par nature, extraordinaire (premier *Discours*, p. 64) ; quant aux unités de temps et de lieu, elles relèvent moins de la vraisemblance que des nécessités de l'art, de sorte que le temps et l'espace dans lesquels s'inscrit l'action théâtrale sont largement fictifs (deuxième et troisième *Discours*, p. 121 *sq.*, 144 *sq.* et 151).

_____

1. Hugo, Préface de *Cromwell* (1827), éd. A. Ubersfeld, « GF-Flammarion », p. 81-83.

II. CORNEILLE ET LES RÈGLES : LA QUERELLE DU *CID*

Au moment de sa création (en janvier 1637), *Le Cid* avait connu un immense succès, sur lequel Corneille avait eu le tort de se fonder pour composer son *Excuse à Ariste* qui manifestait son orgueil et son indépendance de poète[1]. Ce texte met le feu à une querelle lancée par la publication des *Observations* de Scudéry et définitivement refermée par celle des *Sentiments* de la toute jeune Académie française (créée en 1635). La Querelle du *Cid* est essentielle à deux titres au moins : elle fournit aux tenants des règles l'occasion de manifester le bien-fondé et l'autorité de leur position, désormais incontestable puisqu'elle est aussi celle de l'Académie et de Richelieu ; elle permet à Corneille de mesurer, pour la première fois, l'originalité radicale de son théâtre et l'oblige à adopter à l'égard de son œuvre un regard qui n'est plus seulement celui d'un praticien. En ce sens, les *Discours* et les Examens de 1660 constituent sans aucun doute la réponse de Corneille à ses adversaires de 1637 et l'affirmation, au-delà de l'évolution des formes et des goûts du public, d'une exemplaire fidélité à soi.

Le réquisitoire de Scudéry

Auteur d'une des premières tragédies régulières (*La Mort de César*, créée en 1635) et de nombreuses tragi-comédies très remarquées (dont *Le Prince déguisé*, également créé en 1635), Scudéry voit en Corneille un rival dangereux. Son réquisitoire ne comporte, cependant, aucune attaque *ad hominem*, et il se contente de relever les fautes commises par Corneille à l'égard des règles. La critique porte sur cinq points : le sujet même de la pièce, le respect des règles du poème dramatique, la conduite de l'intrigue, le style et les emprunts au modèle espagnol (*Las Mocedades del Cid* de Guilhem de Castro).

---

1. Je sais ce que je vaux, et crois ce qu'on m'en dit. / [...] Je ne dois qu'à moi seul toute ma Renommée, / Et pense toutefois n'avoir point de rival / À qui je fasse tort en le traitant d'égal. », *Œuvres complètes*, éd. cit., t. I, p. 780.

Le sujet du *Cid*, tout d'abord, « ne vaut rien du tout » : contrairement à la tragédie, qui repose sur un sujet connu, la tragi-comédie n'est pas tenue de respecter l'Histoire ; par conséquent, le plaisir que le spectateur prend à la représentation d'une tragi-comédie se fonde non sur la reconnaissance d'une action connue mais sur la surprise née de l'enchaînement inattendu des faits. Or toute l'intrigue du *Cid* est connue dès le début du second acte :

DOCUMENT 5 – La Tragédie, composée selon les règles de l'Art, ne doit avoir qu'une action principale, à laquelle tendent, et viennent aboutir toutes les autres, ainsi que les lignes se vont rendre de la circonférence d'un Cercle à son Centre : Et l'Argument en devant être tiré de l'Histoire ou des fables connues (selon les préceptes qu'on nous a laissés) on n'a pas dessein de surprendre le Spectateur, puisqu'il sait déjà ce qu'on doit représenter. Mais il n'en va pas ainsi de la Tragi-comédie, Car bien qu'elle n'ait presque pas été connue de l'Antiquité, néanmoins puisqu'elle est comme un composé de la Tragédie et de la Comédie, et qu'à cause de sa fin Elle semble même pencher plus vers la dernière, il faut que le premier Acte, dans cette espèce de Poème, embrouille une intrigue, qui tienne toujours l'esprit en suspens, et qui ne se démêle qu'à la fin de tout l'Ouvrage. Ce Nœud Gordien, n'a pas besoin d'avoir un Alexandre dans *Le Cid* pour le dénouer [1] : le Père de Chimène y meurt presque dès le commencement, dans toute la Pièce elle ni Rodrigue ne poussent, et ne peuvent pousser, qu'un seul mouvement : on n'y voit aucune diversité ; aucune intrigue, aucun Nœud ; Et le moins clairvoyant des Spectateurs, devine, ou plutôt voit, la fin de cette aventure aussitôt qu'elle est commencée [2].

Plus fondamentalement, la pièce choque « les principales règles du Poème Dramatique », à savoir la vraisemblance, les bienséances, et les unités de temps et de lieu. Telle qu'elle se présente, l'action de la pièce est, tout d'abord, contraire à la vraisemblance. Quoiqu'elle soit

Dossier

---

1. Nœud gordien : un oracle avait promis l'empire de l'Asie à celui qui pourrait défaire le nœud compliqué qui attachait le joug au timon du char de Gordias, roi de Phrygie ; faute de pouvoir le dénouer, Alexandre le trancha.
2. Scudéry, *Observations sur* Le Cid (1637), [in] *La Querelle du Cid, Pièces et pamphlets publiés d'après les originaux,* A. Gasté éd., H. Welter, 1899, p. 73-74.

historique, l'histoire n'est pas recevable, parce qu'« il n'est point vraisemblable qu'une fille d'honneur épouse le meurtrier de son père » :

> DOCUMENT 6 – Ces Grands Maîtres anciens [1] [...] nous ont toujours enseigné, que le Poète, et l'Historien, ne doivent pas suivre la même route : et qu'il vaut mieux que le premier, traite un Sujet vraisemblable, qui ne soit pas vrai, qu'un vrai qui ne soit pas vraisemblable. Je ne pense pas qu'on puisse choquer une Maxime, que ces grands hommes ont établie, et qui satisfait si bien le jugement. C'est pourquoi j'ajoute après l'avoir fondée, en l'esprit de ceux qui la lisent, qu'il est vrai que Chimène épousa le Cid, mais qu'il n'est point vraisemblable qu'une fille d'honneur, épouse le meurtrier de son Père. Cet événement était bon pour l'Historien, mais il ne valait rien pour le Poète ; et je ne crois pas qu'il suffise, de donner des répugnances à Chimène ; de faire combattre le devoir contre l'amour ; de lui mettre en la bouche mille antithèses sur ce sujet ; ni de faire intervenir l'autorité d'un Roi ; car enfin, tout cela n'empêche pas qu'elle ne se rende parricide, en se résolvant d'épouser le meurtrier de son Père. Et bien que cela ne s'achève pas sur l'heure, la volonté (qui seule fait le mariage) y paraît tellement portée, qu'enfin Chimène est une parricide [...] [2].

Cette faute contre la vraisemblance ne se comprend, en réalité, qu'au regard du principe des bienséances, de sorte que la pièce pèche moins contre la vraisemblance ontologique que contre la vraisemblance éthique, qui n'est qu'un autre nom de la bienséance. Mais la question est inévitablement rattachée à celle de l'utilité du théâtre et, de ce point de vue, *Le Cid* est une pièce « de très mauvais exemple » :

> DOCUMENT 7 – L'on y voit une fille dénaturée ne parler que de ses folies, lors qu'elle ne doit parler que de son malheur, plaindre la perte de son Amant, lors qu'elle ne doit songer qu'à celle de son père ; aimer encore ce qu'elle doit abhorrer ; souffrir en même temps, et en même maison, ce meurtrier et ce pauvre corps ; et pour achever son impiété, joindre sa main à celle qui dégoutte encore du sang de son père [3].

---

1. Essentiellement Aristote (*Poétique*).
2. Scudéry, *Observations sur* Le Cid, [in] *La Querelle du* Cid, *op. cit.*, p. 75.
3. *Ibid.*, p. 80.

La pièce ne respecte pas non plus la règle des vingt-quatre heures, ou plus exactement, cette règle s'y trouve forcée (Corneille a « fait mal en pensant bien faire ») et le traitement du temps est donc condamné à son tour comme invraisemblable :

DOCUMENT 8 – [L'auteur espagnol] donne au moins quelque couleur à sa faute, parce que son Poème étant irrégulier, la longueur du temps qui rend toujours les douleurs moins vives, semble en quelque façon, rendre la chose plus vrai-semblable. Mais faire arriver en vingt-quatre heures la mort d'un père, et les promesses de mariage de sa fille, avec celui qui l'a tué ; et non pas encore sans le connaître ; non pas dans une rencontre inopinée ; mais dans un duel dont il était l'appelant ; c'est (comme a dit bien agréablement un de mes amis) ce qui loin d'être bon dans les vingt-quatre heures, ne serait pas supportable dans les vingt-quatre ans. [...] Et véri-tablement toutes ces belles actions que fit le Cid en plusieurs années, sont tellement assemblées par force en cette Pièce, pour la mettre dans les vingt-quatre heures, que les Person-nages y semblent des Dieux de machine, qui tombent du Ciel en terre : car enfin, dans le court espace d'un jour naturel, on élit un Gouverneur au Prince de Castille ; il se fait une que-relle et un combat, entre Don Diègue et le Comte, autre combat de Rodrigue et du Comte, un autre de Rodrigue contre les Mores ; un autre contre Don Sanche ; et le mariage se conclut, entre Rodrigue et Chimène : je vous laisse à juger, si ne voilà pas un jour bien employé, et si l'on n'aurait pas grand tort d'accuser tous ces personnages de paresse [1] ?

Si elle est générale, la faute est particulièrement visible au cinquième acte, où Corneille a regroupé en quelques scènes des événements qui ne peuvent se dérouler qu'en plusieurs heures, sans avoir mis à profit le seul artifice de théâtre qui permet de faire écouler un excédent de temps, à savoir l'intervalle d'actes :

DOCUMENT 9 – La cinquième [scène], qui fait arriver Don Sanche, me fait aussi vous avertir que vous preniez garde, que dans le petit espace de temps, qui se coule [sic] à réciter cent quarante vers, l'Auteur fait aller Rodrigue s'armer chez lui, se rendre au lieu du combat ; se battre ; être vainqueur ; désarmer Don Sanche ; lui rendre son épée ; lui ordonner de

Dossier

l'aller porter à Chimène ; et le temps qu'il faut à Don Sanche, pour venir de la place chez elle : tout cela se fait, pendant qu'on récite cent quarante vers, ce qui est absolument impossible, et qui doit passer pour une grande faute de conduite. Quand nous voulons prendre ainsi des temps au Théâtre, il faut que la Musique ou les Chœurs, qui font la distinction des actes, nous en donne le moyen dans cet intervalle ; car autrement, les choses ne doivent être représentées, que de la même façon, qu'elles peuvent arriver naturellement [1].

Scudéry critique enfin, lorsqu'il examine la conduite de l'intrigue, l'introduction de deux personnages épisodiques, l'Infante et Don Sanche, respectivement amoureux de Rodrigue et de Chimène, qui parasitent sans raison l'action principale, et qui ne peuvent être excusés au sein d'une pièce qui relève de la catégorie des « poèmes mixtes » :

DOCUMENT 10 – La troisième Scène [de l'acte II] est encore plus défectueuse [que la deuxième scène], en ce qu'elle attire en son erreur, toutes celles où parlent l'Infante ou Don Sanche : je veux dire, qu'outre la bienséance mal observée en une amour si peu digne d'une fille de Roi, et l'une et l'autre tiennent si peu dans le corps de la pièce, et sont si peu nécessaires à la représentation, qu'on voit clairement que Dona Urraque [2] n'y est que pour faire jouer la Beauchâteau [3], et le pauvre Don Sanche, pour s'y faire battre par Don Rodrigue.

[...] Ce n'est pas que j'ignore, que les Épisodes font une partie de la beauté d'un Poème, mais il faut pour être bons, qu'ils soient plus attachés au Sujet. Celui qu'on prend pour un Poème Dramatique, est de deux façons, car il est ou simple, ou mixte : nous appelons simple, celui qui étant un, et continué, s'achève sans un manifeste changement, au contraire de ce qu'on attendait, et sans aucune reconnaissance. [...] Le sujet mêlé, ou non simple, s'achemine à la fin, avec quelque changement opposé, à ce qu'on attendait, ou quelque reconnaissance, ou tous les deux ensemble. Cettuy-ci [le sujet mêlé] étant assez intrigué de soi, ne recherche presque aucun embellissement : au lieu que l'autre étant trop nu, a besoin d'ornements étrangers. Ces amplifications qui

---

1. *Ibid.*, p. 94-95.
2. L'Infante.
3. Célèbre actrice du Marais.

ne sont pas tout à fait nécessaires, mais qui ne sont pas aussi hors de la chose, s'appellent Épisodes chez Aristote : et l'on donne ce nom à tout ce que l'on peut insérer dans l'Argument, sans qu'il soit de l'Argument même. Ces Épisodes qui sont aujourd'hui fort en usage, sont trouvés bons, lorsqu'ils aident à faire quelque effet dans le Poème [...]. Ou bien lorsqu'ils sont nécessaires, ou vraisemblablement attachés au Poème, qu'Aristote appelle Épisodique, quand il pèche contre cette dernière règle. Notre Auteur [1] (sans doute) ne savait pas cette dernière doctrine, puisqu'il se fût bien empêché de mettre tant d'Episodes dans son poème qui, étant mixte, n'en avait pas besoin : ou si sa stérilité ne lui permettait pas de le traiter sans cette aide, il y en devait mettre qui ne fussent pas irréguliers. Il aurait sans doute banni D. Urraque, Don Sanche et Don Arias, et n'aurait pas eu tant de feu à leur faire dire des pointes, ni tant d'ardeur à la déclamation, qu'il ne se fût souvenu, que pas un de ces personnages ne servait aux incidents de son Poème, et n'y avait aucun attachement nécessaire [2].

La position de l'Académie ou *Le Cid* corrigé

Appelée par Richelieu à trancher le débat, l'Académie examine, pour les adoucir, les chefs d'accusation énoncés par Scudéry ; les *Sentiments* de l'Académie, rédigés par Chapelain, recentrent la critique sur la question de la vraisemblance et sur l'opposition entre vraisemblable et vrai historique. Dans la mesure où, comme l'avait marqué Scudéry, il n'est pas vraisemblable qu'une fille d'honneur épouse le meurtrier de son père, l'Académie propose deux amendements qui permettraient de concilier l'Histoire (Chimène épouserait Rodrigue) avec la vraisemblance (mais elle n'épouserait pas le meurtrier de son père).

---

1. Corneille.
2. Scudéry, *Observations sur* Le Cid, [in] *La Querelle* du Cid, *op. cit.*, p. 86-87. L'épisode de l'Infante a donné lieu à de nombreuses critiques, et Corneille lui-même ne le défend pas (voir premier *Discours*, p. 91). Seul l'auteur anonyme (sans doute Faret) de la *Défense du Cid* le justifie en arguant de ce que « l'Infante introduite ne peut point être inutile au dessein du *Cid*, bien qu'elle ne soit pas du corps de son dessein, puisqu'elle sert à relever les mérites de Rodrigue dont elle avait été éprise toute Infante qu'elle était, et par là même à excuser Chimène de s'être affermie à une passion où elle avait vu une Reine assujettie » (*ibid.*, p. 117).

DOCUMENT 11 – Le sujet du *Cid* est défectueux dans sa plus essentielle partie, pour ce qu'il manque et de l'un et de l'autre vraisemblable, et du commun et de l'extraordinaire. Car, ni la bienséance des mœurs d'une Fille introduite comme vertueuse n'y est gardée par le Poète, lors qu'elle se résout à épouser celui qui a tué son Père, ni la Fortune par un accident imprévu, et qui naisse de l'enchaînement des choses vraisemblables, n'en fait point le démêlement. Au contraire, la Fille consent à ce mariage par la seule violence que lui fait son amour, et le Dénouement de l'intrigue n'est fondé que sur l'injustice inopinée de Fernand qui vient ordonner un mariage, que par raison il ne devait pas seulement proposer [1].

Certes le sujet du *Cid* est vrai, mais « toutes les vérités ne sont pas bonnes pour le théâtre ». Aussi, lorsque le poète veut traiter « une matière historique » qui heurte la raison,

DOCUMENT 12 – Il la doit réduire aux termes de la bienséance, sans avoir égard à la vérité, et [...] il la doit plutôt changer tout entière que de lui laisser rien qui soit incompatible avec les règles de son Art [...]. De sorte qu'il y aurait eu sans comparaison moins d'inconvénient dans la disposition du *Cid*, de feindre contre la vérité, ou que le Comte ne se fût pas trouvé à la fin le véritable Père de Chimène, ou que contre l'opinion de tout le monde il ne fût pas mort de sa blessure, ou que le salut du Roi et du Royaume eût absolument dépendu de ce mariage, pour compenser la violence que souffrait la Nature en cette occasion, par le bien que le Prince et son État en recevrait ; tout cela, disons-nous, aurait été plus pardonnable, que de porter sur la scène l'événement tout pur et tout scandaleux, comme l'histoire le fournissait [2].

Ce que G. Forestier commente ainsi : « reconnaissance ou fausse mort : dans les deux cas l'histoire était transformée, mais la vraisemblance morale était sauve ; dans les deux cas on avait encore affaire à un dénouement comme on en trouvait tant alors dans les tragi-comédies [3] ».

---

1. *Les Sentiments de l'Académie française sur la tragi-comédie du* Cid, [in] *La Querelle du* Cid, *op. cit.*, p. 365.
2. *Ibid.*, p. 366.
3. G. Forestier, présentation de l'édition du *Cid* (1637-1660), éd. cit., p. XXIX.

La défense de Corneille (1648-1660) : un sujet pathétique mais qui choque les contemporains

Au moment de la querelle, Corneille se contente de publier une brève lettre par laquelle il répond aux *Observations* de Scudéry et rappelle le succès de la pièce ; il est ensuite forcé de s'incliner devant le jugement de l'Académie. La véritable défense de Corneille paraît en 1648 puis en 1660, dans les paratextes qui entourent les deux éditions du *Cid* et dans les *Discours*. Dans l'Avertissement de 1648, comme dans le second *Discours*, le dramaturge montre que le sujet du *Cid* réunit deux des conditions nécessaires, selon Aristote, à la constitution d'une bonne tragédie (la pièce change en effet de catégorie générique en 1648) : la qualité éthique du personnage, ni tout à fait bon, ni tout à fait méchant ; la nature du schéma tragique, qui repose sur le surgissement des violences au sein des alliances.

DOCUMENT 13 – J'ose dire que cet heureux poème n'a si extraordinairement réussi que parce qu'on y voit les deux maîtresses conditions (permettez-moi cet épithète) que demande ce grand maître aux excellentes tragédies, et qui se trouvent si rarement assemblées dans un même ouvrage, qu'un des plus doctes commentateurs [1] de ce divin traité qu'il en fait, soutient que toute l'Antiquité ne les a vues se rencontrer que dans le seul *Œdipe*. La première est que celui qui souffre et est persécuté ne soit ni tout méchant ni tout vertueux, mais un homme plus vertueux que méchant, qui, par quelque trait de faiblesse humaine qui ne soit pas un crime, tombe dans un malheur qu'il ne mérite pas ; l'autre, que la persécution et le péril ne vienne point d'un ennemi, ni d'un indifférent, mais d'une personne qui doive aimer celui qui souffre et en être aimée. Et voilà, pour en parler sainement, la véritable et seule cause de tout le succès du *Cid*, en qui l'on ne peut méconnaître ces deux conditions, sans s'aveugler soi-même, pour lui faire injustice [2].

Il restait à répondre du dénouement de la pièce, violemment condamné en 1637 comme contraire à la vrai-

---

1. Robortello.
2. Avertissement du *Cid* (1648), *Œuvres complètes*, éd. cit., t. I, p. 696.

semblance et aux bienséances. En 1660, Corneille modifie donc le texte de la dernière tirade de Chimène, rendant désormais possible, en théorie au moins, une séparation entre les deux amants. Chimène ne se contente plus de s'élever contre la précipitation avec laquelle le mariage doit se conclure (« Sire, quelle apparence à ce triste Hyménée, / Qu'un même jour commence et finisse mon deuil »), puisque ces deux vers, auxquels Fernand répondait en lui accordant un délai d'un an pour « essuyer [ses larmes] » sont supprimés ; elle remet en cause la décision elle-même : « Et quand de mon devoir vous voulez cet effort, / Toute votre justice en est-elle d'accord ? ». Mieux encore, Corneille reconnaît, dans l'Examen, le caractère immoral du dénouement historique :

> DOCUMENT 14 – Il est vrai que dans ce Sujet il faut se contenter de tirer Rodrigue de péril, sans le pousser jusqu'à son mariage avec Chimène. Il est Historique, et a plu en son temps ; mais bien sûrement il déplairait au nôtre ; et j'ai peine à voir que Chimène y consente chez l'Auteur Espagnol, bien qu'il donne plus de trois ans de durée à la Comédie qu'il en a faite. Pour ne pas contredire l'Histoire, j'ai cru ne me pouvoir dispenser d'en jeter quelque idée, mais avec incertitude de l'effet, et ce n'était que par là que je pouvais accorder la bienséance du Théâtre avec la vérité de l'événement [1].

On ne saurait, cependant, s'en tenir à cette lecture du dénouement, puisqu'elle est en contradiction avec les propos tenus par Corneille lui-même dans le premier *Discours* (p. 74-75) : loin d'évoquer l'idée d'une séparation entre les deux amants, Corneille rappelle au contraire que le mariage aura lieu, et qu'il n'est pas besoin d'en marquer précisément la date.

III. LES GENRES DRAMATIQUES

Le champ littéraire est, à l'époque classique, fortement hiérarchisé ; le classement des genres et des formes s'établit en fonction de deux lignes de partage : tout

---

1. Examen du *Cid* (1660), *ibid.*, t. I, p. 701-702.

d'abord une opposition, héritée d'Aristote, entre le noble et le bas (ou le moyen), qui recoupe celle qui régit l'organisation du corps social tout entier ; une distinction, ensuite, entre les genres hérités des Anciens et les genres modernes. C'est donc en couplant ces deux critères que l'on définit (et que l'on situe dans le champ littéraire) les quatre principaux genres dramatiques que sont la tragédie, la comédie, la tragi-comédie et la pastorale.

La carrière de Corneille tout autant que sa réflexion théorique manifestent une position originale à l'égard des genres et de la conception hiérarchisée qui préside à leur définition : rappelons que Corneille n'a pas écrit de pastorale, mais qu'il a composé ses premières comédies en empruntant à la pastorale nombre de ses schémas constitutifs ; son œuvre ne comporte en outre que deux tragi-comédies (*Clitandre* et *Le Cid*), mais seul *Clitandre* gardera son sous-titre générique, *Le Cid* devenant tragédie à partir de 1648 ; enfin et surtout, Corneille adopte à l'égard des critères traditionnels de classement des genres, et tout particulièrement à l'égard de l'opposition entre tragédie et comédie, un point de vue critique, puisqu'il fonde sa propre définition sur la nature de l'action et non sur la condition des personnages, ce qui lui permet d'inventer un genre nouveau, la comédie héroïque, dans lequel des personnages de haut rang sont engagés dans une action de nature comique.

La tragédie

La définition aristotélicienne

Le premier des genres dramatiques, qui a pour lui la caution des Anciens et qui constitue, par son personnel dramatique, par la nature de l'action qu'il met en scène et par le langage auquel il recourt, le plus noble des genres (il ne partage ce privilège qu'avec la seule épopée), est aussi celui auquel Aristote consacre la presque totalité de sa *Poétique*.

Après avoir donné, au chapitre 6, une définition générale de la tragédie, Aristote énumère les six parties constitutives du genre, selon lesquelles elle se qualifie :

DOCUMENT 15 – La tragédie est la représentation d'une action noble, menée jusqu'à son terme et ayant une certaine étendue, au moyen d'un langage relevé d'assaisonnements [*hèdusmenôi logôi*] d'espèces variées, utilisés séparément selon les parties de l'œuvre ; la représentation est mise en œuvre par les personnages du drame et n'a pas recours à la narration ; et, en représentant la pitié [*eleos*] et la frayeur [*phobos*], elle réalise une épuration [*katharsis*] de ce genre d'émotions.

[...] Il s'ensuit que toute tragédie comporte nécessairement six parties, selon quoi elle se qualifie. Ce sont l'histoire [*muthos*], les caractères [*èthè*], l'expression [*lexis*], la pensée [*dianoia*], le spectacle [*opsis*] et le chant [*melopoiia*] ; en effet il y a deux parties qui sont les moyens de la représentation, une qui en est le mode, trois qui en sont les objets, et il n'y en a pas d'autres en dehors de celles-là [...], puisque le spectacle implique tout : caractères, histoire, expression, chant et pensée également.

Le plus important de ces éléments est l'agencement des faits en système [*susthesis tôn pragmatôn*]. En effet la tragédie est représentation non d'hommes mais d'action, de vie et de bonheur [...], et le but visé est une action, non une qualité. [...] De sorte que les faits [*pragmata*] et l'histoire [*muthos*] sont bien le but visé par la tragédie, et le but est le plus important de tout.

[...] Ajoutons que ce qui exerce la plus grande séduction dans la tragédie, ce sont des parties de l'histoire : les coups de théâtre [*peripeteiai*] et les reconnaissances [*anagnôriseis*] [...] [1].

Les catégories de sujets

Parce que le *muthos* constitue la partie essentielle de la tragédie, celle qui doit susciter, par elle-même – c'est-à-dire sans le secours de la représentation, qui est pourtant le mode propre à la tragédie – la frayeur et la pitié, la définition de l'action tragique occupe, chez Aristote, une place primordiale. L'action de la tragédie doit, tout d'abord, se passer entre proches, et faire surgir « les violences au cœur des alliances » ; mais elle peut emprunter des voies diverses, et c'est en combinant deux critères (soit l'action violente a effectivement lieu, soit elle n'a

1. *Poétique*, 6, 49 b 24 – 50 a 35, éd. cit., p. 53-56.

pas lieu ; soit on connaît celui à qui on en veut, soit on ignore son identité véritable) que s'établissent les différents schémas d'action tragique et, partant, les sujets de la tragédie.

DOCUMENT 16 – L'action peut être accomplie, comme le faisaient les anciens, par des agents qui connaissent leurs victimes et les identifient – c'est ainsi qu'Euripide fait tuer ses enfants par Médée. On peut aussi accomplir l'acte effrayant, mais sans savoir qui est la victime, et ensuite reconnaître l'alliance – ainsi fait l'Œdipe de Sophocle, mais l'acte, ici, est situé hors du drame, tandis qu'il peut faire partie de la tragédie même comme celui de l'Alcméon d'Astydamas ou de Télégonos dans l'*Ulysse blessé*. Il y a encore une troisième possibilité, où celui qui se dispose à accomplir un acte irréparable en pleine ignorance reconnaît sa victime avant d'agir. Il n'y a pas d'autres possibilités en dehors de celles-là : nécessairement, on agit ou bien on n'agit pas, en sachant ou bien sans savoir. La combinaison dans laquelle, se disposant à agir en pleine connaissance, on ne va pas jusqu'à l'acte, est la plus mauvaise, car elle soulève la répulsion sans produire le tragique – faute d'effet violent ; c'est pourquoi personne n'en compose de semblable, ou c'est rare : par exemple, dans l'*Antigone*, c'est l'attitude d'Hémon à l'égard de Créon. Vient ensuite la combinaison dans laquelle on exécute l'acte. Supérieure est celle où l'acte est exécuté dans l'ignorance et suivi de la reconnaissance, car elle allie à l'absence de répulsion l'effet de surprise de la reconnaissance. Mais c'est la dernière qui est la meilleure, comme par exemple dans *Cresphonte* où Mérope prête à tuer son fils, ne le tue pas mais le reconnaît, ou dans l'*Iphigénie* où on a la même scène entre la sœur et le frère, ou dans l'*Hellè*, où le fils prêt à livrer sa mère, la reconnaît [1].

Corneille commente longuement ce passage dans le deuxième *Discours* (p. 107-111), mais c'est pour remettre en question la hiérarchie des sujets proposée par Aristote et pour lui opposer sa propre hiérarchie : pour le dramaturge moderne, le meilleur sujet de tragédie est celui qui repose sur « un affrontement à visage découvert » sans que le sang soit versé. En comparant la hiérarchie aris-

_____

1. *Ibid.*, 14, 53 b 27 – 54 a 9, éd. cit., p. 83.

totélicienne avec la hiérarchie cornélienne et en donnant, pour chacune des matrices tragiques, un exemple tiré des Anciens et un exemple moderne, on aboutit donc au tableau suivant :

DOCUMENT 17

Aristote	Corneille	Matrice tragique
1	4 ou 3	Entreprendre et reconnaître avant d'achever *Iphigénie en Tauride* (Euripide)
2	2	Achever et reconnaître après coup *Œdipe Roi* (Sophocle) *La Mort de Crispe* (Ghirardelli) (p. 110)
3	0 ou 1 *bis*	Connaître, entreprendre et achever *Médée* (Euripide, Sénèque, Corneille) (Racine, *Britannicus, Bajazet, Phèdre et Hippolyte*)
(4)	1	Connaître, entreprendre et être empêché d'achever Hémon dans *Antigone* (Sophocle) *Le Cid, Rodogune,* etc.

La comédie, antithèse de la tragédie

Depuis la fin de la Renaissance (voir par exemple l'*Art poétique français* de Laudun d'Aigaliers, publié en 1597), la comédie est définie par rapport à la tragédie, dont elle constitue un double inversé : alors que la tragédie met en scène des personnages de haut rang, la comédie présente des personnages bas ou de condition moyenne ; alors que l'action tragique s'offre comme un renversement du bonheur au malheur, l'action comique commence dans le malheur et s'achève dans le bonheur. C'est à cette tradition de la comparaison des deux genres que sacrifie Mairet dans la *Préface en forme de Discours poétique* de sa *Silvanire*, qui forme, en 1631, l'un des premiers manifestes en faveur des règles.

DOCUMENT 18 – Le poème dramatique se divise ordinairement en tragédie et comédie. Tragédie n'est autre chose que la représentation d'une aventure héroïque dans la misère. [...]

La comédie est une représentation d'une fortune privée sans aucun danger de la vie. [...] De la définition de la tragédie et de la comédie on peut aisément tirer celle de la tragi-comédie, qui n'est rien d'autre qu'une composition de l'une et de l'autre. De sorte que la tragédie est comme le miroir de la fragilité des choses humaines, d'autant que ces mêmes rois et ces mêmes princes qu'on y voit au commencement si glorieux et si triomphants y servent à la fin de pitoyables preuves des insolences de la fortune. La comédie au contraire est un certain jeu qui nous figure la vie des personnes de médiocre condition, et qui montre aux pères et aux enfants de famille la façon de bien vivre réciproquement entre eux ; et le commencement d'ordinaire n'en doit pas être joyeux, comme la fin au contraire ne doit jamais en être triste. Le sujet de la tragédie doit être un sujet connu, et par conséquent fondé en histoire, encore que quelquefois on y puisse mêler quelque chose de fabuleux. Celui de la comédie doit être composé d'une matière toute feinte, et toutefois vraisemblable. La tragédie décrit en style relevé les actions et les passions des personnes relevées, où la comédie ne parle que des médiocres en style simple et médiocre. La tragédie en son commencement est glorieuse, et montre la magnificence des grands ; en sa fin elle est pitoyable, comme celle qui fait voir des rois et des princes réduits au désespoir. La comédie à son entrée est suspendue, turbulente en son milieu, car c'est là que se font toutes les tromperies et les intrigues, et joyeuse à son issue. De manière que le commencement de la tragédie est toujours gai, et la fin en est toujours triste ; tout au rebours de la comédie, dont le commencement est volontiers assez triste, pour ce qu'il est ambigu, mais la fin en est infailliblement belle et joyeuse ; l'une cause un dégoût de la vie, à cause des infortunes dont elle est remplie ; et l'autre nous persuade de l'aimer par le contraire [1].

La comédie cornélienne

Loin de répondre en tous points à cette définition traditionnelle du genre, la comédie cornélienne ouvre une voie nouvelle, en empruntant son personnel dramatique et la nature de ses intrigues non plus au fonds des comédies antiques ou des comédies des modernes italiens ou

_____

1. Mairet, Préface de *La Silvanire* (1631), [in] *Théâtre du XVII*ᵉ *siècle*, J. Scherer éd., Paris, Gallimard, « Bibliothèque de la Pléiade », t. I, 1975, p. 482-483.

espagnols mais à ceux de la pastorale. L'originalité radicale des premières comédies cornéliennes – et leur succès – s'explique ainsi par le choix de personnages d'un rang plus élevé que les personnages habituels de la comédie, d'un langage élégant mais contenu dans les bornes du « naturel » et par la mise à distance des traditionnels « ridicules » :

> DOCUMENT 19 – La nouveauté de ce genre de Comédie, dont il n'y a point d'exemple en aucune Langue, et le style naïf, qui faisait une peinture de la conversation des honnêtes gens, furent sans doute cause de ce bonheur surprenant, qui fit alors tant de bruit. On n'avait jamais vu jusque-là que la Comédie fît rire sans Personnages ridicules, tels que les Valets bouffons, les Parasites, les Capitans, les Docteurs, etc. Celle-ci faisait son effet par l'humeur enjouée de gens d'une condition au-dessus de ceux qu'on voit dans les Comédies de Plaute et de Térence, qui n'étaient que des Marchands [1].

Corneille et les genres : l'invention de la comédie héroïque

Dans l'*Épître à M. de Zuylichem* qu'il publie en tête de *Don Sanche d'Aragon*, sa première comédie héroïque (1650), Corneille réévalue la distinction entre comédie et tragédie selon le critère de la nature de l'action et non plus de la nature des personnages. Le croisement des catégories de l'action (le péril de mort nécessaire à l'action tragique, l'absence de péril constitutive de l'action comique) et du rang des personnages (personnages illustres d'un côté, personnages de condition moyenne de l'autre) le conduit à faire une place à deux genres dramatiques nouveaux, dont il n'exploitera que le second – le premier ayant été exploré par Hardy dans *Scédase ou l'hospitalité violée* (1624) : la tragédie « moyenne » et la comédie héroïque [2]. Au-delà de la défense du sous-titre générique de *Don Sanche*, le texte propose ainsi une théorie des genres complète et résolument originale, en appro-

---

1. Examen de *Mélite* (1660), *Œuvres complètes*, éd. cit., t. I, p. 5-6.
2. Voir deuxième *Discours*, p. 97, pour *Scédase*, et premier *Discours*, p. 73, pour la comédie héroïque.

fondissant la définition toute cornélienne d'une comédie exempte de ridicule.

DOCUMENT 20 – Quand [Aristote] examine lui-même les qualités nécessaires au héros de la tragédie, il ne touche point du tout à sa naissance, et ne s'attache qu'aux incidents de sa vie et à ses mœurs. Il demande un homme qui ne soit ni tout méchant, ni tout bon ; il le demande persécuté par quelqu'un de ses plus proches ; il demande qu'il tombe en danger de mourir par une main obligée à le conserver : et je ne vois point pourquoi cela ne puisse arriver qu'à un prince, et que dans un moindre rang on soit à couvert de ces malheurs. L'histoire dédaigne de les marquer, à moins qu'ils aient accablé quelqu'une de ces grandes têtes, et c'est sans doute pourquoi jusqu'à présent la tragédie s'y est arrêtée. Elle a besoin de son appui pour les événements qu'elle traite, et comme ils n'ont de l'éclat que parce qu'ils sont hors de la vraisemblance ordinaire, ils ne seraient pas croyables sans son autorité, qui agit avec empire, et semble commander de croire ce qu'elle veut persuader. Mais je ne comprends point ce qui lui défend de descendre plus bas, quand il s'y rencontre des actions qui méritent qu'elle prenne soin de les imiter, et je ne puis croire que l'hospitalité violée en la personne des filles de Scédase, qui n'était qu'un paysan de Leuctres, soit moins digne d'elle, que l'assassinat d'Agamemnon par sa femme, ou la vengeance de cette mort par Oreste sur sa propre mère.
[...] Je dirai plus, Monsieur, la tragédie doit exciter de la pitié et de la crainte, et cela est de ses parties essentielles, puisqu'il entre dans sa définition. Or, s'il est vrai que ce dernier sentiment ne s'excite en nous par sa représentation, que quand nous voyons souffrir nos semblables, et que leurs infortunes nous en font appréhender de pareilles : n'est-il pas vrai aussi qu'il y pourrait être excité plus fortement, par la vue des malheurs arrivés aux personnes de notre condition, à qui nous ressemblons tout à fait, que par l'image de ceux qui font trébucher de leurs trônes les plus grands monarques, avec qui nous n'avons aucun rapport, qu'en tant que nous sommes susceptibles des passions qui les ont jetés dans ce précipice, ce qui ne se rencontre pas toujours ? Que si vous trouvez quelque apparence en ce raisonnement, et ne désapprouvez pas qu'on puisse faire une tragédie entre des personnes médiocres, quand leurs infortunes ne sont pas au-dessous de sa dignité, permettez-moi de conclure, *a simili*, que nous pouvons faire une

comédie entre des personnes illustres, quand nous nous en proposons quelque aventure, qui ne s'élève point au-dessus de sa portée. Et certes, après avoir lu dans Aristote que la tragédie est une imitation des actions et non pas des hommes, je pense avoir quelque droit de dire la même chose de la comédie, et de prendre pour maxime, que c'est par la seule considération des actions, sans aucun égard aux personnages, qu'on doit déterminer de quelle espèce est un poème dramatique. [...] *Don Sanche* est une véritable comédie, quoique tous ses acteurs y soient, ou rois, ou grands d'Espagne, puisqu'on n'y voit naître aucun péril, par qui nous puissions être portés à la pitié, ou à la crainte.

[...] Ce n'est pas que je n'aie hésité quelque temps [à donner à la pièce le sous-titre de comédie plutôt que de tragédie] sur ce que je n'y voyais rien qui pût émouvoir à rire. Cet agrément a été jusqu'ici tellement de la pratique de la comédie, que beaucoup ont cru qu'il était aussi de son essence, si je n'en avais été guéri par votre M. Heinsius, de qui je viens d'apprendre heureusement que *movere risum non constituit comœdiam, sed plebis aucupium est, et abusus* [Susciter le rire ne constitue pas la comédie : c'est une manière de prendre le public et un usage perverti] [1]. Après l'autorité d'un si grand homme je serais coupable de chercher d'autres raisons, et de craindre d'être mal fondé à soutenir que la comédie se peut passer du ridicule. J'ajoute à celle-ci l'épithète de héroïque, pour satisfaire aucunement à la dignité de ses personnages, qui pourrait sembler profanée par la bassesse d'un titre, que jamais on n'a appliqué si haut [2].

La tragi-comédie et la pastorale

Contrairement aux deux genres précédemment évoqués, la tragi-comédie et la pastorale sont deux genres résolument modernes, auxquels on a cherché en vain des origines antiques pour leur assurer une légitimité véritable dans le champ littéraire. Genres modernes, genres nouveaux empruntés aux Italiens qui les ont mis au jour à la

---

1. Heinsius, *Ad Horatii de Plauto et Terentio judicium, Disertatio*, cité par G. Couton dans Corneille, *Œuvres complètes*, éd. cit., t. II, p. 1436.
2. *Épître à Monsieur de Zuylichem*, *ibid.*, t. II, p. 550-553.

fin du XVIᵉ siècle, ils sont les deux grands favoris des dramaturges baroques et plus largement des irréguliers. Aussi la victoire des réguliers, définitivement acquise à la fin des années 1630, signe-t-elle leur arrêt de mort : alors que la tragi-comédie s'éteint tout à fait, sans laisser, cependant, d'influencer la tragédie régulière, la pastorale se survit à elle-même dans la comédie d'abord, sous la forme de la « comédie bocagère » ou de la « pastorale citadine » puis dans la tragédie, à laquelle elle lègue certains de ses schémas amoureux.

La tragi-comédie comme « miroir de la condition des hommes »

Fer de lance des dramaturges irréguliers, la tragi-comédie est conçue comme un genre supérieur aux deux qu'elle mêle au regard du principe même de l'imitation : loin de n'imiter qu'une partie de la vie des hommes, elle est un miroir de la complexité de la condition humaine, qui fait alterner les rires et les pleurs. C'est la ligne de défense qu'adopte ici le préfacier anonyme – sans doute François Ogier – de *Tyr et Sidon* de Jean de Schélandre (1628) ; l'auteur fonde en outre son argumentaire sur l'exemple des Anciens, qui avaient coutume d'agrémenter la représentation des tragédies par celle de drames satiriques.

DOCUMENT 21 – Cette économie et disposition dont [les Anciens] se sont servi [en mêlant des drames satiriques aux représentations des tragédies] fait que nous ne sommes point en peine d'excuser l'invention des Tragi-comédies, qui a été introduite par les Italiens, vu qu'il est bien plus raisonnable de mêler les choses graves avec les moins sérieuses, en une même suite de discours et les faire rencontrer en un même sujet de fable ou d'histoire que de joindre hors d'œuvre des Satyres avec des Tragédies, qui n'ont aucune connexité ensemble, et qui confondent et troublent la vue et la mémoire des auditeurs. Car de dire qu'il est malséant de faire paraître en une même pièce les mêmes personnes traitant tantôt d'affaires sérieuses, importantes et Tragiques, et incontinent après, de choses communes vaines et Comiques, c'est ignorer la condition de la vie des hommes, de qui les jours et les heures sont bien souvent entrecoupés de ris et de larmes, de contentement et d'affliction, selon qu'ils sont agités de la bonne ou de la mauvaise fortune [1].

Tragi-comédie ou tragédie à fin heureuse ?

Pour d'Aubignac, le terme de « tragi-comédie » ne désigne en réalité rien d'autre qu'une tragédie à fin heureuse : loin de partager avec les irréguliers la conception d'un genre total, qui fondrait véritablement les ressorts de la comédie et ceux de la tragédie, il considère que les pièces auxquelles on a donné le sous-titre générique de « tragi-comédie » n'ont rien de comique et qu'elles ne se distinguent des « tragédies » que par leur dénouement. Rappelant que le caractère funeste du dénouement n'entre pas dans la définition de la tragédie, d'Aubignac propose de bannir définitivement du théâtre le terme de « tragi-comédie » puisqu'il ne désigne pas un genre à part entière, et qu'il oriente la réception du spectacle, renseignant les spectateurs, dès l'ouverture du théâtre, sur l'issue du drame (voir premier *Discours*, p. 74 et 78).

DOCUMENT 22 – Ce que nous avons fait sans fondement, est que nous avons ôté le nom de *Tragédie* aux Pièces de Théâtre dont la Catastrophe est heureuse, encore que le Sujet et les personnes soient Tragiques, c'est-à-dire héroïques, pour leur donner celui de *Tragi-Comédies*. Je ne sais si Garnier fut le premier qui s'en servit, mais il a fait porter le titre à sa *Bradamante* [1582], ce que depuis plusieurs ont imité ; Or je ne veux pas absolument combattre ce nom, mais je prétends qu'il est inutile, puisque celui de *Tragédie* ne signifie pas moins les Poèmes qui finissent par la joie, quand on y décrit les fortunes des personnes illustres. Davantage, c'est que sa signification n'est pas véritable selon que nous l'appliquons ; car dans les Pièces que nous nommons de ce terme composé du mot de *Tragédie* et de celui de *Comédie*, il n'y a rien qui ressente la Comédie : Tout y est grave et merveilleux, rien de populaire ni de bouffon.

Mais j'ajoute que ce nom seul peut détruire toutes les beautés d'un Poème, qui consistent en la Péripétie ; car il est toujours d'autant plus agréable que de plusieurs apparences funestes,

---

1. [F. Ogier], Préface à Jean de Schélandre, *Tyr et Sidon*, 1628, [in] G. Dotoli, *Temps de préfaces, op. cit.*, p. 189.

le retour et l'issue en est heureuse et contre l'attente des Spectateurs : mais dès lors qu'on a dit *Tragi-Comédie*, on découvre quelle sera la Catastrophe ; si bien que tous les Incidents qui troublent l'espérance et les desseins des principaux Personnages, ne touchent point le Spectateur, prévenu de la connaissance qu'il a du succès contraire à leur crainte et à leur douleur ; et quelques plaintes pathétiques qu'ils fassent, nous n'entrons pas bien avant dans leur sentiment, parce que nous prenons cela trop certainement pour une feinte, au lieu que si nous en ignorions l'événement, nous appréhenderions pour eux, toutes leurs passions s'imprimeraient vivement en notre cœur, et nous goûterions avec plus de satisfaction le retour favorable de leur fortune [1].

La pastorale : « une tragi-comédie qui imite les actions des bergers »

À l'origine, la pastorale ne se distingue de la tragi-comédie que par la condition de ses personnages ; aussi le *Pastor fido* (1589) de Guarini, qui constitue l'un des modèles du genre et qui donne lieu, en France, à de nombreuses imitations, s'intitule-t-il « tragi-comédie pastorale ». La brève définition que propose Chapelain dans son *Discours de la poésie représentative* va dans ce sens :

DOCUMENT 23 – La pastorale a été inventée et introduite par les Italiens sur le pied de l'églogue depuis moins de cent ans, et c'est une espèce de tragi-comédie qui imite les actions des bergers, mais d'une manière et par des sentiments plus relevés que ne souffre l'églogue [2].

Mais au contraire de la tragi-comédie qui relève toujours de la catégorie des poèmes « composés » et mêle plusieurs intrigues en une seule pièce, la pastorale dramatique française oscille d'abord entre deux modèles, celui du poème simple illustré par l'*Aminta* du Tasse, celui du poème composé initié par le *Pastor fido* de Guarini, avant de devenir l'un des terrains d'expérimentation des règles et de se confondre du même coup avec le poème simple. Le mouvement est lancé avec la publica-

---

1. D'Aubignac, éd. cit., II, x, p. 147-148.
2. Chapelain, *Discours de la poésie représentative*, *Opuscules critiques*, éd. cit., p. 130.

tion par Mairet de la préface de sa *Silvanire*, et cette éradication de la parenté structurelle du genre avec la tragi-comédie explique l'essoufflement du genre et son évolution. Comme l'explique G. Forestier :

> DOCUMENT 24 – Les progrès de l'application des règles, ainsi que les réflexions des auteurs sur la nature du poème simple qui est liée à cette application, aboutissaient à une exténuation du genre de la pastorale, conçue dès ses origines italiennes comme un poème composé tenu dans la limite des vingt-quatre heures – c'est ce qu'était précisément *La Silvanire*, conçue sur le modèle des pastorales italiennes – ; la réduire à un poème simple aboutissait à la transformer en simple comédie bocagère, à n'être plus qu'une variante de la nouvelle comédie qu'étaient en train d'imposer Corneille et Rotrou. Autrement dit, face à la tragi-comédie, un auteur régulier n'avait plus guère le choix qu'entre la comédie bocagère ou la pastorale citadine, c'est-à-dire en fait pas d'autre choix que la comédie [1].

----

1. G. Forestier, « De la modernité anti-classique au classicisme moderne », *Littératures classiques*, n° 19, automne 1993, p. 126. Il faut donc lire les premières comédies cornéliennes (de *Mélite* à *La Place royale*), exemptes de personnages ridicules, comme des « pastorales citadines ».

LA FABRIQUE
DU POÈME DRAMATIQUE

IV. Fidélité et invention

Pour les théoriciens de la tragédie comme pour les dramaturges, il semble aller de soi, au XVIIᵉ siècle, que le sujet d'une tragédie doit être un sujet connu, qu'il soit d'origine historique ou mythologique. Cependant, la fidélité à un texte source – tragédie antique dramatisant tel ou tel épisode de l'histoire des Atrides ou des Labdacides ou texte historique évoquant le règne et la mort de tel ou tel empereur romain – peut entrer en contradiction avec le respect des deux principes clefs de l'esthétique classique que sont la vraisemblance et les bienséances. La dialectique entre fidélité et invention – l'invention venant combler les manques et les implicites du texte source, mais surtout adapter les données de ce texte aux attentes du spectateur et à son code éthique – se trouve donc au cœur de la création dramatique et des débats auxquels elle donne lieu, à commencer par la Querelle du *Cid*.

La position aristotélicienne

Les paradoxes et les tensions qui se font jour dans le débat sur l'invention du sujet de la tragédie trouvent leur origine dans la *Poétique* elle-même : Aristote y affirme d'une part que la supériorité de la poésie par rapport à l'Histoire tient à ce que cette dernière s'en tient au vrai, alors que la poésie a partie liée avec le vraisemblable, et soutient d'autre part que la différence entre la comédie et la tragédie s'explique principalement par le fait que les auteurs de comédie inventent leurs sujets, alors que les poètes tragiques dramatisent des sujets connus, c'est-à-dire relevant du vrai. Il y a là un paradoxe, sinon une contradiction, que les théoriciens et les dramaturges de l'âge classique ne manqueront pas de relever et d'interpréter.

Poésie et histoire

DOCUMENT 25 – Le rôle du poète est de dire non pas ce qui a eu lieu réellement, mais ce qui pourrait avoir lieu dans l'ordre du vraisemblable ou du nécessaire. Car la différence entre le chroniqueur [*historikos*] et le poète ne vient pas de ce que l'un s'exprime en vers et l'autre en prose (on pourrait mettre en vers l'œuvre d'Hérodote, ce ne serait pas moins une chronique [*historia*] en vers qu'en prose) ; mais la différence est que l'un dit ce qui a eu lieu [*ta genomena*], l'autre ce qui pourrait avoir lieu [c'est-à-dire le possible, *hoia an genoiti kai ta dunata*] ; c'est pour cette raison que la poésie est plus philosophique [*philosophôteron*] et plus noble que la chronique : la poésie traite plutôt du général [*katholou*], la chronique du particulier [*kath' hekaston*]. Le « général », c'est le type de chose qu'un certain type d'homme [c'est-à-dire de « caractères »] fait ou dit vraisemblablement ou nécessairement. C'est le but que poursuit la poésie, tout en attribuant des noms aux personnages. Le « particulier », c'est que qu'a fait Alcibiade ou ce qui lui est arrivé.

[Pour la comédie], les poètes construisent leur histoire à l'aide de faits vraisemblables, puis ils lui donnent pour supports des noms [*hupotithesai onomata*] pris au hasard [*tukhonta*], au lieu de composer leurs poèmes, comme les poètes iambiques, sur un individu particulier. Les tragiques au contraire s'en tiennent aux noms d'hommes réellement attestés [*tôn genomenon onomatôn*]. En voici la raison : c'est que le possible [*to dunaton*] est persuasif [*pithanon*] ; or, ce qui n'a pas eu lieu, nous ne croyons pas que c'est possible, tandis que ce qui a eu lieu, il est évident que c'est possible [*pisteuomen*] (si c'était impossible, cela n'aurait pas eu lieu). Néanmoins, dans certaines tragédies, il n'y a qu'un ou deux noms connus, les autres sont forgés ; et, dans certaines, il n'y en a aucun ; par exemple dans l'*Anthée* d'Agathon, où les faits et les noms sont également forgés sans que le charme en soit moins grand [*kai ouden hèttôn euphrainei*]. De sorte qu'il ne faut pas vouloir à tout prix s'en tenir aux histoires traditionnelles [*tôn paradedomenôn muthôn*] qui forment le sujet de nos tragédies ; c'est même une exigence ridicule puisque aussi bien ce qui est connu ne l'est que d'une minorité, mais il n'empêche que cela plaît à tout le monde [*homôs euphrainei pantas*] [1].

En dépit de l'apparente contradiction, la position aristotélicienne est néanmoins cohérente : le choix d'un sujet connu ne constitue pas une obligation pour le poète tragique, et la préférence qu'Aristote accorde à ce type de sujet s'explique en réalité par un argument rhétorique – de tels sujets sont plus persuasifs et permettent de gagner plus efficacement le suffrage des spectateurs ; par ailleurs, en traitant un sujet connu, le poète n'en demeure pas moins poète, puisqu'il donne au vrai les couleurs du vraisemblable en le hissant à un degré d'universalité qui lui permet de dépasser la singularité de l'événement historique :

DOCUMENT 26 – Il ressort clairement de tout cela que le poète doit être poète d'histoires [*poïètèn tôn muthôn*] plutôt que de mètres, puisque c'est en raison de la représentation qu'il est poète, et que ce qu'il représente, ce sont des actions [*mimeitai de tas praxeis*] ; à supposer même qu'il compose un poème sur des événements réellement arrivés, il n'en est pas moins poète ; car rien n'empêche que certains événements réels ne soient de ceux qui pourraient arriver dans l'ordre du vraisemblable et du possible [*hoia an eikos genesthai kai dunata genesthai*], moyennant quoi il en est le poète [2].

La marge de manœuvre consentie au poète

Dans le tissu même du texte tragique, le poète combine les événements vrais, les événements vraisemblables et ceux qui répondent à l'opinion commune. C'est dire que, pour la représentation des faits, le poète dispose d'une marge de manœuvre assez large, mais qu'il doit malgré tout faire tenir l'invention de l'action dans les bornes définies par ces trois modes d'existence du fait.

DOCUMENT 27 – Puisque le poète est auteur de représentations, tout comme le peintre ou tout autre faiseur d'images, il est inévitable qu'il représente toujours les choses sous l'un

---

1. *Poétique*, 9, 54 a 36 – 51 b 26, éd. cit., p. 65-67.
2. *Ibid.*, 9, 51 b 27 – 51 b 33, p. 67.

de [ces] trois aspects possibles : ou bien telles qu'elles étaient ou qu'elles sont, ou bien telles qu'on les dit ou qu'elles semblent être, ou bien telles qu'elles doivent être [1].

Dans la suite du chapitre 25, Aristote distingue les fautes techniques – lorsque le poète pèche contre les règles de la poétique –, des fautes extra-techniques – lorsqu'il commet une faute en regard d'un autre art qui ne relève pas directement de sa compétence, comme par exemple lorsqu'il met en scène un événement aberrant du point de vue de la médecine. Les fautes extra-techniques sont sans gravité si le poète atteint son but – le plaisir esthétique suscité par la représentation – mais n'en constituent pas moins des fautes. Examinant ensuite les fautes d'ordre strictement poétique, il rappelle alors :

DOCUMENT 28 – Si on objecte [au poète] qu'une chose n'est pas vraie, il se peut que par ailleurs elle soit comme elle doit être – c'est ainsi que Sophocle disait qu'il faisait quant à lui les hommes tels qu'ils doivent être, et Euripide tels qu'ils sont –, c'est de là qu'il faut tirer la solution. Si ce n'est ni l'un ni l'autre, on peut arguer que « c'est ce qu'on dit » – c'est le cas par exemple de ce qui concerne les dieux. Il est bien possible que d'en parler comme on fait ne soit ni mieux ni vrai, mais, si cela se trouve, comme ce qu'en pensait Xénophane – en tout cas c'est ce qu'on dit. Dans d'autres cas, il se peut que la représentation ne soit pas en mieux, mais qu'elle soit « comme autrefois » [...] [2].

D'Aubignac : la vraisemblance absolue comme condition du « beau Poème »

Lorsqu'elle est reprise par les maîtres d'œuvre de la doctrine classique, la pensée aristotélicienne se trouve radicalisée et le paradoxe fondateur réduit à son premier terme : le poète se distingue fondamentalement de l'historien et doit toujours préférer le vraisemblable au vrai. Cette position, qui est celle de tous les théoriciens de la tragédie et celle même des poètes tragiques – la position de Corneille demeurant, dans son originalité, résolument marginale –, aboutit à la définition d'une tragédie qui

---

1. *Ibid.,* 25, 60 b 6 – 60 b 10, p. 129.
2. *Ibid.*, 25, 60 b 32 – 61 a 2, p. 131.

sacrifie le vrai au vraisemblable et à une conception du poète comme traducteur des attentes de son siècle et du code éthique qui est le sien. Dans ces conditions, il n'est pas étonnant que d'Aubignac en vienne à critiquer la tragédie cornélienne, et à condamner le dénouement d'*Horace*, fidèle à Tite-Live mais contraire aux bienséances.

> DOCUMENT 29 – On demande [...] jusqu'à quel point il est permis au Poète de changer une Histoire quand il la veut mettre sur le Théâtre. [...] Je tiens pour moi qu'il peut le faire non seulement aux circonstances, mais encore en la principale action, pourvu qu'il fasse un beau Poème : car comme il ne s'arrête pas au Temps, parce qu'il n'est pas Chronologue, il ne s'attachera point à la Vérité, non plus que le Poète Epique, parce que tous deux ne sont pas Historiens. Ils prennent de l'Histoire ce qui leur est propre, et y changent le reste pour en faire leurs Poèmes, et c'est une pensée bien ridicule d'aller au Théâtre pour apprendre l'Histoire. La Scène ne donne point les choses comme elles ont été, mais comme elles doivent être, et le Poète y doit rétablir dans le sujet tout ce qui ne s'accommodera pas aux règles de son Art, comme fait un Peintre quand il travaille sur un modèle défectueux. C'est pourquoi la mort de Camille par la main d'Horace son frère, n'a pas été approuvée au Théâtre, bien que ce soit une aventure véritable, et j'avais été d'avis, pour sauver en quelque sorte l'Histoire, et tout ensemble la bienséance de la Scène, que cette fille désespérée voyant son frère l'épée à la main, se fût précipitée dessus : ainsi elle fût morte de la main d'Horace, et lui eût été digne de compassion, comme un malheureux Innocent, l'Histoire et le Théâtre auraient été d'accord [1].

Corneille donne son sentiment sur cette fin amendée par l'abbé d'Aubignac dans l'*Examen d'Horace* (qu'on trouvera cité p. 267-268) où il affiche la différence de fond entre la récriture de la mort de Clytemnestre qu'il propose dans le deuxième *Discours* (p. 118) et celle de la mort de Camille suggérée ici par l'auteur de *La Pratique du théâtre*.

Dossier

---

1. D'Aubignac, éd. cit., II, I, p. 67-68.

L'ambiguïté de la position cornélienne

La position de Corneille sur la part de liberté consentie au dramaturge dans le traitement d'un sujet historique est celle d'un praticien : elle diffère fondamentalement de la pétition de principe toute théorique d'un abbé d'Aubignac ; aussi n'est-elle pas exempte d'ambiguïté, et l'on verra Corneille défendre ses pièces au coup par coup. On peut cependant ramener ses différents argumentaires à deux positions *a priori* exclusives l'une de l'autre : dans la Querelle du *Cid*, il défend le caractère extraordinaire de son dénouement (invraisemblable du point de vue de la bienséance d'après ses détracteurs) au nom de la fidélité absolue à l'Histoire, affirmation réitérée par exemple lors des débats autour de *Sophonisbe* ; mais, dans les Avis au lecteur d'*Héraclius* (1647) et de *Rodogune* (1647 également), il se fait gloire d'avoir attenté sur l'Histoire pour mieux servir le pathétique et conserver la sympathie du public pour le premier acteur (deux principes essentiels de la dramaturgie cornélienne qui l'autorisent régulièrement à « hasarder » contre l'Histoire). Il n'y a de contradiction entre ces deux positions que pour qui se refuserait à établir une hiérarchie pratique entre des principes qui ont tous pour finalité le succès de la tragédie : le sujet d'une belle tragédie doit comporter une part d'extraordinaire (l'idée d'un acte contre nature, ou le « combat des passions contre la nature ou du devoir contre l'amour ») pour faire naître le pathétique ; il lui faut donc la caution de l'Histoire, qui crédibilise les événements qui paraîtraient invraisemblables si on les savait inventés ; ce premier principe est cependant borné par l'autre condition du pathétique : favoriser la sympathie du public pour un premier acteur qu'on préservera du crime, fût-ce en s'écartant alors de l'Histoire.

« Le sujet d'une belle tragédie doit n'être point vraisemblable »

Près de trente ans après *Le Cid*, Corneille réaffirme, dans la préface de *Sophonisbe*, sa fidélité à l'Histoire, quand bien même elle irait contre la vraisemblance. Le sujet de cette tragédie n'était pas nouveau en 1663 : Mai-

ret l'avait porté à la scène en 1634, et en avait profon-
dément modifié les données (la mort de Syphax, époux
de Sophonisbe, à la fin du second acte, rendait vraisemblable le projet de mariage de l'héroïne avec Massinisse ;
à la fin de la pièce, Massinisse se suicidait sur le corps
de sa maîtresse). Corneille peut se prévaloir d'avoir respecté à la lettre sa source historique (Tite-Live) en laissant vivre Syphax et Massinisse et en donnant deux maris
à Sophonisbe.

DOCUMENT 30 – On s'est mutiné [...] contre ces deux maris,
et je m'en suis étonné d'autant plus, que l'année dernière je
ne m'aperçus point qu'on se scandalisât de voir, dans le *Sertorius*, Pompée mari de deux femmes vivantes, dont l'une
venait chercher un second mari aux yeux mêmes de ce premier. Je ne vois aucune apparence d'imputer cette inégalité
de sentiments à l'ignorance du siècle, qui ne peut avoir oublié
en moins d'un an cette facilité que les Anciens avaient donnée aux divorces, dont il était si bien instruit alors ; mais il
y aurait quelque lieu de s'en prendre à ceux, qui sachant
mieux la *Sophonisbe* de M. Mairet que celle de Tite-Live, se
sont hâtés de condamner en la mienne tout ce qui n'était pas
de leur connaissance, et n'ont pu faire cette réflexion que la
mort de Syphax était une fiction de M. Mairet, dont je ne
pouvais me servir sans faire un pillage sur lui, et comme un
attentat sur sa gloire. Sa *Sophonisbe* est à lui, c'est son bien,
qu'il ne faut pas lui envier, mais celle de Tite-Live est à tout
le monde. [...] J'ai cru qu'il m'était permis de n'être pas [...]
cruel, et de garder la même fidélité à une histoire assez
connue parmi ceux qui ont quelque teinture des livres, pour
nous convier à ne la démentir pas.
J'accorde qu'au lieu d'envoyer du poison à Sophonisbe, Massinisse devait soulever les troupes qu'il commandait dans
l'armée, s'attaquer à la personne de Scipion, se faire blesser
par ses gardes, et tout percé de leurs coups venir rendre les
derniers soupirs aux pieds de cette princesse. C'eût été un
amant parfait, mais ce n'eût pas été Massinisse [1].

C'est dans l'*Avis au lecteur* d'*Héraclius* que Corneille
manifeste le plus nettement la liberté du dramaturge à
l'égard de l'Histoire : il n'a conservé, en effet, outre

1. Avis au lecteur de *Sophonisbe* (1663), *Œuvres complètes*, éd.
cit., t. III, p. 383-384.

« l'ordre de succession des empereurs », qu'une action qui a lieu avant le commencement de la pièce mais qui sert de « fondement » à toute la tragédie (une substitution d'enfants que la mère est seule à connaître). Alors que le début du texte est consacré à l'exposition des infractions commises à l'égard de l'Histoire, le présent extrait est l'occasion d'une théorisation de l'Histoire comme caution nécessaire pour les actions contre nature.

DOCUMENT 31 – On m'a fait quelque scrupule de ce qu'il n'est pas vraisemblable qu'une mère expose son fils à la mort pour en préserver un autre, à quoi j'ai deux réponses à faire. La première, que notre unique docteur Aristote nous permet de mettre quelquefois des choses qui même soient contre la raison et l'apparence, pourvu que ce soit hors de l'action, ou pour me servir des termes latins de ses interprètes, *extra fabulam*, comme est ici cette supposition d'enfants, et nous donne pour exemple Œdipe, qui ayant tué un roi de Thèbes l'ignore encore vingt ans après. L'autre, que l'action étant vraie du côté de la mère, comme je l'ai remarqué tantôt [en citant ses sources], il ne faut plus s'informer si elle est vraisemblable, étant certain que toutes les vérités sont recevables dans la poésie, quoiqu'elle ne soit pas obligée à les suivre. La liberté qu'elle a de s'en écarter n'est pas une nécessité, et la vraisemblance n'est qu'une condition nécessaire à la disposition, et non pas au choix du sujet, ni des incidents qui sont appuyés de l'Histoire. Tout ce qui entre dans le poème doit être croyable, et il l'est selon Aristote par l'un de ces trois moyens, la vérité, la vraisemblance, ou l'opinion commune. J'irai plus outre, et quoique peut-être on voudra prendre cette proposition pour un paradoxe, je ne craindrai point d'avancer que le sujet d'une belle tragédie doit n'être point vraisemblable. La preuve en est aisée par le même Aristote, qui ne veut pas qu'on en compose une d'un ennemi qui tue son ennemi, parce que, bien que cela soit fort vraisemblable, il n'excite dans l'âme des spectateurs ni pitié, ni crainte, qui sont les deux passions de la tragédie : mais il nous renvoie la choisir dans les événements extraordinaires qui se passent entre personnes proches, comme d'un père qui tue son fils, une femme son mari, un frère sa sœur, ce qui, n'étant jamais vraisemblable, doit avoir l'autorité de l'Histoire ou de l'opinion commune pour être cru, si bien qu'il n'est pas permis d'inventer un sujet de cette nature. C'est la raison qu'il donne de ce que les Anciens traitaient presque mêmes sujets, d'autant qu'ils rencontraient peu de familles où fussent arrivés de pareils désordres, qui font les belles et puissantes oppositions du devoir et de la passion [1].

« Une hardie entreprise sur l'Histoire »

Justifiant les nombreuses inventions présentes dans la même pièce, Corneille ouvre son Avis au lecteur sur la formule fameuse : « Voici une hardie entreprise sur l'Histoire, dont vous ne reconnaîtrez aucune chose dans cette tragédie, que l'ordre de succession des empereurs. » L'Examen de 1660 reprend la liste des modifications apportées à l'Histoire en montrant qu'elles sont toutes subordonnées à l'efficacité de l'intrigue.

DOCUMENT 32 – J'ai falsifié la naissance de ce dernier [Héraclius], pour lui en donner une plus illustre, en le faisant fils de Maurice, bien qu'il ne le fût que d'un préteur d'Afrique, qui portait le même nom que lui. J'ai prolongé de douze ans la durée de l'empire de Phocas, et lui ai donné Martian pour fils, quoique l'Histoire ne parle que d'une fille nommée Domitia, qu'il maria à Crispe, dont je fais un de mes personnages. Ce fils et Héraclius, qui sont confondus l'un avec l'autre par les échanges de Léontine, n'auraient pas été en état d'agir, si je ne l'eusse fait régner que les huit ans qu'il régna, puisque, pour faire ces échanges il fallait qu'ils fussent tous deux au berceau, quand il commença de régner. C'est par cette même raison que j'ai prolongé la vie de l'impératrice Constantine, que je n'ai fait mourir qu'en la quinzième année de sa tyrannie, bien qu'il l'eût immolée à sa sûreté dès la cinquième, et je l'ai fait, afin qu'elle pût avoir une fille capable de recevoir ses instructions en mourant, et d'un âge proportionné à celui du prince, qu'on lui voulait faire épouser [2].

« Hardie entreprise sur l'Histoire » que Corneille se garde bien d'ériger en principe de création : « À parler sans fard, je ne voudrais pas conseiller à personne de la tirer en exemple. C'est beaucoup hasarder, et l'on n'est pas toujours heureux, et dans un dessein de cette nature, ce qu'un bon succès fait passer pour une ingénieuse har-

Dossier

1. Avis au lecteur d'*Héraclius* (1647), *ibid.*, t. II, p. 356-357. On approchera ce texte du début du premier *Discours* (p. 64-65).
2. Examen d'*Héraclius*, *ibid.*, t. II, p. 360-361.

diesse, un mauvais le fait prendre pour une témérité ridicule » [1].

L'Avis au lecteur de *Rodogune* (1647) s'ouvre scrupuleusement sur une longue citation de l'historien latin Appien Alexandrin, mais comme pour *Héraclius*, Corneille dresse la liste des libertés qu'il a été amené à prendre, puis radicalise l'interrogation sur les limites de l'invention : un dramaturge peut-il aller jusqu'à « feindre un sujet entier sous des noms véritables » ?

> DOCUMENT 33 – « [Cléopâtre] avait deux fils de Démétrius, l'un nommé Séleucus, et l'autre Antiochus, dont elle tua le premier d'un coup de flèche sitôt qu'il eut pris le diadème après la mort de son père, soit qu'elle craignît qu'il ne la voulût venger, soit que l'impétuosité de la même fureur la portât à ce nouveau parricide. Antiochus lui succéda, qui contraignit cette mauvaise mère de boire le poison qu'elle lui avait préparé. C'est ainsi qu'elle fut enfin punie. »
> Voilà ce que m'a prêté l'Histoire, où j'ai changé les circonstances de quelques incidents, pour leur donner plus de bienséance. [...] J'ai supposé que [Nicanor-Démétrius] n'avait pas encore épousé Rodogune, afin que ses deux fils pussent avoir de l'amour pour elle, sans choquer les spectateurs, qui eussent trouvé étrange cette passion pour la veuve de leur père, si j'eusse suivi l'Histoire. L'ordre de leur naissance incertain, Rodogune prisonnière, quoiqu'elle ne vînt jamais en Syrie, la haine de Cléopâtre pour elle, la proposition sanglante qu'elle fait à ses fils, celle que cette princesse est obligée de leur faire pour se garantir, l'inclination qu'elle a pour Antiochus, et la jalouse fureur de cette mère qui se résout plutôt à perdre ses fils qu'à se voir sujette de sa rivale, ne sont que des embellissements de l'invention, et des acheminements vraisemblables à l'effet dénaturé que me présentait l'Histoire, et que les lois du poème ne me permettaient pas de changer. Je l'ai même adouci tant que j'ai pu en Antiochus, que j'avais fait trop honnête homme dans le reste de l'ouvrage, pour forcer à la fin sa mère à s'empoisonner soi-même.
> [...] On pourra douter si la liberté de la poésie peut s'étendre jusqu'à feindre un sujet entier sous des noms véritables, comme j'ai fait ici, où depuis la narration du premier acte qui sert de fondement au reste, jusques aux effets qui

---

1. Avis au lecteur d'*Héraclius*, *ibid.*, t. II, p. 354-355.

paraissent dans le cinquième, il n'y a rien que l'Histoire avoue.

[...] J'ai cru que, pourvu que nous conservassions les effets de l'Histoire, toutes les circonstances, ou comme je viens de les nommer, les acheminements, étaient en notre pouvoir ; au moins je ne pense point avoir vu de règle qui restreigne cette liberté que j'ai prise. Je m'en suis assez bien trouvé en cette tragédie.[...] Cependant ceux qui en auront quelque scrupule m'obligeront de considérer les deux *Électre* de Sophocle et d'Euripide, qui conservant le même effet, y parviennent par des voies si différentes, qu'il faut nécessairement conclure que l'une des deux est tout à fait de l'invention de son auteur [1].

Dans l'Examen de la même pièce, Corneille est plus explicite encore : l'Histoire ne retenant pas les détails, toute anecdote comporte des « lacunes » que le dramaturge est autorisé à combler, pourvu que ces inventions contribuent à acheminer vraisemblablement l'action vers son dénouement connu.

DOCUMENT 34 – C'est [à Appian] que me suis attaché pour la narration que j'ai mise au premier acte, et pour l'effet du cinquième, que j'ai adouci du côté d'Antiochus. [...] Le reste sont des épisodes d'invention, qui ne sont pas incompatibles avec l'histoire, puisqu'elle ne dit point ce que devint Rodogune après la mort de Démétrius, qui vraisemblablement l'amenait en Syrie prendre possession de sa couronne [2].

Dans *Nicomède* (1651), Corneille franchit un pas supplémentaire : la falsification de l'Histoire touche le dénouement lui-même, ce que Corneille s'était jusque-là interdit. On a bien là une tragédie « entièrement feinte sous des noms véritables ». Cette audace ne signifie pas pour autant un ralliement du dramaturge à la position d'un d'Aubignac, puisqu'il garde bien de l'Histoire l'idée d'un acte contre nature, qu'il confie au personnage d'Arsinoé, épargnant ainsi le premier acteur (mais aussi Prusias, qui ne fait qu'encourager Arsinoé).

DOCUMENT 35 – L'histoire qui m'a prêté de quoi faire paraître [la grandeur du courage] en ce haut degré, est tirée de Justin, et voici comme il la raconte à la fin de son trente-quatrième livre.

« En même temps Prusias roi de Bithynie prit dessein de faire assassiner son fils Nicomède, pour avancer ses autres fils qu'il avait eus d'une autre femme, et qu'il faisait élever à Rome : mais ce dessein fut découvert à ce jeune prince par ceux même qui l'avaient entrepris. Ils firent plus, ils l'exhortèrent à rendre la pareille à un père si cruel, et faire retomber sur sa tête les embûches qu'il lui avait préparées, et n'eurent pas grande peine à le persuader. Sitôt donc qu'il fut entré dans le royaume de son père, qui l'avait appelé auprès de lui, il fut proclamé roi ; et Prusias chassé du trône, et délaissé même de ses domestiques, quelque soin qu'il prît à se cacher, fut enfin tué par ce fils, et perdit la vie par un crime aussi grand que celui qu'il avait commis, en donnant les ordres de l'assassiner. »

J'ai ôté de ma scène l'horreur d'une catastrophe si barbare, et n'ai donné, ni au père, ni au fils, aucun dessein de parricide.

[...] Les assassins qui découvrirent à ce prince les sanglants desseins de son père, m'ont donné jour à d'autres artifices, pour le faire tomber dans les embûches que sa belle-mère lui avait préparées ; et pour la fin, je l'ai réduite en sorte que tous mes personnages y agissent avec générosité, et que les uns rendant ce qu'ils doivent à la vertu, et les autres demeurant dans la fermeté de leur devoir, laissent un exemple assez illustre, et une conclusion assez agréable [1].

Racine, lecteur de Corneille

Soucieux de se distinguer de son illustre prédécesseur, qui devait une part de sa réputation à ses audaces, Racine est passé maître dans l'art d'exhumer des sources inconnues qui donnent à ses inventions la caution de l'Histoire.

Examinant dans la Préface de *Britannicus*, les critiques formulées par les « censeurs » de la pièce (au nombre desquels Racine vise d'abord l'auteur d'*Héraclius*, de *Cinna* et d'*Horace*), il se défend d'avoir « fait vivre [Britannicus et Narcisse] deux ans plus qu'ils n'ont vécu ».

DOCUMENT 36 – Je n'aurais point parlé de cette objection, si elle n'avait été faite avec chaleur par un homme, qui s'est

---

1. Avis au lecteur de *Nicomède* (1651), *ibid.*, t. II, p. 639-640.

donné la liberté de faire régner vingt ans un Empereur qui n'en a régné que huit : quoique ce changement soit bien plus considérable dans la Chronologie, où l'on suppute les temps par les années des Empereurs.

Junie ne manque pas non plus de Censeurs. Ils disent que d'une vieille coquette nommée Junia Silana, j'en ai fait une jeune Fille très sage. Qu'auraient-ils à me répondre, si je leur disais que cette Junie est un personnage inventé, comme l'Émilie de *Cinna*, comme la Sabine d'*Horace* ? Mais j'ai à leur dire que s'ils avaient bien lu l'Histoire, ils auraient trouvé une Junia Calvina, de la famille d'Auguste, sœur de Silanus à qui Claudius avait promis Octavie. Cette Junie était jeune, belle, et comme dit Sénèque, *festivissima omnium puellarum* [la plus charmante de toutes les jeunes filles].

[...] Que faudrait-il faire pour contenter des Juges si difficiles [1] ? La chose serait aisée pour peu qu'on voulût trahir le bon sens. Il ne faudrait que s'écarter du naturel pour se jeter dans l'extraordinaire. Au lieu d'une action simple, chargée de peu de matière, telle que doit être une action qui se passe en un seul jour, et qui s'avançant par degrés vers sa fin, n'est soutenue que par les intérêts, les sentiments, et les passions des Personnages, il faudrait remplir cette même action de quantité d'incidents qui ne se pourraient passer qu'en un mois, d'un grand nombre de jeux de théâtre d'autant plus surprenants qu'ils seraient moins vraisemblables, d'une infinité de déclamations où l'on ferait dire aux Acteurs tout le contraire de ce qu'ils devraient dire [2].

Mais, avec *Andromaque* (1667), Racine s'était autorisé à l'instar d'un Corneille d'assez audacieuses inventions, de sorte que toute la pièce pouvait passer à bon droit pour une action entièrement « feinte sous des noms véritables » (et de surcroît illustres). Dans la seconde préface de la pièce (1675), Racine répond à ceux qui lui reprochaient d'avoir fait vivre Astyanax plus longtemps qu'il n'a vécu. Le dramaturge rappelle d'abord qu'Euripide a « encore plus osé dans son *Hélène* », avant de revendiquer hautement la possibilité d'infimes « altérations »...

Dossier

---

1. On a reproché à Racine que « la Pièce est finie au récit de la mort de Britannicus, et l'on ne devrait point écouter tout le reste ».
2. Racine, Préface de *Britannicus* (1670), *Œuvres complètes*, éd. G. Forestier, Gallimard, « Bibliothèque de la Pléiade », 1999, t. I, p. 373-374.

DOCUMENT 37 – Je ne crois pas que j'eusse besoin de cet exemple d'Euripide pour justifier le peu de liberté que j'ai prise. Car il y a bien de la différence entre détruire le principal fondement d'une Fable et en altérer quelques incidents, qui changent presque de face dans toutes les mains qui les traitent. Ainsi Achille selon la plupart des Poètes ne peut être blessé qu'au talon, quoiqu'Homère le fasse blesser au bras et ne le croie invulnérable en aucune partie de son corps. Ainsi Sophocle fait mourir Jocaste aussitôt après la reconnaissance d'Œdipe, tout au contraire d'Euripide qui la fait vivre jusqu'au combat et à la mort de ses deux Fils. Et c'est à propos de quelque contrariété de cette nature qu'un Ancien Commentateur de Sophocle [1] remarque fort bien ; « Qu'il ne faut point s'amuser à chicaner les Poètes pour quelques changements qu'ils ont pu faire dans la Fable, mais qu'il faut s'attacher à considérer l'excellent usage qu'ils ont fait de ces changements, et la manière ingénieuse dont ils ont su accommoder la Fable à leur sujet » [2].

V. L'UNIFICATION DYNAMIQUE DE L'ACTION

Présentée ou sentie comme la véritable clé de voûte de la doctrine classique, l'unité d'action a donné lieu à de multiples définitions pour lesquelles les théoriciens ont rivalisé d'élégance. Pour autant, l'affirmation du principe ne règle aucun des problèmes techniques posés par l'élaboration d'une intrigue : dès lors que l'on introduit sur la scène plus de deux personnages, dont chacun entre avec son histoire, ses motivations et désirs propres, on est contraint d'arbitrer entre des « fils » dramatiques différents et souvent antagonistes. En d'autres termes, édifier une intrigue théâtrale, c'est hiérarchiser un écheveau d'actions : toutes ne pourront avoir le même statut, le même développement et la même visibilité. La question n'est donc pas tant celle de l'unité d'action que celle de l'unification des diverses actions.

---

1. Sophocle, *Electra* (note de Racine). G. Forestier indique que « le texte grec de cette scolie figurait dans l'édition de Sophocle publiée en 1568, que Racine possédait » (éd. cit., p. 1376, n. 8 de la p. 298).
2. Racine, Seconde préface d'*Andromaque* (1675), *ibid.*, p. 298.

Ce problème général trouve des applications pratiques toutes différentes selon que le dramaturge compose une tragédie ou une comédie : parce que le sujet de la comédie est, théoriquement, un sujet d'invention, le réglage et la hiérarchisation des actions sont à l'entière discrétion du dramaturge ; il n'en va pas de même pour la tragédie : le dénouement, sinon l'action principale elle-même, est donné au dramaturge, qui aura la tâche de motiver à rebours la catastrophe, en introduisant notamment des actions secondaires qui serviront à la fois la vraisemblance et la cohérence du déroulement de l'intrigue.

En outre, un dramaturge comme Corneille ne pouvait pas sous-estimer la différence de dignité des deux principaux genres : l'absence de péril de mort dans la comédie (ou la comédie héroïque) conditionne un autre type d'unité d'action. Il est donc logiquement conduit à proposer deux définitions, en donnant du principe théorique une traduction immédiatement poétique au point de lui substituer un autre nom ou plutôt deux : unité de péril pour la tragédie et unité d'intrigue pour la comédie (premier et troisième *Discours*, p. 74-75 et 133).

L'unité d'action et l'unité de péril ou d'intrigue

L'unité d'action

Mairet, auteur d'une des premières tragédies régulières (*Sophonisbe*, 1634), propose avec la Préface de sa *Silvanire* (1631), un « discours poétique » où l'affirmation de l'unité d'action peut se lire comme l'un des principes qui distingue le poème simple (régulier) du poème composé (la tragi-comédie baroque). La formule d'une nécessaire « subordination » des « épisodes » à l'action principale, souvent reprise (voir ci-après le texte de d'Aubignac), demeure toutefois une pétition de principe qu'aucune prescription technique ne vient étayer.

DOCUMENT 38 – [...] Il y doit avoir une maîtresse et principale action à laquelle toutes les autres se rapportent comme les lignes de la circonférence au centre. Il est vrai qu'on y peut ajouter quelque chose en forme de l'épisode de la tragédie, afin de remédier à la nudité de la pièce, pourvu toutefois que cela ne préjudicie en aucune façon à l'unité de la principale action à laquelle cette-ci est comme subordonnée [1].

● *L'action principale et ses dépendances (d'Aubignac)*

Dans le chapitre qu'il consacre à l'unité d'action (II, III), l'abbé d'Aubignac affirme également que le poème dramatique ne peut comprendre qu'une action principale, ce qui exclut notamment qu'on représente les actions successives qui marquent la vie d'un héros ; il concède cependant, dans un développement pratique, qu'une action principale passe nécessairement par la représentation d'actions « dépendantes » sans lesquelles la première demeurait incompréhensible et d'une certaine manière incomplète. Pour ce qui touche aux actions secondaires, c'est une conception ornementale qui prévaut ici encore. En outre, le recours à la comparaison avec la représentation picturale interdit au théoricien de penser de façon dynamique la question de l'unification de l'action ou plus exactement celle de la préparation de l'action que Corneille désigne sous le terme d'« acheminements ».

DOCUMENT 39 – C'est un précepte d'Aristote, et certes bien raisonnable, qu'un Poème Dramatique ne peut comprendre qu'une seule action ; et c'est bien à propos qu'il condamne ceux qui renferment dans un seul Poème toute une grande histoire, ou la vie d'un Héros. [...]

Il est certain que le Théâtre n'est rien qu'une Image, et partant comme il est impossible de faire une seule image accomplie de deux originaux différents, il est impossible que deux Actions (j'entends principales) soient représentées raisonnablement par une seule Pièce de Théâtre. En effet le Peintre qui veut faire un tableau de quelque histoire n'a point d'autre dessein que de donner l'image de quelque action, et cette Image est tellement limitée, qu'elle ne peut représenter deux parties de l'histoire qu'il aura choisie, et moins encore l'histoire tout entière ; parce qu'il faudrait qu'un même Personnage fût plusieurs fois dépeint [...] ; mais de toutes les actions qui composeraient cette histoire, le peintre choisirait la plus importante, la plus convenable à l'excellence de son art, et

---

1. Mairet, Préface de *Silvanire* (1631), [in] *Théâtre du XVIIᵉ siècle*, *op. cit.*, p. 483-484.

qui contiendrait en quelque façon toutes les autres, afin que d'un seul regard on pût avoir une suffisante connaissance de tout ce qu'il aurait voulu dépeindre [...].

Nous avons dit qu'un Tableau ne peut représenter qu'une action, mais il faut entendre une action principale, car dans le même tableau le Peintre peut mettre plusieurs actions dépendantes de celle qu'il entend principalement représenter. Disons plutôt qu'il n'y a point d'action humaine toute simple et qui ne soit soutenue de plusieurs autres qui la précèdent, qui l'accompagnent, qui la suivent, et qui toutes ensemble la composent et lui donnent l'être ; de sorte que le Peintre qui ne veut représenter qu'une action dans un tableau, ne laisse d'y en mêler beaucoup d'autres qui en dépendent, ou pour mieux dire, qui toutes ensemble forment son accomplisse-ment et sa totalité. [...] C'est de la même façon que le Poème Dramatique ne doit contenir qu'une seule action, car il la faut mettre sur le théâtre tout entière avec ses dépendances, et n'y rien oublier des circonstances qui naturellement lui doivent être appropriées [...]. Si l'Action principale qui doit fonder son Ouvrage était chargée dans l'histoire de trop d'Incidents, [le poète] doit rejeter les moins importants, et surtout les moins pathétiques ; mais s'il trouve qu'il y en a trop peu, son Imagination y doit suppléer : ce qu'il peut faire en deux façons, ou bien en inventant quelques intrigues qui pouvaient raisonnablement faire partie de l'Action principale [par exemple l'auteur des *Horaces* a fort bien supposé le mariage de Sabine sœur des Curiaces avec l'aîné de leurs ennemis, pour introduire dans son Théâtre toutes les passions d'une Femme avec celles de Camille qui n'était qu'Amante] [1]. Ou bien même rechercher dans l'Histoire des choses arrivées devant ou après l'Action dont il fait le sujet de son Poème, et les y rejoindre adroitement en sauvant la différence des temps et des lieux [...] [2].

• *L'action épisodique selon d'Aubignac*

Dans le passage consacré à l'unité d'action, d'Au-bignac ne prononce pas le terme d'épisode, alors même qu'il envisage l'existence d'actions secondaires dépen-

---

1. Les mots entre crochets correspondent à des passages biffés par l'abbé d'Aubignac sur un exemplaire de sa *Pratique* en vue d'une seconde édition qui ne vit jamais le jour, mais qui eût été moins favorable à Corneille que la première, publiée en 1657 mais rédigée dans les années 1640.
2. D'Aubignac, éd. cit., II, III, p. 83-88.

dantes de l'action principale. Il consacre à l'épisode un
chapitre entier où il distingue le sens moderne du terme
de son acception aristotélicienne (voir p. 91 et n. 69,
p. 186) en réaffirmant la nécessaire subordination de
l'action secondaire à la principale et en condamnant le
principe du « poème composé » que défendait le *Discours à Cliton.*

DOCUMENT 40 – Les Modernes entendent maintenant par
Épisode une seconde histoire jetée comme à la traverse dans
le principal sujet du Poème Dramatique, que pour cette raison
quelques-uns appellent *Une histoire à deux fils* ; mais les
anciens Tragiques n'ont point connu cette duplicité de sujet,
ou du moins ils ne l'ont point pratiquée. [...]
Le Philosophe [Aristote] divise bien les sujets de Tragédie
en *Simples* et *Composés* ; mais cette composition n'est pas
de deux histoires, c'est seulement lorsqu'il y a changement
dans les aventures du Théâtre par Reconnaissance de quelque
personne importante, [...] et par Péripétie, c'est-à-dire par
conversion et retour d'affaires de la Scène, lorsque le Héros
passe de la prospérité à l'adversité, ou au contraire. En quoi
s'est lourdement trompé un nouvel Auteur dans un Discours
qu'il a fait à Cliton *De la disposition du Poème Dramatique*,
ayant écrit dans l'article quatre, que les *Poèmes composés*
sont selon Aristote, ceux qui contiennent plusieurs sujets :
car il n'y en a pas un mot dans la Poétique de ce Philosophe.
[...]
L'autre observation qui est à faire pour ces Épisodes [au sens
moderne] est que la seconde histoire ne doit pas être égale
en son sujet non plus qu'en sa nécessité, à celle qui sert de
fondement à tout le Poème ; mais bien lui être subordonnée
et en dépendre de telle sorte, que les événements du principal
Sujet fassent naître les passions de l'Épisode, et que la Catastrophe du premier produise naturellement et de soi-même
celle du second ; autrement l'Action qui doit principalement
fonder le Poème, serait sujette à une autre, et deviendrait
comme étrangère [1].

L'épisode cornélien ou l'action « concurrente »

L'originalité de Corneille consiste à entériner clairement la nécessité pratique d'une multiplicité d'actions

---

1. *Ibid.*, II, v, p. 95-97.

qu'il s'agit de faire « concourir » à l'acheminement de l'action vers la catastrophe. Il faut certes que l'action théâtrale soit une et complète, « mais elle ne peut le devenir que par plusieurs autres imparfaites [*i.e.* inabouties] qui lui servent d'acheminements » en tenant le spectateur en haleine (troisième *Discours*, p. 134). Par « acheminements », il faut entendre les événements qui ont une incidence sur le sort des premiers acteurs (qui arrivent sans la participation des premiers acteurs et contre leur volonté), en introduisant des rebondissements dans l'action principale, sans pour autant *relever* directement de cette action. Ces incidents peuvent être isolés (coups de théâtre) ; mais, s'ils intéressent plusieurs acteurs secondaires (qui poursuivent par exemple un but propre et contraire à celui des principaux acteurs), ils seront coordonnés dans un « deuxième fil » ou épisode en acquérant ainsi le statut d'une véritable action. Dans de tels cas, fréquents dans le théâtre de Corneille, l'action dramatique est donc faite de la concurrence de deux actions (les projets respectifs de deux groupes de personnages).

Dans l'Avis au lecteur d'*Œdipe* (1659), Corneille justifie l'invention de l'« heureux épisode des amours de Thésée et de Dircé » par la nécessité de donner au sujet la dimension amoureuse dont il était privé chez les Anciens. Mais cet épisode de couleur galante est rien moins qu'un ornement, puisqu'il est le support d'un « nouveau nœud » qui exploite l'ambiguïté du texte (modifié) de l'oracle, et entre en concurrence avec l'histoire connue du roi de Thèbes. Si bien que la pièce comporte deux fils et que c'est l'« imperfection » de l'action épisodique qui « acheminera » nécessairement Œdipe vers la révélation finale.

DOCUMENT 41 – J'ai reconnu que ce qui avait passé pour miraculeux dans ces siècles éloignés, pourrait sembler horrible au nôtre, et que cette éloquente et curieuse description de la manière dont ce malheureux prince se crève les yeux, et le spectacle de ces mêmes yeux crevés dont le sang lui distille sur le visage, qui occupe tout le cinquième acte chez ces incomparables originaux, ferait soulever la délicatesse de nos dames qui composent la plus belle partie de notre auditoire, et dont le dégoût attire aisément la censure de ceux qui les accompagnent ; et qu'enfin l'amour n'ayant point de part dans ce sujet, ni les femmes d'emploi, il était dénué de principaux ornements qui nous gagnent d'ordinaire la voix publique. J'ai tâché de remédier à ces désordres au moins mal que j'ai pu, en épargnant d'un côté à mes auditeurs ce dangereux spectacle, et y ajoutant de l'autre l'heureux épisode des amours de Thésée et de Dircé, que je fais fille de Laïus, et seule héritière de sa couronne, supposé que son frère qu'on avait exposé aux bêtes sauvages en eût été dévoré comme on le croyait ; j'ai retranché le nombre des oracles qui pouvait être importun, et donner trop de jour à Œdipe pour se connaître ; j'ai rendu la réponse de Laïus évoqué par Tirésie assez obscure dans sa clarté pour faire un nouveau nœud, et qui peut-être n'est pas moins beau que celui de nos Anciens [...][1].

Le réglage de cette concurrence entre action principale et action secondaire pose toutefois des difficultés redoutables, particulièrement dans les comédies, où l'action principale est inventée au même titre que l'action secondaire. Il arrive parfois que le dramaturge éprouve quelque peine à dénouer ensemble les deux fils (et idéalement l'un par l'autre) et que la pièce en vienne à compter deux dénouements successifs : si l'action épisodique peut bien rester imparfaite, il n'en va pas de même de l'action principale, qui doit tenir le spectateur en haleine jusqu'à la fin du cinquième acte ; or si c'est bien l'épisode qui achemine l'action principale vers sa fin, il est assez logique que le dénouement de celle-ci intervienne avant que soit réglé le sort des personnages épisodiques. Dans les premières comédies de Corneille, un premier dénouement prend place à la fin du quatrième acte, si bien que le cinquième n'est plus occupé que par le dénouement de l'épisode, ce que Corneille lui-même déplore, dans l'*Examen* de *Mélite*, mais aussi dans ceux de *La Veuve* et de *La Place royale*.

DOCUMENT 42 – Tout le cinquième Acte peut passer pour inutile. Tircis et Mélite se sont raccommodés avant qu'il commence, et par conséquent l'action est terminée. Il n'est

1. Avis au lecteur d'*Œdipe* (1659), *Œuvres complètes*, éd. cit., t. III, p. 18-19.

plus question que de savoir qui a fait la supposition des lettres [...]. Il est vrai que cet Acte retire Éraste de folie, qu'il le réconcilie avec les deux Amants et fait son mariage avec Cloris ; mais tout cela ne regarde plus qu'une action Épisodique, qui ne doit pas amuser le Théâtre, quand la principale est finie [1].

Dans l'Examen de *La Veuve* (éd. cit., t. I, p. 216), Corneille souligne que « cette Comédie [...] a le même défaut au cinquième Acte [que *Mélite*], qui se passe en compliments pour venir à la conclusion d'un amour Épisodique ».

L'Examen de *La Suivante* met en lumière le bon fonctionnement de l'épisode dans la comédie : les deux « desseins » de Théante et Amarante ne menacent pas l'unité structurelle de l'action, puisqu'ils sont mis en « concurrence » sur une même durée et dans la mesure surtout où un seul « fait effet », l'autre demeurant une action « imparfaite » et donc épisodique.

DOCUMENT 43 – Il peut naître encore une autre difficulté sur ce que Théante et Amarante forment chacun un dessein pour traverser les amours de Florame et Daphnis, et qu'ainsi ce sont deux intrigues qui rompent l'unité d'action. À quoi je réponds, premièrement, que ces deux desseins formés en même temps, et continués tous deux jusqu'au bout, font une concurrence qui n'empêche pas cette unité, ce qui ne serait pas si, après celui de Théante avorté, Amarante en formait un nouveau de sa part ; en second lieu, que ces deux desseins ont une espèce d'unité entre eux, en ce que tous deux sont fondés sur l'amour que Clarimond a pour Daphnis, qui sert de prétexte à l'un et à l'autre ; et enfin, que de ces deux desseins il n'y en a qu'un qui fasse effet, l'autre se détruisant de soi-même, et qu'ainsi la fourbe d'Amarante est le seul véritable nœud de cette Comédie, où le dessein de Théante ne sert qu'à un agréable Épisode de deux honnêtes gens qui jouent tour à tour un poltron et le tournent en ridicule [2].

La « duplicité d'action » comme faute dramaturgique

Il est des cas où les dysfonctionnements introduits par l'action épisodique menacent l'unicité de l'action princi-

1. Examen de *Mélite* (1660), *ibid.*, t. I, p. 7.
2. Examen de *La Suivante* (1660), *ibid.*, t. I, p. 389-390.

pale. S'il est vrai, en effet, que l'intrigue d'un poème dramatique se fonde sur la concurrence entre deux fils, il n'en demeure pas moins que le fil secondaire ne doit pas acquérir une autonomie véritable. Il y aurait là une duplicité d'action que Corneille a été amené à condamner plusieurs fois (*La Place royale*, *Horace* et *Théodore*).

Avant d'examiner la spécificité de cette duplicité d'action dans *Horace*, on envisagera ici le cas de *La Place royale*, où la duplicité d'action tient moins à l'existence d'un épisode qu'à « l'inégalité de mœurs » d'Alidor (lequel prend au troisième acte une décision qui manifeste un changement de volonté en regard de ses déclarations du premier acte, voir ci-dessous, Document 63) ; à cette faute s'ajoute un problème concernant la hiérarchie entre personnages principaux et personnages secondaires qui pervertit, comme dans *Mélite* et *La Veuve*, le traitement du cinquième acte.

DOCUMENT 44 – Il y a manifestement une duplicité d'action. Alidor, dont l'esprit extravagant se trouve incommodé d'un amour qui l'attache trop, veut faire en sorte qu'Angélique sa Maîtresse se donne à son ami Cléandre ; et c'est pour cela qu'il lui fait rendre une fausse lettre qui le convainc de légèreté, et qu'il joint à cette supposition des mépris assez piquants pour l'obliger dans sa colère à accepter les affections d'un autre. Ce dessein avorte, et la donne à Doraste contre son intention ; et cela l'oblige à en faire un nouveau pour la porter à un enlèvement. Ces deux desseins formés ainsi l'un après l'autre, font deux actions, et donnent deux âmes au Poème, qui d'ailleurs finit assez mal par un mariage de deux personnes Épisodiques, qui ne tiennent que le second rang dans la Pièce. [...] L'Épilogue d'Alidor n'a pas la grâce de celui de *La Suivante*, qui ayant été très intéressée dans l'action principale, et demeurant enfin sans Amant, n'ose expliquer ses sentiments en la présence de sa Maîtresse et de son père, qui ont tous deux leur compte, et les laisse rentrer pour pester en liberté contre eux et contre sa mauvaise fortune, dont elle se plaint en elle-même, et fait par là connaître au Spectateur l'assiette de son esprit après un effet si contraire à ses souhaits [1].

---

1. Examen de *La Place royale* (1660), *ibid.*, t. I, p. 470-471.

La relecture que Corneille propose d'*Horace* éclaire tous les aspects de la véritable duplicité d'action comme faute dramaturgique majeure. L'essentiel des critiques portait sur la mort de Camille, qui « gâte la fin » de la pièce. Corneille en « demeure d'accord » mais souligne que la faute ne tient pas à des raisons de bienséance (en 1660, une didascalie impose que le coup soit donné derrière le théâtre) et refuse, ce faisant, la récriture du dénouement proposée par l'abbé d'Aubignac (qui suggérait que Camille se jetât sur l'épée d'Horace qui fût resté ainsi innocent, voir ci-dessus, Document 29) ; pourtant, dans le second *Discours* (p. 118), Corneille avait lui-même proposé un amendement de cette nature pour la mort de Clytemnestre. En même temps qu'il récuse la comparaison des deux récritures, en rappelant que le sujet d'Horace « est trop connu » pour souffrir de telles modifications, Corneille montre que le défaut fondamental de ce fratricide est de nature dramaturgique : il forme une seconde action qui, par sa gravité, devient la principale, alors même qu'elle n'a pas été préparée.

DOCUMENT 45 – L'adoucissement que j'apporte dans le second de ces Discours pour rectifier la mort de Clytemnestre ne peut être propre ici à celle de Camille. Quand elle s'enferrerait d'elle-même par désespoir en voyant son frère l'épée à la main, ce frère ne laisserait pas d'être criminel de l'avoir tirée contre elle, puisqu'il n'y a point de troisième personne sur le Théâtre à qui il pût adresser le coup qu'elle recevrait, comme peut faire Oreste à Égisthe. D'ailleurs, l'Histoire est trop connue, pour retrancher le péril qu'il court d'une mort infâme après l'avoir tuée : et la défense que lui prête son père pour obtenir sa grâce n'aurait plus de lieu, s'il demeurait innocent. Quoi qu'il en soit, voyons si cette action n'a pu causer la chute de ce Poème que par là, et si elle n'a point d'autre irrégularité, que de blesser les yeux.

Comme je n'ai point accoutumé de dissimuler mes défauts, j'en trouve ici deux ou trois assez considérables. Le premier est, que cette action qui devient la principale de la Pièce, est momentanée, et n'a point cette juste grandeur que lui demande Aristote, et qui consiste en un commencement, un milieu, et une fin. Elle surprend tout d'un coup ; et toute la préparation que j'y ai donnée par la peinture de la vertu farouche d'Horace, et par la défense qu'il fait à sa sœur de regretter qui que ce soit, de lui, ou de son Amant, qui meure au combat, n'est point suffisante pour faire attendre un emportement si extraordinaire, et servir de commencement à cette action.

Le second défaut est, que cette mort fait une action double par le second péril où tombe Horace après être sorti du premier. L'unité de péril d'un Héros dans la Tragédie fait l'unité d'action ; et quand il en est garanti, la pièce est finie, si ce n'est que la sortie même de ce péril l'engage si nécessairement dans un autre, que la liaison et la continuité des deux n'en fasse qu'une action ; ce qui n'arrive point ici, où Horace revient triomphant sans aucun besoin de tuer sa sœur, ni même de parler à elle, et l'action serait suffisamment terminée à sa victoire. Cette chute d'un péril en l'autre sans nécessité fait ici un effet d'autant plus mauvais, que d'un péril public, où il y va de tout l'État, il tombe en un péril particulier, où il n'y va que de sa vie ; et, pour dire encore plus, d'un péril illustre, où il ne peut succomber que glorieusement, en un péril infâme, dont il ne peut sortir sans tache. Ajoutez pour troisième imperfection, que Camille qui ne tient que le second rang dans les trois premiers Actes, et y laisse le premier à Sabine, prend le premier en ces deux derniers, où cette Sabine n'est plus considérable, et qu'ainsi s'il y a égalité dans les Mœurs, il n'y en a point dans la Dignité des Personnages [1].

Nouement et dénouement

L'action « classique » est conçue comme devant (vraisemblablement ou nécessairement) converger vers son dénouement qui est aussi son acmé. L'une des règles fondamentales, formulée dès la *Poétique*, tient donc dans l'exclusion du hasard qui viendrait, de « l'extérieur » en quelque sorte, dénouer l'action : solution artificielle en ce qu'elle révélerait l'incapacité du dramaturge à produire au sein même de l'action les conditions de sa résolution.

DOCUMENT 46 – Le dénouement de chaque histoire doit aussi résulter de l'histoire elle-même, et non d'un recours à la machine [*mèkhanè*] comme dans *Médée* [...] : la machine ne doit être utilisée que pour les événements extérieurs à la pièce [*exô tou dramatos*], ceux qui sont arrivés précédemment et dont l'homme ne peut avoir connaissance, ou ceux qui arri-

---

veront plus tard et qui exigent une prédiction annoncée par quelqu'un : car nous reconnaissons aux dieux le don de tout voir. Mais il ne doit y avoir rien d'irrationnel dans les faits ; ou, si c'est le cas, que ce soit en dehors de la tragédie comme dans l'*Œdipe* de Sophocle[1].

L'abbé d'Aubignac n'hésite pas à faire du dénouement le véritable centre de la pièce.

DOCUMENT 47 – C'est le terme de toutes les affaires du Théâtre, donc il faut qu'elles se disposent de bonne heure par tout, pour y arriver. [...] C'est le centre de tout le Poème, donc les moindres parcelles y doivent tendre comme des lignes qui ne peuvent être tirées droites ailleurs. Davantage c'est la dernière attente des Spectateurs, donc il faut que toutes les choses soient si bien ordonnées que quand ils y sont arrivés, ils n'aient pas lieu de demander par quel chemin on les y a conduits. Enfin comme c'est le plus considérable événement et où tous les autres doivent aboutir, aussi est-ce celui pour lequel il faut les plus grandes préparations et les plus judicieuses[2].

On comprend alors que l'intrigue puisse être « projetée » par le dramaturge depuis son point d'arrivée, et donc élaborée « à rebours » comme l'a récemment montré G. Forestier (*Corneille à l'œuvre. Essai de génétique théâtrale*, éd. cit.) et comme le préconisait l'abbé d'Aubignac.

DOCUMENT 48 – Premièrement que le poète choisisse bien le jour dans lequel il veut renfermer toutes les intrigues de sa pièce, et ce choix se doit prendre d'ordinaire du plus bel événement de toute l'histoire, j'entends de celui qui doit faire la catastrophe, et tous les autres aboutissent comme des lignes à leur centre : Et s'il lui est libre de prendre tel jour qu'il voudra, il faut s'arrêter qui doit le plus facilement souffrir l'assemblage et le concours de tous les incidents du théâtre. [Ainsi M. Corneille ayant voulu représenter la mort de Pompée, a pris le dernier jour de sa vie, parce qu'il ne pouvait pas faire autrement ; mais quand il a voulu faire son

Dossier

---

1. *Poétique*, 15, 54 a 37 – 54 b 8 (éd. cit., p. 85-87). Voir aussi 24, 60 a 26 *sq.* : le recours à la machine (la grue qui servait aux apparitions des dieux) est donnée comme la forme par excellence de l'artifice dramatique.
2. D'Aubignac, éd. cit., II, XIX, p. 137.

Cinna, il a choisi le jour tel qu'il l'a voulu par la facilité d'assembler la conspiration de Cinna avec la délibération d'Auguste, sur le dessein qu'il avait pris d'abandonner l'empire.]

Après ce choix fait, le plus bel artifice est d'ouvrir le théâtre le plus près qu'il est possible de la catastrophe, afin d'employer moins de temps au négoce de la scène et d'avoir plus de liberté d'étendre les passions et les autres discours qui peuvent plaire ; Mais pour l'exécuter heureusement, il faut que les incidents soient préparés par des adresses ingénieuses, [et que cela paraisse selon les rencontres dans la suite de l'action] [...] [M. Corneille le pratique aussi fort ingénieusement dans les *Horaces*, le *Cinna* et beaucoup d'autres. Le théâtre des *Horaces* est ouvert un moment devant le combat, et après le choix des six combattants, qui en sont avertis aussitôt qu'ils paraissent. Et Cinna avait déjà fait sa conspiration devant l'ouverture du théâtre qui s'ouvre peu auparavant le sacrifice qui devait servir de prétexte à l'exécution.] Ces choses ainsi disposées, le poète ensuite doit s'étudier à assembler tous ses incidents si adroitement en un même jour que cela ne paraisse point affecté ni violenté ; et pour y réussir, il faut rectifier les temps des choses arrivées devant l'ouverture du théâtre, en supposer quelques-unes arrivées ce jour-là, quoiqu'elles soient arrivées auparavant et les joindre toutes avec tant d'art qu'elles semblent connexes de leur nature, et non point par l'esprit du poète. [...] Mais à quoi il faut prendre garde, c'est de ne pas conjoindre les temps de divers incidents avec tant de précipitation, que la vraisemblance en soit blessée [...] [1].

C'est toute une *économie* de la « matière dramatique » que l'abbé d'Aubignac postule ainsi, dans des formules que Racine a su mettre à profit (préface de *Bérénice*) mais auxquelles un Corneille ne souscrirait pas : d'Aubignac suggère en effet de se donner seulement un intervalle d'action correspondant à un unique acte, en faisant commencer la pièce le plus près possible de son dénouement, et de « pluraliser » ensuite cet acte unique en ménageant des situations aptes au pathétiques et aux belles narrations. Corneille, en cela plus aristotélicien, parie davantage sur le primat de l'action dont le déroulement

---

et les rebondissements vont par eux-mêmes faire jour au pathétique.

> DOCUMENT 49 – Après [que le poète] aura choisi son sujet, il faut qu'il lui souvienne de prendre l'action qu'il veut mettre sur le théâtre à son dernier point, et, s'il faut ainsi dire, à son dernier moment ; et qu'il croie, pourvu qu'il n'ait point l'esprit stérile, que moins il aura de matière empruntée, plus il aura de liberté pour en inventer d'agréable ; et à toute extrémité qu'il se restreigne jusqu'à n'en avoir en apparence que pour faire un acte ; les choses passées lui fourniront assez de quoi remplir les autres soit par des récits, soit en rapprochant les événements de l'histoire, soit par quelques ingénieuses inventions [1].

VI. LA LIAISON DES SCÈNES : LES UNITÉS DE TEMPS ET DE LIEU

Le principe de l'illusion mimétique (ci-dessus, Document 1) qui est au fondement des règles des unités de temps et de lieu, a progressivement imposé la continuité de l'action dramatique (l'intervalle entre les actes étant logiquement mis à profit pour écouler le surplus de durée résultant de la différence entre temps de l'action et temps de la représentation).

Continuité de l'action et liaison des scènes

Cette exigence de continuité se traduit, à partir des années 1640, dans la règle de la liaison des scènes. En 1635 encore, Chapelain pouvait souligner l'agrément de la liaison des scènes à l'intérieur de chaque acte, sans conclure à sa nécessité ; dans l'Épître qui figure en tête de *La Suivante* (1637), Corneille soutenait de même que cette liaison « n'est qu'un embellissement, et non pas un précepte [2] ». Le dramaturge souligne à plusieurs reprises la nécessité de rompre cette liaison *en même temps* que

---

1. *Ibid.*, III, v, p. 225.
2. Chapelain, *Discours de la poésie représentative*, *Opuscules critiques*, éd. cit., p. 131 ; Épître dédicatoire de *La Suivante*, *Œuvres complètes*, éd. cit., t. I, p. 387.

l'unité de lieu au nom de la vraisemblance (ou des bien-séances). Ainsi, dans l'Examen de *La Place royale* :

DOCUMENT 50 – Malgré cet abus introduit par la nécessité et légitimé par l'usage, de faire dire dans la rue à nos Amantes de Comédie ce que vraisemblablement elles diraient dans leur chambre, je n'ai osé y placer Angélique durant la réflexion douloureuse qu'elle fait sur la promptitude, et l'imprudence de ses ressentiments, qui la font consentir à épouser l'objet de sa haine. J'ai mieux aimé rompre la liaison des Scènes, et l'unité de lieu qui se trouve assez exacte en ce Poème, à cela près, afin de la faire soupirer dans son cabinet avec plus de bienséance pour elle, et plus de sûreté pour l'entretien d'Alidor [1].

Même analyse dans l'Examen de *Cinna* :

DOCUMENT 51 – Rien [dans cette pièce] n'est violenté par les incommodités de la représentation, ni par l'unité de jour, ni par celle de lieu.
Il est vrai qu'il s'y rencontre une duplicité de lieu particulier. La moitié de la Pièce se passe chez Émilie, et l'autre dans le cabinet d'Auguste. J'aurais été ridicule si j'avais prétendu que cet Empereur délibérât avec Maxime et Cinna, s'il quitterait l'Empire, ou non, précisément dans la même place, où ce dernier vient de rendre compte à Émilie de la conspiration qu'il a formée contre lui. C'est ce qui m'a fait rompre la liaison des Scènes au quatrième Acte, n'ayant pu me résoudre à faire que Maxime vînt donner l'alarme à Émilie de la conjuration découverte au lieu même où Auguste en venait de recevoir l'avis par son ordre, et dont il ne faisait que de

---

1. Examen de *La Place royale*, *ibid.*, t. I, p. 471-472. Quoi qu'en dise ici Corneille, et comme le montre bien le respect de la liaison des scènes dans *La Suivante*, cette rupture des scènes 5 et 6 de l'acte III de *La Place royale* est commandée moins par le souci des bienséances que par des raisons strictement fonctionnelles : apercevant Alidor sortant de chez Angélique, Philis ne peut deviner qu'une partie de la vérité, et non la réalité du projet d'enlèvement qu'elle n'aurait pas manqué d'apprendre si elle avait pu surprendre la conversation des deux amants. Le personnage épisodique se trouve ainsi disposer d'une information suffisante pour venir « traverser » l'action principale, mais trop parcellaire pour pouvoir s'y opposer. En d'autres termes, la rupture de la liaison des scènes renvoie moins ici à la question de l'unité de lieu qu'à celle de l'unité d'action et de la concurrence entre épisode et action principale.

sortir avec tant d'inquiétude et d'irrésolution. C'eût été une impudence extraordinaire, et tout à fait hors du vraisemblable, de se présenter dans son cabinet un moment après qu'il lui avait fait révéler le secret de cette entreprise, et porter la nouvelle de sa fausse mort. Bien loin de pouvoir surprendre Émilie par la peur de se voir arrêtée, c'eût été se faire arrêter lui-même, et se précipiter dans un obstacle invincible au dessein qu'il voulait exécuter. Émilie ne parle donc pas où parle Auguste, à la réserve du cinquième Acte ; mais cela n'empêche pas qu'à considérer tout le Poème ensemble, il n'ait son unité de lieu, puisque tout s'y peut passer, non seulement dans Rome ou dans un quartier de Rome, mais dans le seul Palais d'Auguste, pourvu que vous y vouliez donner un Appartement à Émilie, qui soit éloigné du sien [1].

Dans l'Examen de *La Suivante*, pièce dans laquelle Corneille s'est fait fort d'observer une liaison des scènes « perpétuelle », le dramaturge, sans cesser de souligner les « inconvénients » de cette nouvelle règle (qui menace le traitement vraisemblable du lieu), expose sa propre doctrine et les assouplissements qu'il juge nécessaires au traitement de la liaison.

DOCUMENT 52 – L'unité de lieu est assez exactement gardée en cette Comédie, avec ce passe-droit toutefois dont j'ai déjà parlé [dans l'Examen de *La Galerie du Palais*], que tout ce que dit Daphnis à sa porte ou en la rue serait mieux dit dans sa chambre, où les Scènes qui se font sans elle et sans Amarante ne peuvent se placer. C'est ce qui m'oblige à la faire sortir au-dehors, afin qu'il y puisse avoir, et unité de lieu entière, et liaison de Scène perpétuelle dans la Pièce ; ce qui ne pourrait être, si elle parlait dans sa chambre, et les autres dans la rue.
J'ai déjà dit que je tiens impossible de choisir une Place publique pour le lieu de la Scène que cet inconvénient n'arrive [...]. J'ai dit que la liaison de Scènes est ici perpétuelle, et j'y en ai mis de deux sortes, de présence et de vue. Quelques-uns ne veulent pas que quand un Acteur sort du Théâtre pour n'être point vu de celui qui y vient, cela fasse une liaison : mais je ne puis être de leur avis sur ce point, et tiens que c'en est une suffisante quand l'Acteur qui entre sur le Théâtre voit celui qui en sort, ou que celui qui sort voit celui qui entre, soit qu'il le cherche, soit qu'il le fuie, soit

1. Examen de *Cinna*, *ibid.*, t. I, p. 910-911.

qu'il le voie simplement sans avoir intérêt à le chercher, ni à le fuir. Aussi j'appelle en général une liaison de vue ce qu'ils nomment une liaison de recherche. J'avoue que cette liaison est beaucoup plus imparfaite que celle de présence et de discours, qui se fait lorsqu'un Acteur ne sort point du Théâtre sans y laisser un autre à qui il ait parlé ; et dans mes derniers Ouvrage je me suis arrêté à celle-ci sans me servir de l'autre ; mais enfin je crois qu'on s'en peut contenter, et je la préférerais de beaucoup à celle qu'on appelle liaison de bruit, qui ne me semble pas supportable, s'il n'y a de très justes et de très importantes occasions qui obligent un Acteur à sortir du Théâtre quand il en entend. Car d'y venir simplement par curiosité, pour savoir ce que veut dire ce bruit, c'est une si faible liaison, que je ne conseillerais jamais personne de s'en servir [1].

Corneille se sépare ainsi de l'exposé de d'Aubignac, qui distinguait une bien douteuse « liaison de temps » qui suppose l'intervention d'une coïncidence.

DOCUMENT 53 – J'ai reconnu qu'il y a quatre sortes de liaisons de Scènes, c'est à savoir de *Présence*, de *Recherche*, de *Bruit* et de *Temps*.

La liaison de *Présence* est, quand en la Scène suivante il reste sur le Théâtre quelque Acteur de la précédente, ce qui se fait en trois façons : La première, en mettant d'abord sur le Théâtre tous ceux qui doivent agir dans un Acte, et les faisant retirer les uns après les autres selon la diverse nécessité de leurs intérêts [...]. La seconde est, lors que les Acteurs viennent sur le Théâtre les uns après les autres, sans que pas un des premiers en sortent ; car tous les nouveaux Acteurs qui surviennent, font de nouvelles Scènes toujours liées par la présence des Acteurs qui étaient sur le Théâtre ; et cette manière est bonne pour un dernier Acte. La troisième est, quand les Acteurs vont et viennent selon que leurs intérêts le demandent, et en tel nombre qu'il est besoin [...].

La seconde liaison de *Recherche* se fait, lors que l'Acteur qui vient au Théâtre, cherche celui qui en sort [...]. Et il faut se souvenir que cette liaison ne se fait point quand l'Acteur, qui était sur le Théâtre, en sort pour ne pas être vu de celui qui vient, si celui qui vient ne cherche celui qui sort ; en quoi se sont trompés quelques Modernes qui pensaient avoir bien lié leurs Scènes, quand ils avaient fait retirer des Acteurs

1. Examen de *La Suivante*, ibid., t. I, p. 390-391.

pour n'être pas vus de ceux qui entraient, encore que ceux qui entraient n'eussent aucun dessein de les voir ; et que même ils ne les voulussent pas rencontrer ; car en ce cas ce ne serait pas une liaison de *Recherche* mais de Fuite, et il s'en suivrait que les Scènes seraient liées par l'Acteur qui les délierait.

La liaison qui se fait par le *Bruit*, est lors qu'au bruit qui s'est fait sur le Théâtre, un Acteur, qui vraisemblablement a pu l'ouïr, y vient pour en savoir la cause, pour le faire cesser, ou pour quelque autre raison et qu'il n'y trouve plus personne : car il est certain que la Scène qui se fait par l'Acteur qui survient à ce bruit, est fort bien liée à la précédente faite par ceux qui se sont retirés, puis que le théâtre ne demeure point sans action [...].

Quant à la dernière qui se fait par le *Temps*, c'est quand un Acteur qui n'a rien à démêler avec ceux qui sortent du Théâtre, y vient aussitôt après ; mais dans un moment si juste, qu'il n'y pourrait raisonnablement venir plus tôt ni plus tard. [...] Cette liaison de Scènes, à mon avis, est un peu trop licencieuse, et à moins que de la faire avec grande justesse, et avec des couleurs bien adroites, je ne l'approuverais pas [1].

L'unité de lieu

Pour l'abbé d'Aubignac, le lieu de la représentation (la scène) doit être une image fidèle du lieu de la fiction ; comment, en effet, un spectateur pourrait-il croire à l'action représentée si le lieu de cette action change alors même que la scène reste toujours identique ? Contre la tradition du décor à compartiments (qui supposait un effort d'imagination de la part du spectateur), d'Aubignac prône donc le décor unique et conséquemment l'unicité du lieu de la fiction, tolérant seulement – mais dans une concession ironique – les changements de décor relevant du merveilleux.

DOCUMENT 54 – Il n'est pas moins contraire à la vraisemblance, qu'un même espace et un même sol, qui ne reçoivent aucun changement, représentent en même temps deux lieux différents, par exemple la France et le Danemark, la Galerie du Palais et les Tuileries. Et certes pour le faire avec quelque sorte d'apparence il faudrait au moins avoir de ces théâtres

Dossier

---

1. D'Aubignac, éd. cit., III, VII, p. 243-246.

qui tournent tout entiers, vu que par ce moyen le lieu chan-
gerait entièrement aussi bien que les personnes agissantes, et
encore serait-il nécessaire que le sujet fournît une raison de
vraisemblance pour ce changement, et comme cela ne peut
arriver que par la puissance des Dieux qui changent comme
il leur plaît la face et l'état de la nature, je doute qu'on pût
faire une pièce raisonnable par le secours de dix ou douze
miracles.

Qu'il demeure donc pour constant que le lieu, où le premier
acteur qui fait l'ouverture du théâtre est supposé, doit être le
même jusqu'à la fin de la pièce, et que ce lieu ne pouvant
souffrir aucun changement en sa nature, il n'en peut admettre
aucun en la représentation ; et par conséquent tous les autres
acteurs ne peuvent raisonnablement paraître ailleurs [1].

Corneille n'acceptera jamais complètement cette
conception restrictive de l'unité de lieu qu'il élargit
d'abord, comme d'autres dramaturges de son temps, aux
dimensions d'une ville [2], avant de lui substituer, dans le
troisième *Discours* (p. 151), la définition d'une « fiction
de théâtre », soit d'un lieu purement fonctionnel, dessiné
par les exigences de l'action. L'Avis au lecteur de *La
Veuve* et l'Examen de *La Galerie du Palais* manifestent
respectivement la conception élargie de l'unité de lieu et
le principe du lieu fictif.

DOCUMENT 55 – Pour l'unité de lieu et d'action ce sont deux
règles que j'observe inviolablement, mais j'interprète la dernière à ma mode, et la première tantôt je la resserre à la seule
grandeur du théâtre, et tantôt je l'étends jusqu'à toute une
ville, comme en cette Pièce. Je l'ai poussée dans le *Clitandre*
jusques aux lieux où l'on peut aller dans les vingt et quatre
heures, mais bien que j'en pusse trouver de bons garants, et
de grands exemples dans les vieux et nouveaux siècles,
j'estime qu'il n'est que meilleur de se passer de leur imitation
en ce point. Quelque jour je m'expliquerai davantage sur ces
matières, mais il faut attendre l'occasion d'un plus grand

1. *Ibid.*, II, VI, p. 101.
2. Ainsi dans *Le Menteur*, « L'unité de lieu s'y trouve en ce que
tout s'y passe dans Paris, mais le premier acte est dans les Tuileries,
et le reste à la Place Royale » (Examen du *Menteur*, *Œuvres
complètes*, éd. cit., t. II, p. 8).

volume, cette Préface n'est déjà que trop longue pour une Comédie [1].

DOCUMENT 56 – Célidée et Hippolyte sont deux voisines dont les demeures ne sont séparées que par le travers d'une rue, et ne sont pas d'une condition trop élevée pour souffrir que leurs Amants les entretiennent à leur porte. Il est vrai que ce qu'elles y disent serait mieux dit dans une chambre, ou dans une salle, et même ce n'est que pour se faire voir aux Spectateurs qu'elles quittent cette porte où elles devraient être retranchées, et viennent parler au milieu de la Scène ; mais c'est un accommodement de Théâtre qu'il faut souffrir pour trouver cette rigoureuse unité de lieu qu'exigent les grands Réguliers. Il sort un peu de l'exacte vraisemblance et de la bienséance même ; mais il est presque impossible d'en user autrement ; et les spectateurs y sont si accoutumés qu'ils n'y trouvent rien qui les blesse. Les Anciens, sur les exemples desquels on a formé les Règles, se donnaient cette liberté ; ils choisissaient pour le lieu de leurs Comédies, et même de leurs Tragédies, une place publique ; mais je m'assure qu'à les bien examiner il y a plus de la moitié de ce qu'ils font dire qui serait mieux dit dans la maison qu'en cette Place [2].

L'unité de temps

Comme le rappelle Corneille dans le troisième *Discours* (p. 143-144), la question ne revêtait guère d'importance aux yeux d'Aristote. Elle a pourtant donné lieu à un important débat, où s'opposaient les anti-réguliers et les tenants des règles. Pour ces derniers, dont Chapelain est, en France, le premier représentant, le principe de l'illusion mimétique impose de faire correspondre au mieux la durée de l'action et le temps de la représentation. Deux positions se dessinent assez nettement parmi les réguliers : une position extrême, soutenue par Castelvetro, Scaliger et d'Aubignac, qui prône la coïncidence exacte des deux durées, et une position plus pragmatique (« jour artificiel » soit douze heures pour Robortello, Chapelain et Scudéry, « jour naturel » ou vingt-quatre heures pour Segni) dérivée de ce qu'on peut supposer du senti-

---

1. Avis au lecteur de *La Veuve*, *ibid.*, t. I, p. 203.
2. Examen de *La Galerie du Palais* (1660), *ibid.*, t. I, p. 302-303.

ment de la durée dans la conscience du spectateur, qui repose sur l'idée d'une *proportion* crédible pour le spectateur mettant à profit les intervalles d'actes pour régler l'écart. D'accord avec les théoriciens de son temps sur le principe de la proportion, Corneille considère que la durée de l'action doit être dictée par le sujet et qu'elle peut s'étendre de deux à trente heures.

Le débat a été suffisamment important pour donner lieu, de la part de Chapelain, à une lettre sur la règle des vingt-quatre heures rédigée en 1630, où se fait jour l'idée de mettre à profit les intervalles d'actes pour régler les décalages entre la durée de l'action et la durée de la représentation.

DOCUMENT 57 – Je ne pense pas qu'il y ait rien de moins vraisemblable que ce que ferait le poète par la représentation d'un succès [*i. e.* une entreprise] de dix ans dans l'espace de deux ou trois heures, puisque la figure doit être le plus qu'il se peut semblable en toutes les circonstances à la chose figurée et qu'une des principales circonstances est le temps, que le théâtre qui fait particulière profession d'imiter, doit remplir dans sa juste proportion, c'est-à-dire dans la véritable étendue qu'il a eue lorsqu'on suppose que la chose imitée se passait : autrement l'œil des spectateurs se trouvant surchargé d'objets, et se laissant persuader avec peine que pendant trois heures qu'il a employées au spectacle il se soit passé des mois et des années, l'esprit qui juge sur le tout, reconnaissant qu'il y a de l'impossibilité, et que par conséquent il donne de l'attention à une chose fausse, se relâche pour tout ce qu'il y peut avoir d'utile au reste, et ne souffre point l'impression sans laquelle tout le travail du poète est vain.

[...] Outre qu'il y a notable différence entre un jour et dix ans et que l'imagination est bien plus facile à tromper, ne s'agissant que d'un petit espace au respect d'un autre qui n'est guère plus grand, je veux dire de deux heures au respect des vingt-quatre, qu'elle ne serait s'agissant d'un petit espace au respect d'un beaucoup plus grand comme serait des mêmes deux heures au respect de dix ans, j'estime encore que les distinctions des actes [*i.e.* les entractes], où le théâtre se rend vide d'acteurs et où l'auditoire est entretenu de musique et d'intermèdes, doivent tenir lieu du temps que l'on peut imaginer à rabattre sur les vingt-quatre heures ; que si cette considération n'était pas assez forte, j'y ajouterai que, faisant arriver dans l'espace de trois heures autant de choses qu'il en peut arriver raisonnablement en vingt-quatre, l'esprit se laisse facilement aller à croire, au moins pendant la représentation, que ce qui s'est passé a duré à peu près ce temps-là [1].

Comme la plupart des dramaturges, Corneille fait sienne cette doctrine des intervalles d'actes, en mettant une fois encore l'accent, dans l'Examen de *Mélite*, sur la continuité de l'action à l'intérieur de chaque acte (en justifiant ainsi, implicitement, la règle de la liaison des scènes dès lors qu'elle favorise la vraisemblance temporelle).

DOCUMENT 58 – Je sais bien que la représentation raccourcit la durée de l'action, et qu'elle fait voir en deux heures, sans sortir de la Règle, ce qui souvent a besoin d'un jour entier pour s'effectuer : mais je voudrais que, pour mettre les choses dans leur justesse, ce raccourcissement se ménageât dans les intervalles des Actes, et que le temps qu'il faut perdre s'y perdît, en sorte que chaque Acte n'en eût pour la partie de l'action qu'il représente que ce qu'il en faut pour sa représentation [2].

L'exemple de *La Veuve* vient montrer *a contrario* que le défaut de proportion entre durée de l'action et durée de la représentation ne peut se résorber qu'au prix d'une rupture de liaison (qui seule peut autoriser l'écoulement d'un surplus de durée *à l'intérieur* d'un acte) : laissant la scène vide, une rupture de liaison sera alors l'équivalent structurel d'un intervalle d'actes (et risque d'ailleurs d'être fugitivement perçue comme tel par le spectateur).

DOCUMENT 59 – [Comme *Mélite*], [*La Veuve*] a ce même défaut dans le particulier de la durée de chaque Acte, que souvent celle de l'action y excède de beaucoup celle de la représentation. Dans le commencement du premier, Philiste quitte Alcidon pour aller faire des visites avec Clarice, et paraît en la dernière Scène avec elle au sortir de ces visites qui doivent avoir consumé toute l'après-dînée, ou du moins la meilleure partie. La même chose se trouve au cinquième. Alcidon y fait partie avec Célidan d'aller voir Clarice sur le

1. Chapelain, *Lettre sur la règle des vingt-quatre heures*, *Opuscules critiques*, éd. cit., p. 119-122.
2. Examen de *Mélite*, *Œuvres complètes*, éd. cit., t. I, p. 8.

soir dans son Château, où il la croit encore prisonnière, et se résout de faire part de sa joie à la Nourrice, qu'il n'oserait voir de jour, de peur de faire soupçonner l'intelligence secrète et criminelle qu'ils ont ensemble ; et environ cent vers après il vient chercher cette confidente chez Clarice, dont il ignore le retour. Il ne pouvait être qu'environ Midi quand il en a formé le dessein, puisque Célidan venait de ramener Clarice (ce que vraisemblablement il a fait le plus tôt qu'il a pu, ayant un intérêt d'amour qui le presse de lui rendre ce service en faveur de son Amant) et quand il vient pour exécuter cette résolution, la nuit doit avoir déjà assez d'obscurité pour cacher cette visite qu'il lui va rendre. L'excuse qu'on pourrait y donner aussi bien qu'à ce que j'ai remarqué de Tircis dans *Mélite*, c'est qu'il n'y a point de liaison de Scènes et par conséquent point de continuité d'action. Ainsi on pourrait dire que ces Scènes détachées, qui sont placées l'une après l'autre, ne s'entre-suivent pas immédiatement, et qu'il se consume un temps notable entre la fin de l'une et le commencement de l'autre, ce qui n'arrive point quand elles sont liées ensemble, cette liaison étant cause que l'une commence nécessairement au même instant que l'autre finit [1].

VII. LES CARACTÈRES

Le principe aristotélicien, auquel Corneille est resté constamment fidèle (premier *Discours*, p. 83-84) est celui d'une stricte corrélation de l'*èthos* et du *muthos* : le « caractère » n'a pas d'existence en dehors des traits de comportement que va révéler l'action, laquelle trouve en retour des motivations, soit une vraisemblance supplémentaire, dans les décisions que les personnages sont amenés à prendre en fonction de leur caractère. Une formule fameuse de Saint-Évremond, énoncée dans un contexte polémique, défendait en ces termes la conception cornélienne :

DOCUMENT 60 – J'ai soutenu que pour faire une belle Comédie, il fallait choisir un beau sujet, le bien disposer, le bien suivre et le mener naturellement à la fin ; qu'il fallait faire entrer les Caractères dans les sujets, et non pas former la constitution des sujets après celle des Caractères ; que nos

---

1. Examen de *La Veuve, ibid.*, t. I, p. 216-217.

actions devaient précéder nos qualités et nos humeurs ; qu'il fallait remettre à la Philosophie de nous faire connaître ce que sont les hommes, et à la Comédie de nous faire voir ce qu'ils font, et qu'enfin ce n'est pas tant la nature humaine qu'il faut expliquer, que la condition humaine qu'il faut représenter sur le Théâtre [1].

Deux impératifs essentiels, également repris d'Aristote (voir n. 36, p. 158) régissent la création des « caractères » ainsi compris : la « convenance » ou vraisemblance éthique, et « l'égalité » ou cohérence éthique.

La vraisemblance éthique : la « convenance »

La tradition rhétorique a sédimenté dans des listes de « types » les solidarités probables qu'entretiennent tels ou tels traits de comportements en fonction des âges, des sexes et des conditions. C'est à elles qu'Horace se réfère dans un passage de l'*Art poétique* très souvent allégué par les dramaturges :

DOCUMENT 61 – Il vous faut marquer les mœurs de chaque âge et donner aux caractères [*mores*], changeant avec les années, les traits qui conviennent. L'enfant qui déjà sait répéter les mots et imprime sur le sol un pied sûr recherche ses pareils pour jouer avec eux ; sa colère éclate et s'apaise sans motif ; il change d'une heure à l'autre. Le jeune homme encore imberbe, enfin délivré de son gouverneur, fait sa joie des chevaux, des chiens, des pelouses du Champ de Mars ensoleillé ; il est de cire pour recevoir l'impression du vice, rétif à qui le reprend, peu empressé de pourvoir à l'utile, prodigue d'argent, hautain, plein de désirs et prompt à délaisser ce qu'il aimait. Les goûts se transforment : l'âge et l'esprit de l'homme fait cherchent l'influence, les relations, sont esclaves des honneurs et se gardent de faire ce qu'il faudrait bientôt travailler à changer. Mille incommodités assiègent le vieillard, soit qu'il amasse, se prive misérablement de biens acquis et craigne de s'en servir, soit qu'il se montre, dans l'exécution de toute chose, timide et glacé, temporisateur, ami des longs espoirs, sans activité, avide d'avenir, quinteux, grondeur, panégyriste du temps écoulé quand il était enfant,

---

1. Saint-Évremond, « Lettre à Messieurs de *** », dans « Défense de quelques pièces de théâtre de M. Corneille », *Œuvres en prose*, R. Ternois éd., STFM, t. IV, p. 429.

censeur prompt à gourmander les plus jeunes. Les années, en venant, apportent mille avantages, elles en emportent mille en se retirant. N'allez point donner à un jeune homme le rôle d'un vieillard, à un enfant celui d'un homme fait : toujours chacun devra s'attacher aux traits qui accompagnent son âge et lui sont inhérents [1].

Dans l'Examen de *La Suivante*, Corneille confronte ainsi le personnage de Géraste au type du « vieillard amoureux » :

DOCUMENT 62 – Géraste n'agit pas mal en vieillard amoureux, puisqu'il ne traite l'amour que par tierce personne, qu'il ne prétend être considérable que par son bien, et qu'il ne se produit point aux yeux de sa Maîtresse, de peur de lui donner du dégoût par sa présence. On peut douter s'il ne sort point du caractère des Vieillards, en ce qu'étant naturellement avares, ils considèrent le bien plus que toute autre chose dans les mariages de leurs enfants, et que celui-ci donne assez libéralement sa fille à Florame, malgré son peu de fortune, pourvu qu'il en obtienne sa sœur [2].

L'égalité des mœurs ou « constance »

Lors de la Querelle du *Cid*, le « caractère » de Chimène avait été critiqué non seulement au nom des bienséances (la « convenance » donc) mais encore comme inconstant ou « inégal » (introduite comme vertueuse, elle incarne ensuite le triomphe de la passion amoureuse sur le devoir filial). Dans la relecture de ses pièces, Corneille – sans revenir sur le « caractère » de Chimène fondé historiquement, dénonce impitoyablement les très rares cas d'« inégalité de mœurs » parmi ses personnages. Alidor, dont l'ambiguïté séduit tant les lecteurs et spectateurs d'aujourd'hui, est en 1660 désigné comme un personnage « inégal », au sens fort du terme, c'est-à-dire incohérent. On mesure ici tout ce qui sépare la conception « classique » du personnage de la conception moderne : dans le code classique, n'est pas vraisemblable le personnage qui s'écarte d'un comportement prévisible en fonction d'un *habitus* répertorié ; aux yeux d'un lecteur moderne,

1. *Art poétique*, v. 156-178, éd. cit., p. 210-212.
2. Examen de *La Suivante*, *Œuvres complètes*, éd. cit., t. I, p. 389.

le personnage sera d'autant plus « vrai » qu'il apparaîtra traversé par des contradictions [1].

Désigné par le sous-titre comme « amoureux extravagant », Alidor est à plusieurs reprises infidèle au « caractère » manifesté par sa décision du premier acte (« inégalité de mœurs » d'autant plus voyante qu'elle entraîne une « duplicité d'action », voir ci-dessus, p. 266).

DOCUMENT 63 – Alidor, dont l'esprit extravagant se trouve incommodé d'un amour qui l'attache trop, veut faire en sorte qu'Angélique sa Maîtresse se donne à son ami Cléandre ; et c'est pour cela qu'il lui fait rendre une fausse lettre qui le convainc de légèreté, et qu'il joint à cette supposition des mépris assez piquants pour l'obliger dans sa colère à accepter les affections d'un autre. Ce dessein avorte, et la donne à Doraste contre son intention ; et cela l'oblige à en faire un nouveau pour la porter à un enlèvement. [...] Alidor est sans doute trop bon ami pour être si mauvais Amant. Puisque sa passion l'importune tellement qu'il veut bien outrager sa Maîtresse pour s'en défaire, il devrait se contenter de ce premier effort, qui la fait obtenir à Doraste, sans s'embarrasser de nouveau pour l'intérêt d'un ami, et hasarder en sa considération un repos qui lui est si précieux. Cet amour de son repos n'empêche point qu'au cinquième Acte il ne se montre encore passionné pour cette Maîtresse, malgré la résolution qu'il avait prise de s'en défaire, et les trahisons qu'il lui a faites ; de sorte qu'il semble ne commencer à l'aimer véritablement que quand il lui a donné sujet de le haïr. Cela fait une inégalité de Mœurs qui est vicieuse [2].

Les caractères historiques

Pour les « caractères » historiques, certains traits sont donnés en même temps que le sujet : les lois de la « convenance » éthique s'appliquent-elles alors de la même façon ? Le dramaturge doit finalement arbitrer entre deux formes de vraisemblance, la vraisemblance

_____

1. Le même Examen permet ainsi de comprendre que la question de la mauvaise foi est parfaitement inassimilable par le code classique.
2. Examen de *La Place royale*, *Œuvres complètes*, éd. cit., t. I, p. 470-471.

particulière de l'Histoire et la vraisemblance éthique générale.

Dans le chapitre de sa *Poétique* qui suit celui des « Mœurs » et qu'il consacre aux « Sentiments » (ou *dianoia*), La Mesnardière met en évidence les trois modes de détermination de l'*èthos* tragique auxquels le dramaturge peut avoir recours ; outre la fidélité à l'Histoire et les lois générales de l'éthique (notamment celles qui relèvent des « conditions » sociales), il introduit un niveau médian : celui des *exempla*, qui font dériver de situations concrètes des principes généraux de comportement (l'exemplarité de ces situations les situent exactement à mi-chemin entre la singularité historique et la généralité statistique).

DOCUMENT 64 – Il est aisé de reconnaître qu'Aristote désire moins que le Poète ait l'esprit fort juste dans ses propres sentiments, qu'il ne veut que dans son Poème il fasse dire aux Personnages les choses qui leur conviennent. [...] Pour venir à notre Point, si c'était une lourde faute contre le Chapitre des Mœurs, d'attribuer des habitudes à la Personne théâtrale qui ne lui convinssent pas, ce serait maintenant un crime qui ne recevrait point d'excuses, de lui faire dire des choses qui ne fussent pas sortables à sa condition présente, qui est accablée de malheurs, et qui ne fussent pas digne de sa fortune passée, qui éclatait par la richesse et qui brillait par la puissance. [...]

Il est donc fort nécessaire que notre Poète s'étudie à savoir parfaitement quelle fut jadis la Personne dont il nous dépeint l'action, quelle était sa qualité et quelles ses façons d'agir aux dires des Historiens. [...]

Que si ce n'est point de l'Histoire ni de la Fable reçue qu'il a tiré son sujet, [...] il faut que le Poète sache par exemple comment un Prince a pu parvenir à corrompre la chasteté de telle Dame, dont il était passionné. Ce qu'il lui peut avoir dit pour lui découvrir sa peine ; Ce qu'elle a pu lui répondre en recevant ses services ; et quel succès a dû avoir l'insolence de leurs amours. [...]

Surtout, qu'il n'ignore pas de quel air usent entre elles les Personnes de condition dans leurs amours, dans leurs querelles et dans leur civilité. [...] De quelle manière [les Rois] parlent aux Souverains leurs égaux, aux Reines, aux Seigneurs, aux Dames, aux Officiers, aux Soldats. [...] En quels lieux les Potentats doivent être majestueux, et en quelles occasions la bienséance les oblige de tempérer la Majesté par une douceur agréable [1].

On conçoit que Corneille, qui privilégie régulièrement le vrai historique aux dépens de la vraisemblance dans le traitement de son sujet, reste fidèle à ses sources historiques jusque dans le traitement de ses « caractères ». Le propos reste inchangé de la défense de Chimène à celle de Sophonisbe :

DOCUMENT 65 – Vous trouverez en cette tragédie les caractères tels que chez Tite-Live ; vous y verrez Sophonisbe avec le même attachement aux intérêts de son pays, et la même haine pour Rome, qu'il lui attribue. Je lui prête un peu d'amour, mais elle règne sur lui, et ne daigne l'écouter, qu'autant qu'il peut servir à ces passions dominantes qui règnent sur elle, et à qui elle sacrifie toutes les tendresses de son cœur, Massinisse, Syphax, sa propre vie. [...]
Comme je ne sais que les règles d'Aristote, et d'Horace, et ne les sais pas même trop bien, je ne hasarde pas volontiers en dépit d'elles ces agréments surnaturels et miraculeux, qui défigurent quelquefois nos personnages autant qu'ils les embellissent, et détruisent l'histoire au lieu de la corriger. Ces grands coups de maître passent ma portée ; je les laisse à ceux qui en savent plus que moi, et j'aime mieux qu'on me reproche d'avoir fait mes femmes trop héroïnes, par une ignorante et basse affectation de les faire ressembler aux originaux qui en sont venus jusqu'à nous, que de m'entendre louer d'avoir efféminé mes héros, par une docte et sublime complaisance au goût de nos délicats, qui veulent de l'amour partout, et ne permettent qu'à lui de faire auprès d'eux la bonne ou mauvaise fortune de nos ouvrages [2].

1. La Mesnardière, *La Poétique*, éd. cit., chap. IX, p. 237-239.
2. Avis au lecteur de *Sophonisbe* (1663), *Œuvres complètes*, éd. cit., t. III, p. 382-385.

[...]

VIII. LES FORMES DE LA « DICTION »

La désignation des pièces de théâtre comme « poèmes
dramatiques » fait des dramaturges d'authentiques poètes,
soucieux de la mise en vers : la « diction » relève à part
entière de la poétique théâtrale, même si Corneille comme
Aristote ne lui accorde en droit qu'un statut secondaire.
Pour autant, c'est par le vers que le spectateur accède au
travail du dramaturge, et Corneille sait qu'il doit à la
beauté de ses vers le succès de ses pièces, comme chaque
Examen ne manque pas de le souligner.

Le vers tragique

De la Renaissance au XVIIᵉ siècle, l'alexandrin est
constamment conçu comme le vers noble ou héroïque
(l'équivalent français du vers iambique grec), seul apte à la
diction du genre noble qu'est la tragédie. Dans son *Art
poétique français* (1597), premier ouvrage de ce type à
consacrer une section entière au théâtre, Laudun d'Aigaliers met en avant la solidarité qui existe entre le choix
du vers alexandrin et la dignité de l'action et des personnages tragiques.

DOCUMENT 66 – Les vers propres de la Tragédie sont les
héroïques ou Alexandrins seulement, et non autres, pource
que les gestes des Princes y sont représentés, et que les sentences, similitudes, figures, et autres ornements de poésie y
sont adaptés, aussi faut-il que le plus noble genre de vers y
soit adapté, savoir Alexandrins et en rime plate, et faut toujours garder le genre masculin et féminin consécutivement,
du commencement jusqu'au bout [...][1].

1. Laudun d'Aigaliers, *L'Art poétique françois* (1597), V, 8 (« Des
vers de la tragédie et chœurs »), Genève, Slatkine reprints, 1971,
p. 292-293.

Fiction et diction : la part du vers

Conscient de cette force du vers, Corneille promeut, dans l'Examen de *Cinna* notamment, l'idée d'un système de compensation entre séduction du vers et nudité de l'intrigue :

DOCUMENT 67 – Comme les Vers d'*Horace* ont quelque chose de plus net et de moins guindé pour les pensées que ceux du *Cid*, on peut dire que ceux de cette Pièce ont quelque chose de plus achevé que ceux d'*Horace*, et qu'enfin la facilité de concevoir le Sujet, qui n'est ni trop chargé d'incidents, ni trop d'embarrassé des récits de ce qui s'est passé avant le commencement de la pièce, est une des causes sans doute de la grande approbation qu'il a reçue. L'Auditeur aime à s'abandonner à l'action présente, et à n'être point obligé, pour l'intelligence de ce qu'il voit, de réfléchir sur ce qu'il a déjà vu, et de fixer sa mémoire sur les premiers Actes, cependant que les derniers sont devant ses yeux. C'est l'incommodité des pièces embarrassées qu'en termes de l'art on nomme *implexes*, par un mot emprunté du Latin, telles que sont *Rodogune* et *Héraclius*. Elle ne se rencontre pas dans les Simples, mais comme celles-là ont sans doute besoin de plus d'esprit pour les imaginer, et de plus d'Art pour les conduire, celles-ci, n'ayant pas le même secours du côté du Sujet, demandent plus de force de Vers, de raisonnement, et de sentiments, pour les soutenir [1].

Dans l'Argument d'*Andromède*, le dramaturge fait entrer dans ce système de compensation un troisième élément, les « ornements extérieurs » (décors, machines et musique) :

DOCUMENT 68 – Souffrez que la beauté de la représentation supplée au manque des beaux vers que vous n'y trouverez pas en si grande quantité que dans *Cinna*, ou dans *Rodogune*, parce que mon principal but ici a été de satisfaire la vue par l'éclat et la diversité du spectacle, et non pas de toucher l'esprit par la force du raisonnement, ou le cœur par la délicatesse des passions [2].

---

1. Examen de *Cinna*, *Œuvres complètes*, éd. cit., t. I, p. 912.
2. Argument d'*Andromède* (1650), *ibid.*, t. II.

Vers et vraisemblance

Pour Aristote, le choix du vers iambique s'expliquait tout autant par la noblesse de ce vers que par ses affinités (moins réelles peut-être que culturelles ou conventionnelles) avec le langage parlé :

DOCUMENT 69 – Le mètre iambique est celui qui s'accorde le mieux au parlé [*lexis*], et la preuve c'est que nous prononçons beaucoup de mètres iambiques dans la langue de la conversation, mais très rarement des hexamètres et seulement quand nous sortons du registre parlé [1].

Dans un système fondé sur la vraisemblance, l'usage conventionnel d'un mètre unique est difficile à justifier en droit : une tragédie en vers mêlés voire en prose ne serait-elle pas idéalement plus vraisemblable qu'un poème en alexandrins ? C'est ce que soutiennent les théoriciens les plus soucieux de rigueur doctrinale – position toute théorique que nul poète tragique n'a entérinée.

La question est évoquée par Chapelain dans la *Lettre sur la règle des vingt-quatre heures*, qui oppose à « l'exception française » la pratique italienne des vers mêlés.

DOCUMENT 70 – [Lorsque] vous trouvez à redire que l'on parle en vers et même en rime sur le théâtre, je suis très d'accord avec vous, et l'absurdité m'en semble si grande que cela seul serait capable de me faire perdre l'envie de travailler jamais à la poésie scénique quand j'y aurais une violente inclination. Et en cela notre langue se peut dire plus malheureuse qu'aucune autre, étant obligée, outre le vers, à la tyrannie de la rime, laquelle ôte toute la vraisemblance au théâtre et toute la créance à ceux qui y portent quelque étincelle de jugement [2].

Moins radical, d'Aubignac accepte la convention qui fait de l'alexandrin l'équivalent, au théâtre, de la prose ; mais il condamne l'usage des stances qui, rompant avec le rythme de l'alexandrin, mettent en péril l'illusion mimétique.

---

1. *Poétique*, 4, 49 a 25-27, éd. cit., p. 47.
2. Chapelain, *Lettre sur la règle des vingt-quatre heures*, *Opuscules critiques*, éd. cit., p. 125-126.

DOCUMENT 71 – Il faut présupposer, Que les grands vers de douze syllabes, nommés *Communs* dans les premiers Auteurs de la Poésie Française, doivent être considérés au Théâtre comme de la prose : car il en est de ces sortes de vers comme des Iambes qui selon la doctrine d'Aristote furent choisis pour les Tragédies par les Anciens, à cause qu'ils approchent plus de la prose que tous les autres, et qu'ordinairement en parlant Grec ou Latin, on en fait sans y penser. De même donc en est-il de nos grands vers que nous avons employés à ce même Poème, et qui furent peut-être nommés *Communs*, parce que communément chacun en fait sans peine et sans préméditation dans le discours ordinaire. [...] Et tout ce qui est au Théâtre, étant l'image de quelque autre chose, ces grands vers, qui ne sont pas du langage commun et usité parmi les hommes, ne représentent rien que la prose dont on se sert pour s'expliquer en parlant ensemble : de sorte que comme on ne doit pas donner deux images différentes d'une même vérité, quand on vient à changer de vers on entend représenter quelque autre chose différente : En un mot, les Stances sont considérées comme des vers qu'un homme aurait pu dire en l'état auquel on le met sur le Théâtre, mais encore comme des vers Lyriques, c'est-à-dire, propres à chanter avec des instruments de musique, et pour cet effet ont leur nombre limité, leur repos semblable, et leurs iné-galités mesurées.

Pour rendre donc vraisemblable qu'un homme récite des Stances, c'est-à-dire fasse des vers sur le Théâtre, il faut qu'il y ait une couleur ou raison pour autoriser ce changement de langage [1].

La difficulté tient à ce que les stances, qui supposent quelque préparation de la part du personnage qui s'y livre, s'inscrivent toujours dans des moments où ce même personnage est en proie aux passions. Aussi les cas légi-times sont-ils, pour l'abbé d'Aubignac, exceptionnels : les stances ne peuvent prendre place qu'en début d'acte (le personnage a eu tout l'intervalle pour les préparer) ou dans les rares situations où il sera vraisemblable qu'un personnage se mette à réciter des vers (dispute entre poètes, personnage « qu'une fièvre chaude eût rendu poète », éd. cit., p. 365).

---

1. D'Aubignac, éd. cit., III, x, p. 262-263.

L'Examen d'*Andromède* contient la réponse de Corneille à l'abbé : les stances sont un « fard », qui « embellit [l']ouvrage, et aide [le poète] à mieux atteindre le but de [son] Art, qui est de plaire ». Si le choix de l'alexandrin comme équivalent de la prose se justifie par l'exemple du vers iambique, *a fortiori*, « les Vers de Stances sont moins Vers que les Alexandrins, parce que parmi notre langage commun il se coule plus de ces Vers inégaux, les uns courts, les autres longs, avec des rimes croisées et éloignées les unes des autres, que de ceux dont la mesure est toujours égale, et les rimes toujours mariées »[1].

Vers tragique et vers comique

Si l'alexandrin est de mise dans la comédie comme dans la tragédie, le vers comique, « peinture » pour Corneille de la « conversation des honnêtes gens » (Examen de *Mélite*, Document 19), a la particularité d'être plus « naïf » (naturel) que son aîné, et de fonctionner comme « prose rimée ». C'est ce qu'indique Corneille dans l'avis « Au lecteur » de *La Veuve*.

DOCUMENT 72 – Si tu n'es homme à te contenter de la naïveté du style, et de la subtilité de l'intrigue, je ne t'invite point à la lecture de cette pièce, son ornement n'est pas dans l'éclat des vers. C'est une belle chose de les faire puissants et majestueux, cette pompe ravit d'ordinaire les esprits, et pour le moins les éblouit, mais il faut que les sujets en fassent naître les occasions, autrement c'est en faire Parade mal à propos, et pour gaigner le nom de Poète perdre celui de judicieux. La Comédie n'est qu'un portrait de nos actions, et de nos discours, et la perfection des portraits consiste en la ressemblance. Sur cette maxime je tâche de ne mettre en la bouche de mes acteurs, que ce que diraient vraisemblablement en leur place ceux qu'ils représentent, et de faire discourir en honnêtes gens, et non pas en Auteurs. Ce n'est qu'aux ouvrages où le Poète parle, qu'il faut parler en Poète ; Plaute n'a pas écrit comme Virgile, et ne laisse pas d'avoir bien écrit. Ici donc tu ne trouveras en beaucoup d'endroits qu'une Prose rimée, peu de Scènes toutefois sans quelque

---

1. Examen d'*Andromède*, *Œuvres complètes*, éd. cit., t. II.

raisonnement assez véritable, et partout une conduite assez industrieuse [1].

Le statut des figures

À l'instar de l'alexandrin, les figures ont pour fonction de hisser l'expression tragique à un degré de dignité supérieur, mais également de « peindre » les passions et l'état d'esprit des personnages ; elles forment le ressort rhétorique du pathétique et de l'émotion théâtrale. D'Aubignac leur consacre l'un des derniers chapitres de sa *Pratique du théâtre*.

DOCUMENT 73 – Si la Poésie est l'Empire des Figures, le Théâtre en est le Trône ; c'est le lieu où par les agitations apparentes de celui qui parle et qui se plaint, elles font passer dans l'âme de ceux qui le regardent, et qui l'écoutent, des sentiments qu'il n'a point.

Mais aussi [le poète] remarquera-t-il, Que comme il y a beaucoup de différence entre la Tragédie et la Comédie, elles ont aussi leurs figures particulières. Comme la Tragédie ne doit rien avoir que de noble et de sérieux, aussi ne souffre-t-elle que les grandes et illustres Figures, et qui prennent leur force dans les discours et les sentiments ; et sitôt qu'on y mêle des Allusions et des Antithèses qui ne sont point fondées dans les choses, des Équivoques, des jeux de paroles, des locutions proverbiales, et toutes ces autres figures basses et faibles qui ne consistent que dans un petit agencement de mots ; on la fait dégénérer de sa Noblesse, on ternit son éclat, on altère sa Majesté, et c'est lui arracher le Cothurne pour la mettre à terre. Au contraire la Comédie qui n'a que des sentiments communs et des pensées vulgaires, souffre toutes ces bassesses, voire même les désire et ne rejette point les entretiens des Cabarets et des Carrefours, les proverbes des Portefaix, et les Quolibets des Harangères ; à cause que toutes ces choses contribuent à la bouffonnerie, qui doit presque l'animer partout, et qui fait ses plus exquis et ses plus essentiels ornements [...].

Davantage, entre les Figures qu'on peut nommer, *grandes* et *sérieuses*, le Poète en pourra bien trouver quelques-unes plus propres au Théâtre que les autres : par exemple, l'*Apostrophe*, que j'y ai toujours remarquée fort éclatante, quand elle est bien placée et bien conduite ; Elle suppose toujours

Dossier

1. Avis au lecteur de *La Veuve, ibid.*, t. I, p. 202.

présente, ou une véritable personne, quoiqu'absente en effet, ou une fausse personne, qui ne l'est que par fiction, comme est la *Patrie*, la *Vertu*, et autres choses semblables ; car elle les suppose si bien présentes, que celui qui discourt, leur adresse sa parole, comme si véritablement il les voyait : ce qui est tout à fait Théâtral ; attendu que cela fait deux Personnages où il n'y en a qu'un, l'un visible, et l'autre imaginaire ; l'un qui parle, et l'autre à qui il semble qu'on parle [...] [1].

L'Ironie est encore une figure du Poème Dramatique, et de sa nature elle est Théâtrale ; car en disant par moquerie le contraire de ce qu'elle veut faire entendre sérieusement, elle porte avec soi un déguisement, et fait un jeu qui n'est pas désagréable.

L'Exclamation est d'autant plus propre au Théâtre, qu'elle est la marque sensible d'un esprit touché de quelque violente passion qui le presse.

L'Hyperbole est de ce même rang, parce que les paroles portant l'imagination plus loin que leur propre sens, elle est convenable au Théâtre, où toutes les choses doivent devenir plus grandes, et où il n'y a qu'enchantement et illusion.

L'Interrogation, que Scaliger dit n'être figure que par usage et non pas de sa nature, est aussi bonne au Théâtre ; parce qu'elle est la marque d'un esprit agité.

Or entre toutes, l'Imprécation sera jugée certainement Théâtrale, à cause qu'elle procède d'un violent transport d'esprit ; aussi faut-il que le discours soit fort impétueux, l'impression hardie, et les choses extrêmes [2].

La Mesnardière met en garde les poètes contre l'abus de figures, en rappelant que le langage tragique doit traduire « naturellement » les passions des personnages.

DOCUMENT 74 – Il faut que le Discours soit pur, grave, mâle, continu, vigoureux, et magnifique ; égal ou diversifié, selon les différents sujets auxquels on le doit appliquer.

---

1. D'Aubignac condamne cependant la prosopopée : « encore qu'elle ait quelque rapport avec l'Apostrophe, en ce qu'elle suppose, comme elle, une personne qui n'est point, et qu'elle fasse parler des choses qui sont muettes ; elle est presque toujours fort mauvaise au Théâtre, où elle fait confusion ; parce que l'Acteur représente déjà une personne qui n'est point, et cette personne représentée en feint une autre qu'elle fait parler par sa bouche ; ce qui fait double fiction, et conséquemment obscurité [...] » (éd. cit., IV, VIII, p. 351).
2. *Ibid.*, IV, VIII, p. 347-353.

Les Tropes et les Figures dont l'usage judicieux enrichit l'Élocution, deviennent insupportables en toute espèce de Discours, quand ils y sont trop fréquents.

Que s'ils produisent cet effet en tous les autres Ouvrages, combien sont-ils défectueux avec cette condition dans le Langage tragique vu que les plus grandes beautés des Productions de cette espèce, consistent dans les Actions et dans les Passions violentes, qui ne se donnent pas le temps d'aller chercher loin du sujet les manières écartées, pour exprimer leurs mouvements. [...]

Il faut que la pensée soit forte, et non pas qu'elle soit pointue ; que l'expression soit vigoureuse, et non pas qu'elle soit fardée ; que les paroles soient pures, et non pas qu'elles soient luisantes ; que les termes soient convenables, et non pas qu'ils soient spécieux [1].

Les sentences

Au même titre que les figures, les sentences, qu'appréciait le public contemporain, ont une fonction ornementale (elles « relèvent » la diction) mais constituent aussi l'un des vecteurs de l'instruction morale. Au nom de l'« utilité » comme du plaisir, le dramaturge pourrait avoir la tentation de les multiplier, n'étaient les problèmes spécifiques que pose l'insertion de propositions générales dans un discours toujours individualisé : comment faire en sorte que l'énoncé de telles formules paraisse vraisemblable en situation ? Les préceptes formulés par l'abbé d'Aubignac rejoignent les scrupules de Corneille (premier *Discours*, p. 66-68) comme de la plupart des théoriciens.

DOCUMENT 75 – Premièrement, ces Maximes générales, ou Lieux-communs, doivent être attachées au Sujet, et appliquées par plusieurs circonstances aux Personnages et aux affaires du Théâtre ; en sorte qu'il semble que celui qui parle, ait plus présents à l'esprit les intérêts du Théâtre, que ces belles vérités : c'est-à-dire, Qu'il faut faire ce que les bons Rhétoriciens nous enseignent, *Réduire la Thèse à l'Hypothèse*, et des propositions universelles en faire des considérations particulières ; car par ce moyen le Poète ne se rend pas suspect de vouloir instruire le Spectateur par la bouche de ses Acteurs et ses Acteurs ne sortent point de l'Intrigue,

1. La Mesnardière, éd. cit., chap. x, p. 390-391.

qui les oblige d'agir et de parler. Par exemple, je ne voudrais pas qu'un Acteur s'arrêtât longtemps à prouver,

> *Que la vertu est toujours persécutée* :

Mais je souhaiterais qu'il dît,

> *Pensez-vous que la vertu trouve aujourd'hui moins de persécuteurs que dans les siècles passés ? et que vous soyez plus privilégié que les Catons* ?

et qu'il continuât de cette manière, parlant au Personnage présent et dans les circonstances de son Sujet.
[...] Secondement, il faut presque en toutes ces occasions parler avec figure, soit par Interrogation, soit par Ironie, soit par les autres que le Poète ne doit pas ignorer ; car la figure donne une autre forme à la proposition générale ; et bien qu'elle ne la circonstancie pas, elle la fait paraître avec un ornement qui lui fait perdre son caractère Didactique. [...]
Le troisième avis est, Que quand on propose ces grandes Maximes dans la Thèse sans figure et par de simples énonciations, il faut qu'elles passent en peu de paroles, afin de ne pas donner au Théâtre le temps de se refroidir. [...]
Ce n'est pas qu'on ne puisse mettre sur le Théâtre des propositions universelles déduites au long, et même en style Didactique : Nous en avons des exemples assez fréquents [chez Monsieur Corneille] ; mais pour en recevoir des applaudissements [comme lui], il faut qu'elles soient [comme les siennes], hardies, nouvelles et illustres ; il faut que les expressions en soient fortes, les vers éclatants, et qu'elles semblent n'avoir jamais été dites que pour le sujet particulier où elles sont appliquées ; ce qui demande beaucoup d'étude et beaucoup de génie [1].

Les récits ou « narrations »

Le « resserrement » qu'imposent à l'action dramatique l'unité d'action et le principe de la liaison des scènes autant que les unités de lieu et de temps, suppose le recours local à des « échappées » : les « narrations », au même titre en définitive que les intervalles d'actes, ont pour fonction d'accueillir les événements qui ne peuvent être représentés. Mais le mode narratif demeurant fon-

---

1. D'Aubignac, éd. cit., IV, v, « Des Discours Didactiques ou Instructions », p. 320-322.

damentalement hétérogène au mode dramatique, les dramaturges ne peuvent recourir qu'avec parcimonie à ce qui n'apparaîtrait jamais que comme un palliatif si les narrations n'étaient animées et dramatisées par la force des figures et des vers.

Chapelain esquisse une économie de la narration dans le même texte où il établit le bien-fondé de la « règle des vingt-quatre heures ».

DOCUMENT 76 – Je nie que le meilleur poème dramatique soit celui qui embrasse le plus d'actions, et dis au contraire qu'il n'en doit contenir qu'une et qu'il ne la faut encore que de bien médiocre longueur ; que d'autre sorte elle embarrasserait la scène et travaillerait extrêmement la mémoire. C'est ce qui a obligé tous les anciens à se servir de la narration sur le théâtre et qui leur a fait introduire aussi les messagers, pour faire entendre les choses qu'il fallait qui se passassent ailleurs et décharger le théâtre d'autant. Et comme la catastrophe est la seule pièce de tout le poème qui donne le coup à l'esprit et qui le met au point où on le désire, que toutes les actions précédentes sont inefficaces d'elles-mêmes, et que tout leur fruit se doit trouver dans l'ordination qu'elles ont à leur fin, les mêmes anciens, pour faire cette impression requise, ont avec grand jugement réservé le théâtre à la catastrophe seulement, comme à celle qui contenait en vertu toute la force des choses qui la précédaient. En quoi, outre qu'ils pourvoyaient à la vraisemblance du théâtre, ne lui donnant à représenter d'une suite et comme d'une vue que ce qui s'était fait en un jour, ils le délivraient encore de la confusion que porte inévitablement avec soi un long enchaînement d'actions. Et quant à moi, je ne puis comprendre pourquoi un probable récit d'une chose passée est plutôt ennuyeux sur la scène que dans les ordinaires conversations, principalement lorsqu'il est nécessaire au sujet et que le poète l'a accompagné de traits et de figures, qu'il l'a entrecoupé de demandes et enrichi de magnifiques descriptions comme l'ont pratiqué tous ceux qui sont venus jusqu'à nous [1].

D'Aubignac déduit les formes des narrations de leur statut ornemental mais aussi et surtout des deux fonctions informatives qu'elles sont appelées à remplir : mettre en

1. Chapelain, *Lettre sur la règle des vingt-quatre heures, Opuscules critiques*, éd. cit., p. 120-121.

relation l'action représentée avec les événements qui l'ont nécessairement précédée mais aussi avec son « dehors » (les événements irreprésentables dans le code dramatique classique). La distribution des narrations est elle-même commandée par cette double fonction, autant que par des considérations pragmatiques sur les qualités d'écoute du spectateur.

DOCUMENT 77 – Les Narrations [...] qui se font dans les Poèmes Dramatiques, regardent principalement deux sortes de choses [ou] celles qui se sont faites avant que le Théâtre s'ouvre, en quelque lieu qu'elles soient arrivées, et longtemps même auparavant ; ou bien celles qui se font hors le lieu de la Scène dans la suite de l'action Théâtrale depuis qu'elle est ouverte, et dans le temps qu'on a choisi pour son étendue. [...] Or toutes ces Narrations entrent dans le Poème dramatique à deux fins, ou pour l'éclairer et répandre partout les connaissances nécessaires, afin d'en bien goûter les mouvements et les intrigues ; ou bien pour y servir d'ornement, et faire même une partie des beautés de la Scène ; mais contre l'une et l'autre de ces deux fins, on tombe bien souvent en des défauts très considérables.
Le premier est, quand la Narration se trouve embarrassée, c'est-à-dire, chargée de plusieurs circonstances difficiles à retenir distinctement [...].
Le second défaut des Narrations est, quand elles sont ennuyeuses ; et elles sont ennuyeuses, quand elles ne contiennent pas des choses agréables, ou nécessaires ; ou bien quand elles sont faites avec des expressions faibles et languissantes [...].
Enfin l'on peut dire pour un précepte général, Que les Narrations peuvent être plus longues et plus remplies d'Incidents à l'ouverture du Théâtre, qu'en nul autre endroit d'une Pièce ; parce que le Spectateur est frais et son esprit libre, sa mémoire n'est point encore chargée, sa volonté est toute disposée d'écouter, et sa mémoire reçoit agréablement toutes les idées qu'on lui donne dans la créance qu'elles doivent contribuer au plaisir qu'on lui prépare. À la Catastrophe, elles doivent être d'une étendue fort modérée, plus longue à la vérité que dans la suite de l'action, mais plus courte qu'au commencement de la Pièce. Pour celles qui se font dans le cours des intrigues du Théâtre, elles doivent être fort courtes et toujours serrées [...] [1].

---

1. D'Aubignac, éd. cit., IV, III, p. 288-294.

La fonction ornementale des narrations ne dispense pas de les motiver : corrélées à l'émotion d'un personnage, leur effet propre « habillera » en quelque sorte des « couleurs » du vraisemblable et du pathétique une fonction informative autrement perçue comme artificielle.

DOCUMENT 78 – On peut encore, à mon avis, considérer les Narrations, ou comme de simples Récits, ou comme des Explications pathétiques de quelque aventure ; les Premières sont toujours mauvaises, pour peu qu'elles soient étendues ; parce qu'étant sans mouvement et sans ornement, elles sont froides et languissantes ; elles sont pourtant nécessaires en beaucoup de rencontres [...], mais il faut qu'elles soient lors fort courtes, autrement elles ne conviennent pas à la nécessité de l'action présente.

Les Narrations pathétiques sont toujours les plus belles, et celles qu'on peut nommer seules dignes du Théâtre, lorsqu'elles sont soutenues d'une exagération raisonnable, et de toutes les circonstances importantes d'une histoire ; qu'elles sont mêlées d'étonnement, d'imprécations, de crainte, et d'autres emportements d'esprit selon les diverses impressions qui doivent naître du Récit. On s'en doit servir principalement dans une occasion, dont je ne crois pas que personne se soit avisé devant moi, qui est lorsque celui à qui on parle, n'ignore rien de toute l'aventure, et qu'il est nécessaire de la faire savoir au Spectateur ; car en cette rencontre, il serait ridicule de lui en faire le récit, puisqu'il la sait ; et néanmoins il faut dire, puisque le Spectateur l'ignore, et qu'autrement il aurait de la peine à comprendre le reste ; à quoi on satisfait en traitant l'histoire ingénieusement, non pas par récit ; mais par des passions et des mouvements d'esprit, tirés du fond de l'histoire et de l'état présent des choses ; soit par des plaintes d'une grande infortune, ou par des sentiments de joie pour quelque bon succès, ou bien en formant de justes craintes pour l'avenir [...] ; car ce moyen l'histoire se découvre au Spectateur, et on ne fait point de narrations affectées contre la vraisemblance [1].

Dans l'Examen de *Médée*, Corneille détaille davantage encore les conditions d'une narration vraisemblable :

DOCUMENT 79 – Dans la Narration que fait Nérine au quatrième Acte, on peut considérer que quand ceux qui écoutent

1. *Ibid.*, IV, III, p. 297-300.

Dossier

ont quelque chose d'important dans l'esprit, ils n'ont pas assez de patience pour écouter le détail de ce qu'on leur vient raconter, et que c'est assez pour eux d'en apprendre l'événement en un mot. C'est ce que fait voir ici Médée, qui ayant su que Jason a arraché Créuse à ses ravisseurs, et pris Ægée prisonnier, ne veut point qu'on lui explique comment cela s'est fait. Lorsqu'on a affaire à un esprit tranquille, comme Achorée à Cléopâtre dans *La Mort de Pompée*, pour qui elle ne s'intéresse que par un sentiment d'horreur, on prend le loisir d'exprimer toutes ses particularités ; mais avant que d'y descendre, j'estime qu'il est bon, même alors, d'en dire tout l'effet en deux mots dès l'abord.

Surtout, dans les Narrations ornées et pathétiques, il faut très soigneusement prendre garde en quelle assiette est l'âme de celui qui parle et de celui qui écoute, et se passer de cet ornement qui ne va guère sans quelque étalage ambitieux, s'il y a la moindre apparence que l'un des deux soit trop en péril, ou dans une passion trop violente, pour avoir toute la patience nécessaire au récit qu'on se propose [1].

IX. LES EFFETS DU POÈME DRAMATIQUE

L'utilité du poème dramatique

Si Corneille a choisi d'ouvrir le premier de ses *Discours*, conformément aux attentes qui furent celles de tout le siècle, sur la question de l'utilité du théâtre, on sait qu'il affiche rapidement un relatif scepticisme, en distinguant radicalement poétique dramatique et réflexion morale (premier *Discours*, p. 65-66). L'utilité n'est pas une des règles de l'art : la position de Corneille est restée la même depuis les années 1640, comme en fait foi l'Épître dédicatoire de *La Suite du Menteur* (1641), où le dramaturge convoquait Aristote et, dans un paralogisme manifeste, le précepte fameux d'Horace :

DOCUMENT 80 – Si j'étais de ceux qui tiennent que la poésie a pour but de profiter aussi bien que de plaire, je tâcherais de vous persuader que [*La Suite du Menteur*] est beaucoup meilleure que [*Le Menteur*], à cause que Dorante y paraît beaucoup plus honnête homme, et donne des exemples de

---

1. Examen de *Médée*, *Œuvres complètes*, éd. cit., t. I, p. 538-539.

vertu à suivre, au lieu qu'en l'autre il ne donne que des imperfections à éviter ; mais pour moi qui tiens avec Aristote et Horace que notre art n'a pour but que le divertissement, j'avoue qu'il est ici bien moins à estimer qu'en la première comédie, puisque avec ses mauvaises habitudes il a perdu presque toutes ses grâces, et qu'il semble avoir quitté la meilleure part de ses agréments lorsqu'il a voulu se corriger de ses défauts. Vous me direz que je suis bien injurieux au métier qui me fait connaître, d'en ravaler le but si bas que de le réduire à plaire au peuple, et que je suis bien hardi tout ensemble de prendre pour garant de mon opinion les deux maîtres dont ceux du parti contraire se fortifient. À cela, je vous dirai que ceux-là même qui mettent si haut le but de l'art sont injurieux à l'artisan, dont ils ravalent d'autant plus le mérite, qu'ils pensent relever la dignité de sa profession ; parce qu'il s'est obligé de prendre soin de l'utile, il évite seulement une faute quand il s'en acquitte et n'est digne d'aucune louange. C'est mon Horace qui me l'apprend :

Vitavi denique culpam,
Non laudem merui [1].

En effet, Monsieur, vous ne loueriez pas beaucoup un homme pour avoir réduit un poème dramatique dans l'unité de jour et de lieu, parce que les lois du théâtre le lui prescrivent et que sans cela l'ouvrage ne serait qu'un monstre. Pour moi, j'estime extrêmement ceux qui mêlent l'utile au délectable, et d'autant plus qu'ils n'y sont pas obligés par les règles de la poésie, je suis bien aise de dire d'eux avec notre docteur [Horace] :

Omne tulit punctum, qui miscuit utile dulci [2].

Mais je dénie qu'ils faillent contre ces règles, lorsqu'ils ne l'y mêlent pas, et les blâme seulement de ne s'être pas proposé un objet assez digne d'eux, ou, si vous me permettez de parler un peu chrétiennement, de n'avoir pas eu assez de charité pour prendre l'occasion de donner en passant quelque instruction à ceux qui les écoutent, ou qui les lisent : pourvu qu'ils aient trouvé le moyen de plaire, ils sont quittes envers leur art, et s'ils pèchent, ce n'est pas contre lui, c'est contre les bonnes mœurs, et contre leur auditoire. Pour vous faire

1. « Bref, j'ai évité le blâme sans mériter la louange », *Art poétique*, v. 267-268.
2. « Il a pleinement atteint son but celui qui a joint l'utile à l'agréable », *Art poétique*, v. 343.

voir le sentiment d'Horace là-dessus, je n'ai qu'à répéter ce que j'en ai déjà pris, puisqu'il ne tient pas qu'on soit digne de louange, quand on n'a fait que s'acquitter de ce qu'on doit, et qu'il en donne tant à celui qui joint l'utile à l'agréable, il est aisé de conclure qu'il tient que celui-là fait plus qu'il n'était obligé de faire [1].

Les *Réflexions sur la poétique de ce temps* du P. Rapin (1675) forment un des textes où se réfléchit le mieux le précepte horatien qui prescrit de « mêler l'utile et l'agréable ». Après bien d'autres, le poéticien pose une sorte de dialectique du plaisir et de l'instruction, l'agrément servant à rendre moins amère la leçon morale. Il reste que le plaisir apparaît bien comme le principal ressort de cette dialectique (la poésie n'est utile qu'autant qu'elle est agréable) si bien que la position finalement adoptée par le P. Rapin (dernier alinéa) rejoint celle de Corneille : la poétique ne peut légiférer que sur « l'art de plaire ».

DOCUMENT 81 – Il est vrai que la poésie a pour but de plaire : mais ce n'est pas son principal but. Car la poésie, étant un art, doit être utile par la qualité de sa nature, et par la subordination essentielle, que tout art doit avoir à la politique, dont la fin générale est le bien public.

[...] Comme c'est l'intention de la poésie, que de plaire, elle met en œuvre tout ce qui peut y contribuer. C'est à ce dessein qu'elle se sert du nombre et de l'harmonie, qui sont naturellement agréables : qu'elle anime son discours par des traits plus vifs et par des expressions plus fortes, que ne sont les discours en prose : qu'elle s'affranchit de cette contrainte et de cette retenue, qui est ordinaire aux orateurs : qu'elle donne une grande liberté à son imagination : qu'elle fait de fréquentes images de tout ce qu'il y a d'agréable dans la nature : qu'elle ne parle que figurément pour donner un plus grand air à son discours : qu'elle est magnifique dans ses idées, élevée dans ses expressions, hardies dans ses paroles, passionnée dans ses mouvements : qu'elle prend plaisir à raconter des aventures extraordinaires, à donner aux choses les plus communes et les plus naturelles un air fabuleux, pour les rendre plus merveilleuses et à relever la vérité par la fic-

---

1. Épître dédicatoire de *La Suite du Menteur* (1645), *Œuvres complètes*, éd. cit., t. II, p. 95-98.

tion : c'est enfin pour cela qu'elle met en usage tout ce que l'art a d'agrément, parce que son but est de plaire. [...]

Toutefois la fin principale de la poésie est de profiter, non seulement en délassant l'esprit pour le rendre plus capable de ses fonctions ordinaires, et en charmant les chagrins de l'âme par son harmonie et par toutes les grâces de l'expression : mais bien davantage encore en purifiant les mœurs, par les instructions salutaires, qu'elle fait profession de donner à l'homme. Car la vertu étant naturellement austère par la contrainte qu'elle impose au cœur, doit se rendre agréable pour se rendre écoutée : à quoi elle ne réussit jamais mieux que par la poésie. [...]

Ce n'est même que pour être utile que la poésie doit être agréable : et le plaisir n'est qu'un moyen dont elle se sert pour profiter. Ainsi toute la poésie quand elle est parfaite doit être par nécessité une leçon publique de bonnes mœurs, pour instruire le peuple. La poésie héroïque [*i.e.* l'épopée] propose l'exemple des grandes vertus, et des grands vices, pour exciter les hommes à aimer les unes, et à fuir les autres. [...] La tragédie rectifie l'usage des passions, en modérant la crainte et la pitié, qui sont des obstacles à la vertu. Elle apprend aux hommes, que le vice n'est jamais impuni, quand elle représente Égisthe dans l'*Électre* de Sophocle puni, après avoir joui de son crime l'espace de dix ans. Elle enseigne que les faveurs de la fortune, et les grandeurs du monde ne sont pas toujours de véritables biens, quand elle montre sur le théâtre une reine aussi malheureuse que l'est Hécube qui déplore d'un air si touchant ses malheurs dans Euripide. La comédie qui est une image de la vie commune, corrige les défauts particuliers. Aristophane ne joue la sotte vanité de Praxagore dans ses *Harangueuses*, que pour guérir la vanité des autres femmes d'Athènes. [...]

Mais parce que la poésie n'est utile qu'autant qu'elle est agréable : l'importance de cet art est de plaire. On ne peut plaire sûrement que par des règles : il faut donc en établir [1].

Le débat sur l'utilité de principe du poème dramatique ne doit pas masquer les enjeux essentiels d'une question qui touche à la moralité du théâtre, et donc à sa légitimité [2]. Racine, pour sa part, s'est toujours montré soucieux de défendre la moralité de ses sujets – fût-ce par des arguments spécieux, comme l'illustre la célèbre préface de *Phèdre* qui présente la pièce comme une école de vertu...

> DOCUMENT 82 – Je n'ose encore assurer que cette Pièce soit en effet la meilleure de mes Tragédies. Je laisse aux Lecteurs et au temps à décider de son véritable prix. Ce que je puis assurer, c'est que je n'en ai point fait où la vertu soit plus mise au jour que dans celle-ci. Les moindres fautes y sont sévèrement punies. La seule pensée du crime y est regardée avec autant d'horreur que le crime même. Les faiblesses de l'amour y passent pour de vraies faiblesses. Les passions n'y sont présentées aux yeux que pour montrer tout le désordre dont elles sont cause. Et le vice y est peint partout avec des couleurs qui en font connaître et haïr la difformité. C'est là proprement le but que tout homme qui travaille pour le Public doit se proposer [...] [1].

Les émotions tragiques

La catharsis vue depuis la salle

Si les poétiques théâtrales recèlent nombre de développements sur la finalité cathartique de la tragédie, plus rares sont les témoignages de spectateurs sur les effets réels du spectacle tragique. Dans le premier chapitre de ses *Caractères* qui forment une manière de poétique générale, La Bruyère esquisse en spectateur autant qu'en théoricien une phénoménologie des effets tragiques ; introduite tardivement, dans la sixième édition de l'ouvrage (1691), la « remarque » qui suit dénonce aussi ce que la génération nourrie du théâtre de Corneille percevait comme un affadissement tout autant que comme une perversion historique du genre tragique. La réflexion esthétique ne se dissocie pas de considérations morales sur la dignité du genre.

---

contre le théâtre dans la France classique, Champion, « Lumières classiques », 1997.
1. Racine, Préface de *Phèdre* (1677), *Œuvres complètes*, éd. cit., t. I, p. 819.

DOCUMENT 83 – ¶ Le Poème tragique vous serre le cœur dès son commencement ; vous laisse à peine dans tout son progrès la liberté de respirer et le temps de vous remettre ; ou s'il vous donne quelque relâche, c'est pour vous replonger dans de nouveaux abîmes et dans de nouvelles alarmes : il vous conduit à la terreur par la pitié, ou réciproquement à la pitié par le terrible ; vous mène par les larmes, par les sanglots, par l'incertitude, par l'espérance, par la crainte, par les surprises, et par l'horreur jusqu'à la catastrophe : ce n'est donc pas [1] un tissu de jolis sentiments, de déclarations tendres, d'entretiens galants, de portraits agréables, de mots *doucereux* [2], ou quelquefois assez plaisants pour faire rire, suivi à la vérité d'une dernière scène où les mutins n'entendent aucune raison, et où pour la bienséance il y a enfin du sang répandu, et quelque malheureux à qui il en coûte la vie [3].

Nicomède *et l'admiration*

La diversification des sujets tragiques à laquelle conduit au cours du siècle le succès même du genre a amené les dramaturges à « assouplir » les définitions de l'effet propre à la tragédie. On perçoit chez Corneille comme chez Racine la tentation de s'émanciper du principe cathartique fondé depuis Aristote sur la terreur et la pitié.

L'Avis au lecteur de *Nicomède* tente ainsi de promouvoir, dès 1651, un autre ressort pathétique : « l'admiration », à comprendre au sens classique comme un sentiment de surprise (une stupeur doublée d'une fascination), dont Descartes, dans un traité exactement contemporain (1649) faisait « la première de toutes les passions » [4].

_____

1. La Bruyère vise sans doute nombre des tragédies de Quinault, mais peut-être aussi celles des tragédies de Racine qui semblent faire le plus de concessions à l'esthétique galante (*Bérénice* notamment).
2. En italiques dans le texte original.
3. La Bruyère, *Les Caractères*, chap. « Des Ouvrages de l'esprit », 51-VI (1691), éd. cit., t. I, p. 179.
4. « Lorsque la première rencontre de quelque objet nous surprend, et que nous le jugeons être nouveau, ou fort différente de ce que nous connaissions auparavant ou bien de ce que nous supposions qu'il devait être, cela fait que nous l'admirons et en sommes

Dossier

DOCUMENT 84 – Ce héros de ma façon sort un peu des règles de la tragédie, en ce qu'il ne cherche point à faire pitié par l'excès de ses malheurs ; mais le succès a montré que la fermeté des grands cœurs, qui n'excite que de l'admiration dans l'âme du spectateur, est quelquefois aussi agréable, que la compassion que notre art nous commande de mendier pour leurs misères. Il est bon de hasarder un peu, et ne s'attacher pas toujours si servilement à ses préceptes, ne fût-ce que pour pratiquer celui de notre Horace :

> *Et mihi res, non me rebus, submittere conor* [1]

Mais il faut que l'événement justifie cette hardiesse, et dans une liberté de cette nature on demeure coupable à moins que d'être fort heureux [2].

L'Examen de la même pièce vient compléter, en 1660, cette tentative de redéfinition de la « compassion » tragique, et révèle – au même titre que les *Discours* – que Corneille n'a jamais cessé de réfléchir sur la singularité du pathétique de ses pièces. Pour autant, *Nicomède* lui apparaît comme une forme d'*hapax*, une pièce atypique mais peut-être en cela exemplaire d'un point-limite de sa dramaturgie.

DOCUMENT 85 – [Nicomède] fait naître toutefois quelque [compassion], mais elle ne va pas jusques à tirer des larmes. Son effet se borne à mettre les auditeurs dans les intérêts de ce prince, et à leur faire former des souhaits pour ses prospérités.
Dans l'admiration qu'on a pour sa vertu, je trouve une manière de purger les passions, dont n'a point parlé Aristote, et qui est peut-être plus sûre que celle qu'il prescrit à la tragédie par le moyen de la pitié et de la crainte. L'amour qu'elle nous donne pour cette vertu que nous admirons, nous

---

étonnés ; et parce que cela peut arriver avant que nous connaissions aucunement si cet objet nous est convenable ou s'il ne l'est pas, il me semble que l'admiration est la première de toutes les passions », Descartes, *Les Passions de l'âme* (1649), art. 53, *Œuvres et Lettres*, A. Bridoux éd., Gallimard, « Bibliothèque de la Pléiade », 1953, p. 723.
1. « Je m'efforce de soumettre les choses à moi, non moi aux choses », *Épîtres*, I, i, v. 19.
2. Avis au lecteur de *Nicomède* (1651), *Œuvres complètes*, éd. cit., t. II, p. 641.

imprime de la haine pour le vice contraire. La grandeur de courage de Nicomède nous laisse une aversion de la pusillanimité, et la généreuse reconnaissance d'Héraclius qui expose sa vie pour Martian, à qui il est redevable de la sienne, nous jette dans l'horreur de l'ingratitude [1].

Bérénice et la « tristesse majestueuse »

Dans la préface de *Bérénice*, où il s'érige explicitement en rival de Corneille, Racine semble poursuivre une tentative du même ordre lorsqu'il réduit l'effet tragique à la « tristesse majestueuse ».

DOCUMENT 86 – Je n'ai point poussé Bérénice jusqu'à se tuer comme Didon, parce que Bérénice n'ayant pas ici avec Titus les derniers engagements que Didon avait avec Énée, elle n'est pas obligée comme elle de renoncer à la vie. À cela près, le dernier Adieu qu'elle dit à Titus, et l'effort qu'elle se fait pour s'en séparer, n'est pas le moins tragique de la Pièce, et j'ose dire qu'il renouvelle assez bien dans le cœur des Spectateurs l'émotion que le reste y avait pu exciter. Ce n'est point une nécessité qu'il y ait du sang et des morts dans une Tragédie ; il suffit que l'Action en soit grande, que les Acteurs en soient héroïques, que les Passions y soient excitées, et que tout s'y ressente de cette tristesse majestueuse qui fait tout le plaisir de la Tragédie [2].

On ne saurait sous-estimer la portée de ce texte qui marque véritablement une rupture : Racine confond les émotions des personnages avec celles qu'éprouve le spectateur ; dès lors, on voit mal que puisse se produire la catharsis : la « tristesse majestueuse » est avant tout un état d'âme, qui n'a pas ce caractère « pénible » que le plaisir viendrait purger.

Rire et pleurer

La hiérarchie des genres, dont on a vu qu'elle était une des données constitutives de la doctrine classique, semble avoir découragé la réflexion sur une communauté d'effets

---

1. Examen de *Nicomède* (1660), *ibid.*, t. II, p. 643.
2. Racine, Préface de *Bérénice* (1670), *Œuvres complètes*, éd. cit., t. I, p. 450. Pour un commentaire de cette préface, voir l'édition de M. Escola, « GF-Flammarion », n° 902, 1997.

entre la tragédie et la comédie. L'un des rares textes qui tente de penser la spécificité des affects produits par la représentation théâtrale, indépendamment de la détermination générique, figure au chapitre « Des Ouvrages de l'esprit » des *Caractères* de La Bruyère, dans une brève « remarque » qui anticipe sur les développements du siècle suivant et qu'il faudrait lire en regard de la *Lettre à d'Alembert* de Rousseau (1758).

DOCUMENT 87 – ¶ D'où vient que l'on rit si librement au théâtre, et que l'on a honte d'y pleurer ? Est-il moins dans la nature de s'attendrir sur le pitoyable que d'éclater sur le ridicule ? Est-ce l'altération des traits qui nous retient ? Elle est plus grande dans un ris immodéré que dans la plus amère douleur, et l'on détourne son visage pour rire comme pour pleurer en la présence des Grands, et de tous ceux que l'on respecte : Est-ce une peine que l'on sent à laisser voir que l'on est tendre, et à marquer quelque faiblesse, surtout en un sujet faux, et dont il semble que l'on soit la dupe ? Mais sans citer les personnes graves ou les esprits forts qui trouvent du faible dans un ris excessif comme dans les pleurs, et qui se les défendent également : qu'attend-on d'une scène tragique ? qu'elle fasse rire ? Et d'ailleurs la vérité n'y règne-t-elle pas aussi vivement par ses images que dans le comique ? L'âme ne va-t-elle pas jusqu'au vrai dans l'un et l'autre genre avant que de s'émouvoir ? est-elle même si aisée à contenter ? ne lui faut-il pas encore le vraisemblable ? Comme donc ce n'est point une chose bizarre d'entendre s'élever de tout un Amphithéâtre un ris universel sur quelque endroit d'une Comédie, et que cela suppose au contraire qu'il est plaisant et très naïvement exécuté : aussi l'extrême violence que chacun se fait à contraindre ses larmes, et le mauvais ris dont on veut les couvrir, prouvent clairement que l'effet naturel du grand tragique serait de pleurer tous franchement et de concert à la vue l'un de l'autre, et sans autre embarras que d'essuyer ses larmes : outre qu'après être convenu de s'y abandonner, on éprouverait encore qu'il y a souvent moins lieu de craindre de pleurer au théâtre, que de s'y morfondre [1].

---

1. La Bruyère, *Les Caractères*, « Des Ouvrages de l'esprit », 50-IV (1689), éd. cit., p. 178.

ÉLÉMENTS DE BIBLIOGRAPHIE

I. TEXTES

Nous éditons le texte de l'édition originale de 1660 (voir Principes d'édition, p. 56). Pour le théâtre de Corneille, notre édition de référence est celle des *Œuvres complètes*, établie par G. Couton dans la « Bibliothèque de la Pléiade » (Gallimard, 3 vol., 1981, 1984, 1987), qui donne au t. III le texte de 1682 des trois *Discours* ; la seule édition séparée des *Trois Discours sur le poème dramatique* est celle procurée par L. Forestier (SEDES, 1982).

On trouvera un choix significatif de tragédies antérieures à ou contemporaines de l'œuvre de Corneille dans l'anthologie *Théâtre du XVIIᵉ siècle* parue en trois volumes dans la « Bibliothèque de la Pléiade » (vol. I, J. Scherer éd., 1975 ; vol. II, J. Scherer et J. Truchet éd., 1986 ; vol. III, J. Truchet et A. Blanc éd., 1992).

II. THÉORIE DRAMATIQUE ET CRITIQUE AU XVIIᵉ SIÈCLE

Nous ne signalons ici que les ouvrages ayant fait l'objet d'une édition ou d'une réimpression disponibles.

Anthologies

Critical Prefaces of the French Renaissance, B. Weinberg éd., Evanston (Illinois), Northwestern University Press, 1950.
DOTOLI, Giovanni, *Temps de préfaces. Le débat théâtral en France de Hardy à la Querelle du Cid*, Klincksieck, 1997.
La Querelle du Cid, A. Gasté éd., 1898 ; réimpr. Genève, Slatkine, 1970 [contient une trentaine de textes, parmi lesquels les *Observations* de Scudéry, *Les Sentiments de l'Académie française*, *Le Jugement du Cid* et *Le Discours à Cliton* attribué à Durval].

Ouvrages

AUBIGNAC, abbé d', *La Pratique du théâtre* (1657), P. Martino éd., Alger, Carbonel, et Paris, Champion, 1927.

AUBIGNAC, abbé d', *Dissertations contre Corneille*. d. N. Hammond et M. Hawcroft Exeter, University of Exeter Press, « Textes littéraires », 1995 [contient trois *Dissertations* critiques respectivement consacrées à *Sophonisbe*, *Sertorius*, *Œdipe*].

CHAPELAIN, Jean, *Opuscules critiques*, A.C. Hunter éd., Droz, 1936 [contient notamment la *Préface* de l'*Adone* du Marin ; la *Lettre sur les vingt-quatre heures* ; les *Discours de la poésie représentative* ; les *Sentiments de l'Académie française sur Le Cid*].

LA MESNARDIÈRE, Jules Pilet de, *La Poétique* (1639), réimpr. Genève, Slatkine, 1972.

MAIRET, Jean, *Préface en forme de discours poétique à La Silvanire ou la Morte vive, Tragi-comédie pastorale* (1631), [in] *Théâtre du XVIIᵉ siècle*, éd. cit., vol. I, 1975.

OGIER, François, *Préface à Tyr et Sidon, tragi-comédie en deux journées* de Jean de Schélandre (1628), J.W. Barker éd., Nizet, 1975.

RACINE, Jean, *Principes de la tragédie en marge de la Poétique d'Aristote*, E. Vinaver éd., Manchester University Press, 1944 ; voir également éd. R. Picard des *Œuvres* de Racine, Gallimard, « Bibliothèque de la Pléiade », t. II, 1952, p. 919-926.

SCUDÉRY, Georges de, *Observations sur Le Cid* (1637), [in], *La Querelle du Cid*, éd. cit.

III. ÉTUDES GÉNÉRALES SUR LA DRAMATURGIE CLASSIQUE

Ouvrages

BIET, Christian, *La Tragédie*, Paris, Armand Colin, « Cursus », 1997.

CONESA, Gabriel, *La Comédie à l'âge classique (1630-1715)*, Le Seuil, « Écrivains de toujours », 1995.

DELMAS, Christian, *Mythologie et mythe dans le théâtre français (1650-1676)*, Genève, Droz, 1985.

DELMAS, Christian, *La Tragédie de l'âge classique (1553-1770)*, Le Seuil, « Écrivains de toujours », 1994.

FORESTIER, Georges, *Le Théâtre dans le théâtre sur la scène française du XVIIᵉ siècle*, Genève, Droz, 1988.

FORESTIER, Georges, *Esthétique de l'identité dans le théâtre français (1550-1680). Le déguisement et ses avatars*, Genève, Droz, 1988.

FORSYTH, Elliott, *La Tragédie française de Jodelle à Corneille (1553-1640). Le thème de la vengeance*, Nizet, 1962 ; rééd. Champion, 1994.

KIBÉDI VARGA, Aron, *Poétiques du classicisme*, Aux Amateurs de Livres/Klincksieck, 1990.

LOUVAT, Bénédicte, *Poétique de la tragédie classique*, SEDES, « Campus », 1997.

LANCASTER, Henry Carrington, *A History of French Dramatic Literature in the Seventeenth Century*, Baltimore, The John Hopkins Press, 1929-1942 (5 part. en 9 vol.).

MOREL, Jacques, *La Tragédie*, Armand Colin, 1964.

MOREL, Jacques, *Agréables mensonges. Essais sur le théâtre français du XVII⁰ siècle*, Paris, Klincksieck, 1991.

PASQUIER, Pierre, *La Mimèsis dans l'esthétique théâtrale du XVII⁰ siècle*, Klincksieck, 1995.

ROHOU, Jean, *La Tragédie*, SEDES, 1995.

SCHERER, Jacques, *La Dramaturgie classique en France*, Nizet, s.d. [1950].

TRUCHET, Jacques, *La Tragédie*, PUF, 1975.

Littératures classiques, 16, printemps 1992 : *La tragédie*.

Littératures classiques, 27, printemps 1996 : *L'esthétique de la comédie*.

Articles

BÉNICHOU, Paul, « Tradition et variantes en tragédie », *L'Écrivain et ses travaux*, J. Corti, 1967, p. 165-263.

FORESTIER, Georges, « Imitation parfaite et vraisemblance absolue. Réflexions sur un paradoxe classique », *Poétique*, 82, 1990, p. 187-202.

FORESTIER, Georges, « De la modernité anti-classique au classicisme moderne. Le modèle théâtral (1628-1634) », *Littératures classiques*, 19, 1983, p. 87-128.

FORESTIER, Georges, « Le merveilleux sans merveilleux, ou du sublime au théâtre », *XVIII⁰ Siècle*, 182, 1994, p. 95-103.

GRAZIANI, Françoise, « La poétique de la fable : entre *inventio* et *dispositio* », *XVII⁰ Siècle*, 182, 1994, p. 83-103.

HEYNDELS, Ingrid, « Pastorale dramatique et tragédie classique, de Rotrou à Racine », [in] *Le Genre pastoral en Europe*, Cl. Longeon éd., Publications de l'Université de Saint-Étienne, 1980, p. 327-336.

KIBÉDI VARGA, Aron, « La perspective tragique. Éléments pour une analyse formelle de la tragédie classique », *Revue d'histoire littéraire de la France*, 1970, p. 918-930.

KIBÉDI VARGA, Aron, « Examen de la poétique classique », [in] *Travaux récents sur le XVIIe siècle*, Actes du 8e colloque de Marseille (janv. 1978), Marseille, CMR 17, 1979, p. 67-72.

KIBÉDI VARGA, Aron, « La vraisemblance. Problèmes de terminologie, problèmes de poétique », [in] *Critique et création littéraire en France au XVIIe siècle*, Actes du colloque du CNRS (Paris, 1974), M. Fumaroli éd., éditions du CNRS, 1977, p. 325-332.

LE HIR Yves, « Aspects de l'alexandrin dans la tragédie classique », *Travaux de linguistique et de littérature*, 5, 1, 1967, p. 213-220.

MOREL, Jacques, « Rhétorique et tragédie au XVIIe siècle », *XVIIe Siècle*, 80-81, 1968, p. 89-105 (Repris dans *Agréables Mensonges*, Klincksieck, 1991).

PASQUIER, Pierre, « Du possible au théâtre selon Aristote », *Recherches et Travaux* (Univ. Stendhal), 39, 1990, p. 9-22.

PASQUIER, Pierre, « Les apartés d'Icare. Éléments pour une théorie de la convention classique », *PFSCL*, 35, 1991, repris dans *Littératures classiques*, 16, 1992, p. 79-101.

REES Cornelis J. Van, « L'aristotélicisme de la poétique néoclassique en France », [in] *Travaux récents sur le XVIIe Siècle*, Actes du 8e colloque de Marseille (janv. 1978), Marseille, CMR 17, 1979, p. 81-90.

ROUBINE, Jean-Jacques, « La stratégie des larmes au XVIIe siècle », *Littérature*, 9, 1973, p. 56-73.

SELLIER Philippe, « Une catégorie clé de l'esthétique classique : le merveilleux vraisemblable », [in] *La Mythologie au XVIIe siècle*, Actes du 11e colloque du CMR 17 (Nice, 1981), L. Godard de Doville éd., Marseille, CMR 17, 1982, p. 43-48.

VERDAANSDONK, Hugo, « Généralité de la *Poétique* de La Mesnardière », [in] *Travaux récents sur le XVIIe Siècle*, Actes du 8e colloque de Marseille (janv. 1978), Marseille, CMR 17, 1979, p. 73-80.

ZUBER, Roger, « La critique classique et l'idée d'imitation », *Revue d'histoire littéraire de la France*, 1971, 3, p. 385-399.

IV. ÉTUDES RELATIVES AU THÉÂTRE DE CORNEILLE ET AUX *DISCOURS*

Ouvrages

Pierre Corneille, Actes du colloque de Rouen (1984), A. Niderst éd., PUF, 1985.

Onze Études sur la vieillesse de Corneille, dédiées à la mémoire de G. Couton, M. Bertaud et A. Niderst éd., Boulogne-Rouen, ADIREL-Mouvement Corneille (diff. Klincksieck), 1984.

Lectures de Corneille, D. Riou éd., Presses universitaires de Rennes, 1997.

« Pierre Corneille (1606-1684) », *Papers on French Seventeenth Century Literature*, IX, 21, 1984.

« Corneille, *Le Cid, Othon, Suréna* », Actes de la journée d'étude organisée par le CMR 17 (Marseille, 1988), R. Duchêne et P. Ronzeaud éd., *Littératures classiques*, supplément au nº 11, 1989.

« Corneille, *Cinna, Rodogune, Nicomède* », Actes des journées d'étude de Marseille (nov. 1997) et de la Sorbonne (janv. 1998), *Littératures classiques*, 32, 1998.

BARNWELL, Henry T., *The Tragic Drama of Corneille and Racine. An old Parallel Revisited*, Oxford, The Clarendon Press, 1982.

DOUBROVSKY, Serge, *Corneille et la dialectique du héros*, Gallimard, 1963 ; rééd. « Tel », 1988.

FUMAROLI, Marc, *Héros et orateurs. Rhétorique et dramaturgie cornéliennes*, Genève, Droz, 1990.

FORESTIER, Georges, *Essai de génétique théâtrale. Corneille à l'œuvre*, Klincksieck, « Esthétique », 1996.

FORESTIER, Georges, *Corneille. Le sens d'une dramaturgie*, SEDES, 1998.

LEMAITRE, Jules, *Corneille et la* Poétique *d'Aristote*, Lecène et Oudin, 1888.

LYONS, John D., *The Tragedy of Origins. Pierre Corneille and Historical Perspective*, Stanford University Press, 1996.

MAY, Georges, *Tragédie cornélienne, tragédie racinienne. Étude sur les sources de l'intérêt dramatique*, Urbana, The University of Illinois Press, 1948.

MERLIN, Hélène, *Public et littérature au XVIIᵉ siècle*, Les Belles Lettres, 1994.

PAVEL, Thomas, *La Syntaxe narrative des tragédies de Corneille. Recherches et propositions*, Klincksieck, 1976.

PICCIOLA, Liliane, *Corneille et la dramaturgie espagnole*, sous presse.

POCOCK, Gordon, *Corneille and Racine. Problems of tragic form*, London, Cambridge University Press, 1973.

PRIGENT, Michel, *Le Héros et l'État dans les tragédies de Corneille*, PUF, 1985 ; rééd. « Quadrige ».

SCHERER, Jacques, *Le Théâtre de Corneille*, Paris, Nizet, 1984.

SELLSTROM, A. Donald, *Corneille, Tasso and Modern Poetics*, Columbus, Ohio State University Press, 1986.

SWEETSER, Marie-Odile, *Les Conceptions dramatiques de Corneille d'après ses écrits théoriques*, Genève, Droz, 1962.

SWEETSER, Marie-Odile, *La Dramaturgie de Corneille*, Genève, Droz, 1977.

VIALA, Alain, *Naissance de l'écrivain*, Minuit, 1985.

Articles

ADAM, Antoine, « À travers la Querelle du *Cid* », *Revue d'histoire de la philosophie et d'histoire générale des civilisations* », 1938, 1, p. 25-32.

ANTOINE, Gérald, « Pour une stylistique comparative des deux *Bérénice* », *Travaux de linguistique et de littérature*, XI, 1, 1973, p. 444-461 ; repris dans : *Vis-à-vis ou le double regard*, PUF, 1982, p. 67-90.

BABY, Hélène, « Réflexions sur l'esthétique de la comédie héroïque de Corneille à Molière », *Littératures classiques*, 27, printemps 1996, p. 25-34.

BABY, Hélène, « De la nature et du sensible dans l'œuvre de Pierre Corneille : les exemples de *Cinna*, *Rodogune* et *Nicomède* », *Littératures classiques*, 32, 1998, p. 135-158.

BAKER, Susan Read, « Allusions to plays of Antiquity in Corneille's theoretical works », *The French Review*, oct. 1985, p. 51-57.

BAKER, Susan Read, « The Problematic of Exemplarity in Corneille's Theoretical Texts », [in] *Actes de Las Vegas*, Paris-Seattle-Tübingen, *PFSCL*-Biblio 17, 1991, p. 53-61.

BARNWELL, Henry T., « Some reflections on Corneille's theory of vraisemblance as formulated in the *Discours* », *Forum for Modern Language Studies*, 1965, p. 295-310.

BARNWELL, Henry T., « Corneille, the perpetual innovator », *Seventeenth Century French Studies*, VII, 1985, p. 166-176.

BELARDI, Walter, « Corneille, Racine e la catarsi tragica », [in] *Scritti in onore di G. Macchia*, Milano, Mondadori, 1983, t. II, p. 11-24.

BÉNICHOU, Paul, « Formes et significations dans *Rodogune* de Corneille », *Le Débat*, 31, 1984, p. 82-102.

BEUGNOT, Bernard, « La sentence : problématique pour une étude », [in] *Pierre Corneille*, Actes du colloque de Rouen (1984), A. Niderst éd., PUF, 1985, p. 569-580.

BOORSCH, Jean, « Remarques sur la technique dramatique de Corneille », *Yale Romanic Studies*, XVII, 1941, p. 101-162.

BOORSCH, Jean, « L'invention chez Corneille. Comment Corneille ajoute à ses sources », [in] *Essays in Honor of Albert Feuillerat*, 1943, p. 115-128.

CARLIN, Claire, « Corneille's *Trois Discours* : a Reader's Guide », *Orbis Litterarum*, 1, 1990, p. 49-70.

CAVE, Terence, « Corneille, Œdipus, Racine », *Convergences*, 1989, p. 82-100.

CLARKE, David R., « Corneille's differences with the Seventeenth Century Doctrinaires over the moral authority of the Poet », *Modern Language Review*, 80, 1985, p. 550-562.

DAVIDSON, Hugh M., « Corneille interprète d'Aristote dans les Trois *Discours* », [in] *Pierre Corneille*, Actes du colloque de Rouen (1984), A. Niderst éd., PUF, 1985, p. 129-136.

DAVIDSON, Hugh M., « La vraisemblance chez d'Aubignac et chez Corneille : quelques réflexions disciplinaires », [in] *L'Art du théâtre. Mélanges R. Garapon*, PUF, 1992, p. 91-100.

DENS, Jean-Pierre, « *Sertorius* ou le tragique cornélien », *Revue d'histoire du théâtre*, XXVIII, 1976, p. 156-161.

ÉMELINA, Jean, « Corneille et la catharsis », *Littératures classiques*, 32, 1998, p. 105-120.

FLORIS, Ubaldo, « La "querelle du *Cid*" e lo scandalo del vero », *Quaderni del Seicento Francese*, 7, 1986, p. 85-128.

FORESTIER, Georges, « Illusion comique et illusion mimétique », *PFSCL*, XI, 21, 1984, p. 377-391.

FORESTIER, Georges, « Une dramaturgie de la gageure », [in] *Présence de Pierre Corneille*, Catalogue de l'exposition du tricentenaire, Bibliothèque municipale de Rouen, 1984 ; repris dans *RHLF*, 1985, 5, p. 811-819.

FORESTIER, Georges, « Corneille et le mystère de l'identité », [in] *Pierre Corneille*, Actes du colloque de Rouen (1984), A. Niderst éd., PUF, 1985, p. 665-678.

FORESTIER, Georges, « Théorie et pratique de l'histoire dans la tragédie classique », *Littératures classiques* 11, 1989, p. 95-107.

FORESTIER, Georges, « Corneille, poète d'histoire », *Littératures classiques*, Supplément au n° 11, 1989, p. 30-41.

FUMAROLI, Marc, « Critique et création littéraire : Jean-Louis Guez de Balzac et Pierre Corneille (1637-1645) », [in] *Mélanges de littérature française offerts à M. René Pintard*,

Strasbourg, Centre de philologies et de littératures romanes, 1975, p. 73-90.

HEPP, Noémie, « Esquisse du vocabulaire de la critique littéraire de la Querelle du *Cid* à la Querelle d'Homère », *Romanische Forschungen*, LXIX, 1957, p. 325-332.

HUBERT, Judd D., « Le jeu de l'histoire et de la théâtralité dans *Othon* », [in] *Ouverture et dialogue. Mélanges offerts à Wolfgang Leiner*, Tübingen, Gunter Narr Verlag, 1988, p. 231-246.

KNUTSON, Harold C., « Le dénouement heureux dans la tragédie française du XVIIe siècle », *Zeitschrift für französische Sprache und Literatur*, 77, 1967, p. 339-346.

KOCH, Philip, « *Horace* : réponse cornélienne à la Querelle du *Cid* », *Romanic Review*, mars 1988, p. 148-161.

LOUVAT, Bénédicte, et ESCOLA, Marc, « Le statut de l'épisode dans la tragédie classique. *Œdipe* de Corneille ou le complexe de Dircé », *XVIIe Siècle*, 200, juillet-sept. 1998, p. 453-470.

LYONS, John D., « Corneille's *Discours* and classical closure », *Continuum*, II, 1990, p. 65-80.

LYONS, John D., « Corneille and the Triumph of Pleasure, or the Four Axioms of Tragic Pleasure », *Papers on French Seventeenth Century Literature*, XIX, 37, 1992, p. 329-336.

MAHER, Daniel, « La vraisemblance au XVIIe siècle : Corneille lecteur d'Aristote ? », *Papers on French Seventeenth Century Literature*, XIX, 37, 1992, p. 329-336.

MAINGUENEAU, Dominique, « Un problème cornélien : la maxime », *Études littéraires*, XXV, 1-2, 1992, p. 11-12.

MINEL, Emmanuel, « Dénouement dynamique et dénouement problématique : un aspect du travail de l'Histoire dans la tragédie cornélienne », *Littératures classiques*, 32, 1998, p. 159-175.

MONCOND'HUY, Dominique, « De la catastrophe comme tableau, à propos de *Cinna*, *Rodogune* et *Nicomède* », *Littératures classiques*, 32, 1998, p. 177-187.

MOREL, Jacques, « Corneille, metteur en scène », [in] *Pierre Corneille*. Actes du colloque de Rouen (1984), A. Niderst éd., PUF, 1985, p. 689-698 ; repris dans *Agréables Mensonges. Essais sur le théâtre français du XVIIe siècle*, Paris, Klincksieck, 1994, p. 154-163.

NIDERST Alain, « Corneille et les commentateurs d'Aristote », *PFSCL*, XIV, 27, 1987, p. 733-743.

PASQUIER Pierre, « Le héros tragique cornélien dans les *Discours* de 1660, ou comment "s'accommoder avec Aristote" », *Littératures classiques*, 32, 1998, p. 77-89.

SEARLES, Colbert, « Corneille and the Italian Doctrinaires », *Modern Philology*, juillet 1915.

SELLSTROM, Donald A., « Corneille and Tasso : an unacknowledged link », *Revue de littérature comparée*, oct.-déc. 1988, p. 477-482.

STEGMANN, André, « Corneille, théoricien de la tragédie et ses antécédents italiens », *La Licorne*, 1985, p. 83-96.

ZIMMERMANN, Éléonore M., « L'agréable suspension chez Corneille », *French Review*, 40, 1966-1967, p. 15-26.

GLOSSAIRE

ACTEUR : personnage (celui qui agit). Premier acteur : personnage principal.

AGNITION : reconnaissance (terme emprunté au latin *agnitio*, lui-même dérivé du verbe *agnosco*).

ART : le mot sert couramment d'équivalent au grec *tekhnê* (savoir-faire), d'où la valeur de « traité » (ainsi pour les « arts poétiques »), d'autant mieux que l'ouvrage d'Aristote se présente comme une *tekhnê poiêtikê*.

CATASTROPHE : le terme se confond, à l'époque classique, avec celui de dénouement pour la tragédie, dénouement qui coïncide « avec un événement sanglant ou funeste » (Furetière). Mais Corneille, comme d'Aubignac, distingue du dénouement la catastrophe, comme un coup de théâtre qui achemine l'action vers son terme (et précède donc le dénouement proprement dit).

DÉNOUEMENT : le terme est toujours à entendre à la forme active comme ce qui « dénoue le nœud », la solution qui lève l'impossibilité mise en place dans le nœud.

DICTION : traduction du grec *lexis*, « expression ». Le terme recouvre le choix et l'agencement des mots et des figures (et n'a jamais le sens moderne de déclamation).

ÉPISODE : Corneille distingue deux acceptions du terme, qui désigne soit des actions locales des personnages principaux qui ne sont pas nécessaires au déroulement de l'action, soit les intérêts des personnages secondaires qui entrent en concurrence avec ceux des personnages principaux (p. 91, n. 69 et n. 71, ainsi que p. 155, n. 18).

EXODE : dans la tragédie grecque, ce qui suit le dernier chant du chœur ; cette « partie de quantité » se confond pour Corneille avec le cinquième acte.

EXPOSITION : Corneille n'emploie jamais le terme. Voir Prologue.

FABLE : mythologie. Corneille ne retient pas le sens de « trame narrative », pour lequel il recourt systématiquement au terme de « sujet ».

MACHINE : artifice qui permet de dénouer *in extremis* une situation bloquée (forme réduite de *deus ex machina*). Au pluriel, s'emploie dans le syntagme « pièce à machines » pour désigner l'ensemble des techniques de mise en scène qui permettent de représenter des personnages ou des situations relevant du merveilleux (apparitions de divinités, etc.).

MAXIMES : voir sentences.

MERVEILLE : Corneille n'emploie le terme qu'une seule fois (p. 114) et dans un raisonnement par l'absurde pour désigner un événement « fabuleux » (relevant de la mythologie) et donc incompatible avec la tragédie historique.

MŒURS : traduction de *èthé*, « caractères » des personnages (comme combinatoire de traits de comportement corrélés à l'âge et à la condition).

NARRATION : récit d'une action qui s'est déroulée hors scène ou en amont de l'intrigue représentée.

NŒUD : au sens le plus général, partie intermédiaire entre l'exposition et le dénouement. Mais le nœud se confond pour Corneille avec l'action proprement dite moins son dénouement (p. 137). Il ne donne donc apparemment pas au terme le sens déjà enregistré par Furetière d'événement ponctuel (« l'endroit [d'un poème dramatique] où les personnages sont les plus embarrassés, conjoncture [...] dont on a peine à prévoir l'issue »).

PÉRIPÉTIE : Corneille n'emploie le terme qu'une fois (p. 66) dans une référence explicite à son sens aristotélicien de « coup de théâtre », d'« événement imprévu » qui renverse, à la fin de la tragédie, le cours de l'action. Il lui préfère celui de « catastrophe ».

PROLOGUE : traduit en termes de dramaturgie moderne, le terme désigne les premières scènes en amont du nœud, qui ont pour fonction de donner aux spectateurs l'information nécessaire à l'intelligence de ce nœud. Corneille le distingue de l'action proprement dite. Dans un sens restreint, le prologue désigne pour les pièces à machines une séquence détachée du premier acte et qui est le lieu d'un éloge du commanditaire ou du roi.

PROTASE : « première partie d'un poème dramatique, qui explique au peuple le sujet ou l'argument de la pièce » (Furetière). À ce terme technique emprunté au grec, Corneille pré-

fère celui de « premier acte », lequel doit enfermer toute la
protase (p. 36).

RAISONNEMENT : voir sentiments.

SENTENCES : énoncés généraux, maximes de morale ou de politique, dont l'intérêt déborde la situation dans laquelle ils sont
produits (et qui autorisent donc d'autres « applications »).

SENTIMENTS : Corneille traduit indifféremment par « raisonnement » et « sentiments » le grec *dianoia* (pensées), qu'il
comprend au sens de discours prêtés à un personnage en
fonction de son caractère et de la situation dans laquelle il
se trouve placé.

Index

Index

INDEX DES NOTIONS

ACTE : 86, 134, 136, 140-142, 145, 151 (voir aussi INTERVALLE D'ACTES).
premier acte : 84, 86-91, 135, 141.
cinquième acte : 75-77, 87, 92, 143, 146-147.

ACTEUR : 86, 88, 91, 130.
premier acteur : 73, 74, 76, 81-82, 91, 98, 103, 117-118, 133.

ACTION : 70, 74, 76-77, 86, 116, 120. (voir aussi LIAISON DES ACTIONS et DUPLICITÉ).
unité d'action : 63, 86-87, 133-135, 137 sq.

AGNITION : 66, 87, 109-110.

AMOUR : 68, 72-75, 88, 101, 131, 148. (voir MARIAGE).

ANCIENS : voir IMITATION.

APARTÉ (A parte) : 143.

BIENSÉANCES : 75, 124.

CARACTÈRES : voir MŒURS.

CATASTOPHE : 69, 92. (voir DÉNOUEMENT).

CATHARSIS : 70, 95-103.

CHANSON : 85.

CHANT : 86, 141-142.

CHŒUR : 65, 85-86, 140, 142.

COMÉDIE (opposé à TRAGÉDIE) : 63, 70, 71-78, 131.

COMÉDIE HÉROÏQUE : 73.

CRAINTE : 95-110.

DÉCORATION : 66, 71, 85, 141.

DÉNOUEMENT : 69-70, 74-76, 87, 104-105, 108, 117, 137, 139-140. (voir aussi cinquième Acte).

DICTION : 66, 71, 84.

DIDASCALIES : voir INDICATIONS SCÉNIQUES.

DUPLICITÉ D'ACTION : 133.

ENTRACTE : voir INTERVALLE D'ACTES.

ENTRÉES DES ACTEURS : 141.

ÉPISODE : 65, 85-86, 91, 113.

EXODE : 85, 92.

EXPOSITION : 86-88.

FABLE : 82-83, 111 sq., 129, 132. (voir aussi MERVEILLEUX).

FIGURES : 84-85.

HISTOIRE : 64, 82-83, 97, 111 sq.

IMITATION DES ANCIENS : 68-69, 72-73, 87, 98-101, 104-106, 108-109, 111, 113-114, 119, 136, 142, 149, 152.

IMPOSSIBLE CROYABLE : 128.

INDICATIONS SCÉNIQUES : 142.

INSTRUCTION MORALE : 68-70.

INTERVALLE D'ACTES : 134-135, 141, 145.

LIAISON DES ACTIONS : 87, 120, 123, 135.

LIAISON DES SCÈNES : 135-137, 150-151.

LIEU : 125, 127, 131, 141, 144.
unité de lieu : 63, 121-123, 148-152.

MACHINE : 85, 89-90, 113-114, 139.

MARIAGE : 74-76, 88, 148. (voir AMOUR).

MARTYRS : 101-101, 133.

MAXIME : voir SENTENCE.

MERVEILLEUX : 64, 113-114, 116, 127, 129, 139. (voir aussi FABLE).

MŒURS : 66, 71, 78-84, 140.
bonnes : 78-81.
convenables : 81-82.
semblables : 82-83, 96-97.
égales : 83.

MONOLOGUE : 89.

MUSIQUE : 66, 71, 85, 141, 147.

NARRATION : 83, 89, 116, 135, 138, 147.

NÉCESSAIRE : 63, 119 *sq.*, 129 *sq.*, 138.

NŒUD : 137-139.

PARTIES DU POÈME : 71 *sq.*
parties intégrales : 71-85.
parties d'extension : 85-92.

PASSION : 67, 72, 89, 97, 99-100, 101-102, 106, 135.

PÉRIPÉTIE : 66.

PÉRIL : 73-74, 97-99, 101-103, 109, 112-115, 131, 133.

PERSONNAGE : voir ACTEURS.

PITIÉ : 95-110, 115.

PLAISIR : 63, 65-66.

PRÉCEPTE : voir RÈGLE.

POSSIBLE INCROYABLE : 128.

PROLOGUE : 85-86, 89-91.

PROTASE : voir premier Acte.

PURGATION DES PASSIONS : voir CATHARSIS.

RÉCIT : voir NARRATION.

RÈGLES : 63, 65-66, 68, 70, 73, 76, 78, 81-82, 88, 92, 94, 96, 104, 120, 130-131, 136, 152.

RECONNAISSANCE : voir AGNITION.

REPRÉSENTATIONS : 77, 100, 103, 116, 136, 142-143, 145-146.

RHÉTORIQUE : 84-85, 93.

ROIS : 67, 72-73, 81, 96-97, 125, 149.

ROMAN : 121-122.

SCÈNE : 122, 141, 148.

SENTENCE : 66-68, 84, 100.

SENTIMENTS : 71, 84.

SORTIES DES ACTEURS : 141.

SUBLIME : 107-108.

SUJETS : 63-64, 66, 69, 71-78, 88-90, 107, 111 *sq.*, 132.

TEMPS : 127, 131.
unité de temps : 63, 143-148.

TRAGÉDIE (opposé à COMÉDIE) : 70, 71-74, 77-78, 84, 95 *sq.*, 131.

VERSIFICATION : 77, 85, 107.

VERTUS ET VICES : 68-70, 100-101, 104, 108, 117.

VRAISEMBLABLE : 63-64, 78, 112-113, 115, 119 *sq.*, 138, 144-145.
vraisemblables général et particulier : 125-127.
vraisemblables ordinaire et extraordinaires : 127-128.

VRAI HISTORIQUE : 64, 115 *sq.*

INDEX DES PIÈCES DE CORNEILLE

Classées dans l'ordre chronologique de leur création ; les simples mentions de personnages sont indexées sous le titre de la pièce correspondante. Sur le « palmarès » des pièces, voir Présentation, p. 30.

Mélite : 67, 76.
La Veuve : 76, 87.
La Suivante : 121, 135-136.
Médée : 64, 90, 139.
Le Cid : 72, 74-75, 83, 87, 91, 99-100, 102-103, 106, 108, 110, 121, 128, 131, 135, 144-146, 150.
Horace : 77, 106, 122-123, 132-133, 142, 147-149, 152.
Cinna : 74, 77, 88-89, 91, 102, 108, 113, 121, 123, 138, 141, 145, 147, 150.
Polyeucte : 100-101, 103, 105, 121, 136, 148, 152.
La Mort de Pompée : 121, 132, 137, 144, 149, 152.
Le Menteur : 79, 81, 87, 121, 134, 150-151.
La Suite du Menteur : 64, 150-151.

Rodogune : 68, 75, 78-79, 84, 101-104, 106, 108, 110, 117-118, 132, 134, 143, 145, 147, 149, 151.
Théodore : 103, 105, 121, 133.
Héraclius : 91, 101-102, 104, 108, 114, 117, 128, 138-139, 146, 149, 151.
Don Sanche : 73, 88, 135, 147-148.
Andromède : 64, 90-91, 113, 137, 147-148.
Nicomède : 101-102, 105, 108, 117, 121, 128, 132, 146.
Œdipe : 87, 100, 147. (Voir aussi Sophocle dans l'index des noms).
La Conquête de la Toison d'Or : 91.

Cinq pièces ne sont jamais citées par Corneille dans les *Discours* : *Clitandre* (seule tragi-comédie après la « reconnaissance » du *Cid* comme tragédie), *La Galerie du Palais*, *La Place royale* (qui offre pourtant les mêmes problèmes dramaturgiques que *La Suivante* ou *Mélite*, relativement à la liaison des scènes, l'unité de lieu ou l'action épisodique), *L'Illusion comique* (considérée comme atypique) et *Pertharite*.

INDEX DES NOMS PROPRES
ET DES ŒUVRES CITÉS

AGATHON : 64.

ARISTOTE
  Poétique : 63-66, 70-71, 75, 77, 78-84, 85-91, 93, 95-131, 135, 137-140, 142-144, 148.
  Politiques : 95.

BARCLAY
  Argenis : 126.
BALZAC (GUEZ DE) : 94.
BENI : 96.
BENSERADE
  La Mort d'Achille : 76.
BUCHANAN : 136.

CASTELVETRO : 80-81.
CÉSAR
  Commentaires : 126.

ESCHYLE : 68, 106, 144.
EURIPIDE : 89, 107.
  Électre : 108, 115-116.
  Hélène : 89, 115.
  Hippolyte : 89, 111.
  Ion : 115.
  Iphigénie à Aulis : 98.
  Iphigénie en Tauride : 89, 107, 115, 152.
  Oreste : 69, 81, 139.
  Les Suppliantes : 144.

GHIRARDELLI
  La Mort de Crispe : 110-111.
GROTIUS : 136.

HARDY
  Scédase ou l'hospitalité violée : 97.

HEINSIUS : 80, 136.
HOMÈRE : 79.
HORACE : 65-67, 73, 78-80, 82, 93, 116, 132, 140, 148.

OVIDE
  Les Métamorphoses : 64, 113, 116.

PACIUS : 80.
PLATON : 100.
PLAUTE : 89, 131.

ROBORTELLO : 79, 100.

SÉNÈQUE
  Médée : 64, 68-69, 140.
  Œdipe : 87.
  Thyeste : 68-69, 98-99.

SOPHOCLE
  Antigone : 108.
  Ajax : 76, 106, 136, 149.
  Électre : 116, 118.
  Œdipe Roi : 87, 100, 103, 107, 113, 147.
  Philoctète : 106.

SPÉHONIUS (le P.) : 111.

TACITE : 73, 114.
TÉRENCE : 90, 131.
  L'Andrienne : 90, 146.
  Phormion : 90.
  L'Eunuque : 136.
TRISTAN L'HERMITE
  La Mariane : 92.

VICTORIUS : 80.

DERNIÈRES PARUTIONS

ARISTOTE
Petits Traités d'histoire naturelle (979)
Physique (887)

AVERROÈS
L'Intelligence et la pensée (974)
L'Islam et la raison (1132)

BERKELEY
Trois Dialogues entre Hylas et Philonous (990)

BOÈCE
Traités théologiques (876)

CHÉNIER (Marie-Joseph)
Théâtre (1128)

COMMYNES
Mémoires sur Charles VIII et l'Italie, livres VII et VIII (bilingue) (1093)

DÉMOSTHÈNE
Les Philippiques, suivi de ESCHINE, Contre Ctésiphon (1061)

DESCARTES
Discours de la méthode (1091)

ESCHYLE
L'Orestie (1125)

EURIPIDE
Théâtre complet I. Andromaque, Hécube, Les Troyennes, Le Cyclope (856)

GALIEN
Traités philosophiques et logiques (876)

GOLDONI
Le Café. Les Amoureux (bilingue) (1109)

HEGEL
Principes de la philosophie du droit (664)

HÉRACLITE
Fragments (1097)

HERDER
Histoire et cultures (1056)

HIPPOCRATE
L'Art de la médecine (838)

HUME
Essais esthétiques (1096)

IDRÎSÎ
La Première Géographie de l'Occident (1069)

JAMES
Daisy Miller (bilingue) (1146)
L'Espèce particulière et autres nouvelles (996)
Le Tollé (1150)

KANT
Critique de la faculté de juger (1088)
Critique de la raison pure (1142)

LEIBNIZ
Discours de métaphysique (1028)

LEOPOLD
Almanach d'un comté des sables (1060)

LONG & SEDLEY
Les Philosophes hellénistiques (641-643, 3 vol. sous coffret 1147)

LORRIS
Le Roman de la Rose (bilingue) (1003)

MONTAIGNE
Apologie de Raymond Sebond (1054)

MUSSET
Poésies nouvelles (1067)

NIETZSCHE
Par-delà bien et mal (1057)

PLATON
Alcibiade (988)
Apologie de Socrate. Criton (848)
Le Banquet (987)
La République (653)

PLINE LE JEUNE
Lettres, livres I à X (1129)

PLOTIN
Traités (1155)

POUCHKINE
Boris Godounov. Théâtre complet (1055)

PROUST
Écrits sur l'art (1053)

RIVAS
Don Alvaro ou la Force du destin (bilingue) (1130)

RODENBACH
Bruges-la-Morte (1011)

ROUSSEAU
Dialogues. Le Lévite d'Éphraïm (1021)
Du contrat social (1058)

SAND
Histoire de ma vie (1139-1140)

MME DE STAËL
Delphine (1099-1100)

TITE-LIVE
Histoire romaine. Les Progrès de l'hégémonie romaine (1005-1035)

TRAKL
Poèmes I et II (bilingue) (1104-1105)

THOMAS D'AQUIN
Somme contre les Gentils (1045-1048, 4 vol. sous coffret 1049)

MIGUEL TORGA
La Création du monde (1042)

WILDE
Le Portrait de Mr. W.H. (1007)

WITTGENSTEIN
Remarques mêlées (815)

ALLAIS
À se tordre (1149)

BALZAC
Eugénie Grandet (1110)

BEAUMARCHAIS
Le Barbier de Séville (1138)
Le Mariage de Figaro (977)

CHATEAUBRIAND
Mémoires d'outre-tombe, livres I à V (906)

COLLODI
Les Aventures de Pinocchio (bilingue) (1087)

CORNEILLE
Le Cid (1079)
Horace (1117)
L'Illusion comique (951)
La Place Royale (1116)
Trois Discours sur le poème
dramatique (1025)

DIDEROT
Jacques le Fataliste (904)
Lettre sur les aveugles. Lettre sur les
sourds et muets (1081)
Paradoxe sur le comédien (1131)

ESCHYLE
Les Perses (1127)

FLAUBERT
Bouvard et Pécuchet (1063)
L'Éducation sentimentale (1103)
Salammbô (1112)

FONTENELLE
Entretiens sur la pluralité des mondes (1024)

FURETIÈRE
Le Roman bourgeois (1073)

GOGOL
Nouvelles de Pétersbourg (1018)

HOMÈRE
L'Iliade (1124)

HUGO
Les Châtiments (1017)
Hernani (968)
Ruy Blas (908)

JAMES
Le Tour d'écrou (bilingue) (1034)

LAFORGUE
Moralités légendaires (1108)

LESAGE
Turcaret (982)

LORRAIN
Monsieur de Phocas (1111)

MARIVAUX
La Double Inconstance (952)
Les Fausses Confidences (978)
L'Île des esclaves (1064)
Le Jeu de l'amour et du hasard (976)

MAUPASSANT
Bel-Ami (1071)

MOLIÈRE
Dom Juan (903)
Le Misanthrope (981)
Tartuffe (995)

MONTAIGNE
Sans commencement et sans fin. Extraits
des Essais (980)

MUSSET
Les Caprices de Marianne (971)
Lorenzaccio (1026)
On ne badine pas avec l'amour (907)

LE MYTHE DE TRISTAN ET ISEUT (1133)

PLAUTE
Amphitryon (bilingue) (1015)

RACINE
Bérénice (902)
Iphigénie (1022)
Phèdre (1027)
Les Plaideurs (999)

ROTROU
Le Véritable Saint Genest (1052)

ROUSSEAU
Les Rêveries du promeneur solitaire (905)

SAINT-SIMON
Mémoires (extraits) (1075)

SÉNÈQUE
Médée (992)

SHAKESPEARE
Henry V (bilingue) (1120)

SOPHOCLE
Antigone (1023)

STENDHAL
La Chartreuse de Parme (1119)

VALINCOUR
Lettres à Madame la marquise *** sur La
Princesse de Clèves (1114)

WILDE
L'Importance d'être constant (bilingue)
(1074)

ZOLA
L'Assommoir (1085)
Au Bonheur des Dames (1086)
Germinal (1072)
Nana (1106)

GF Flammarion

06/05/122432-V-2006 – Impr. MAURY Eurolivres, 45300 Manchecourt.
N° d'édition FG102503. – Avril 1999. – Printed in France.